최강 단원별 연산
계산박사
POWER
내가 연산왕!
8
단계

최강 단원별 연산

계산박사

POWER

계산박사 하나면 충분하다!

POWER 01
교과서 단원에 맞춘 연산 교재

POWER 02
초등 연산 유형 완벽 마스터

POWER 03
재미 UP! 연산 학습

8단계

최강 단원별 연산

계산박사만의 남다른 특징

1 교과서 단원에 맞춘 연산 학습

교과서 주요 내용을 단원별로 세분화하여 교과서에 나오는 연산 문제를 반복 연습할 수 있어요.

❶ 대표 문제를 통해 개념을 이해해 보세요.

❷ 배운 내용을 아래 문제에서 연습해 보세요.

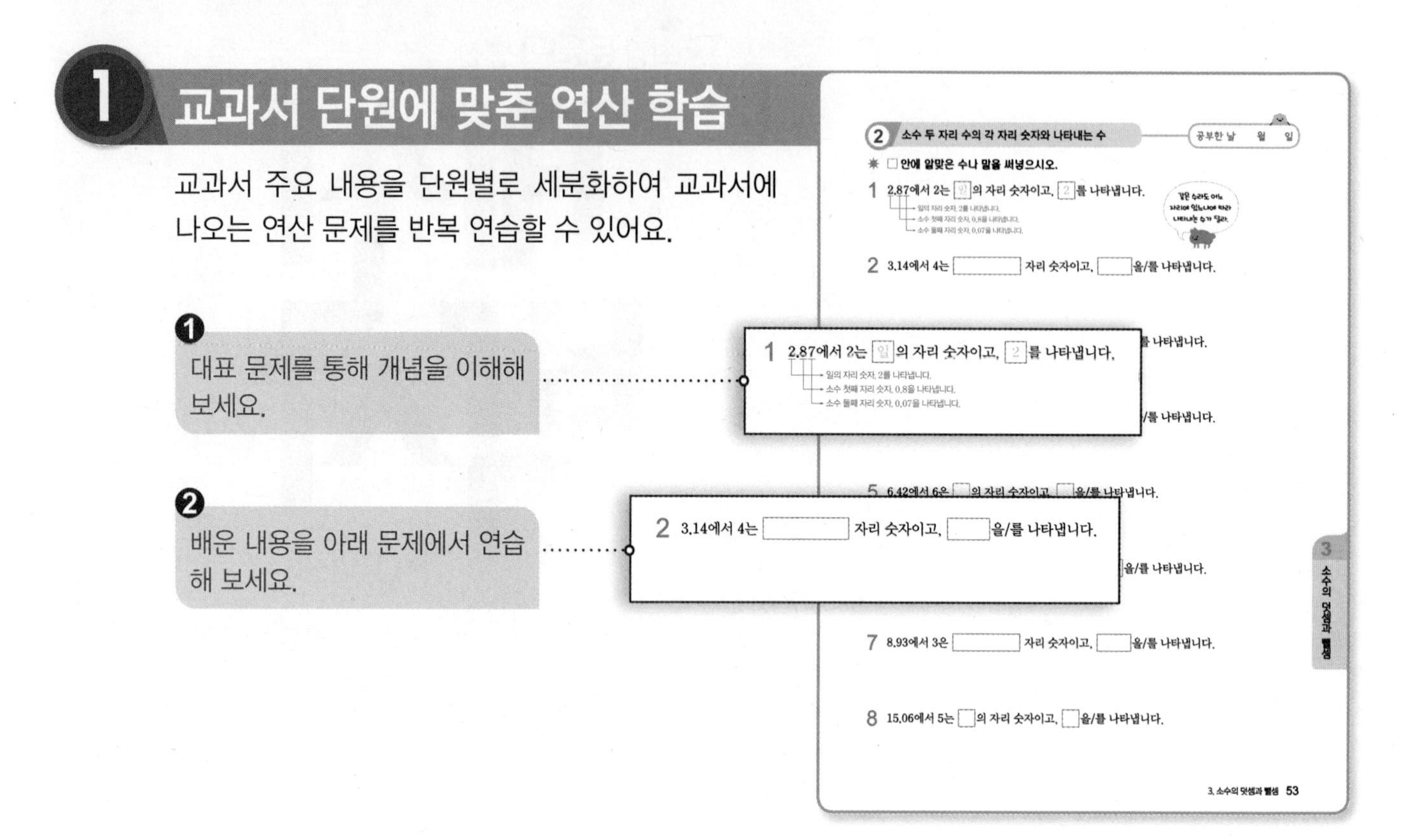

2 무료 모바일 러닝

QR 코드를 찍어 보세요. 문제 생성기 와 학습 게임 이 무료로 제공됩니다.

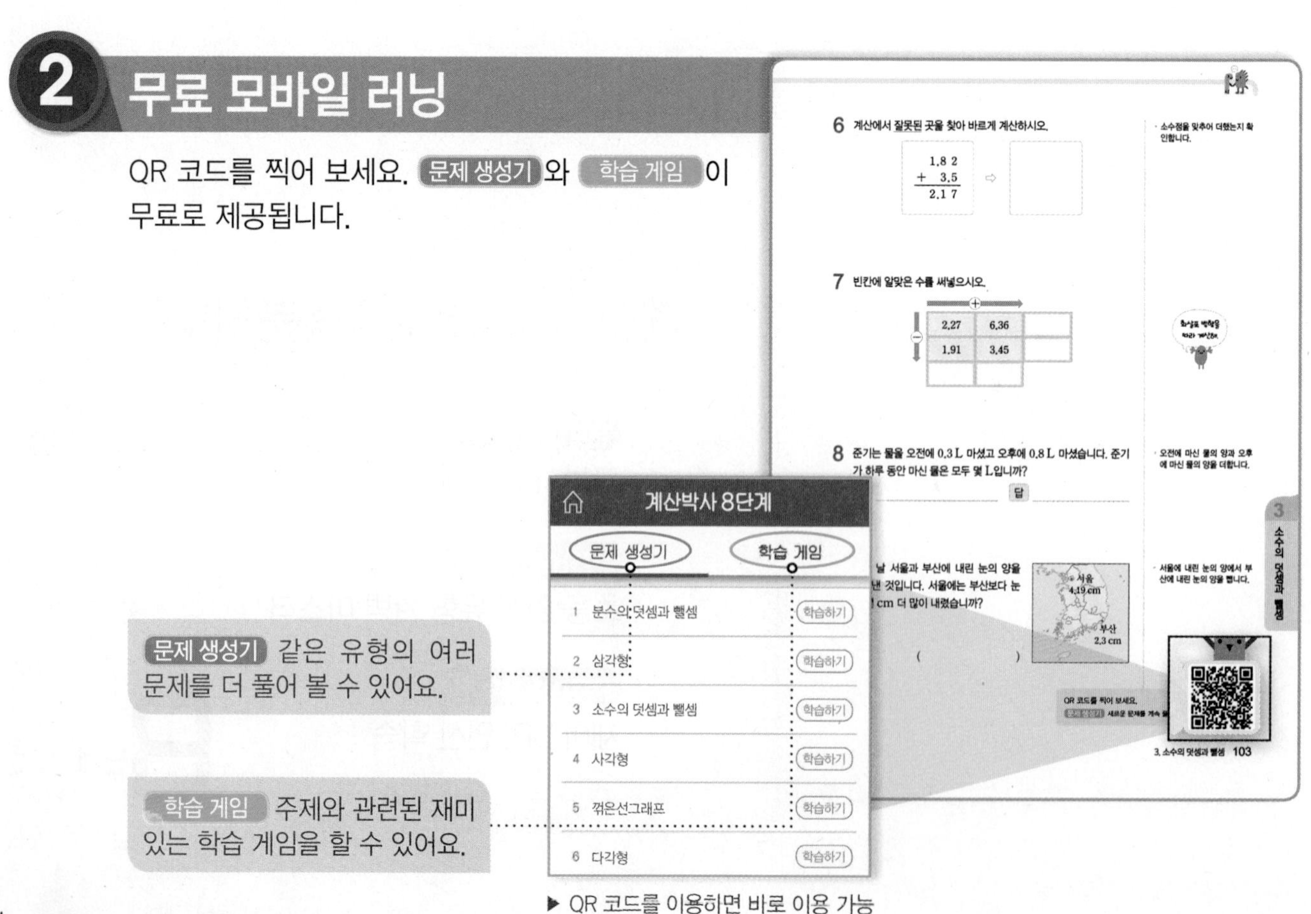

문제 생성기 같은 유형의 여러 문제를 더 풀어 볼 수 있어요.

학습 게임 주제와 관련된 재미있는 학습 게임을 할 수 있어요.

▶ QR 코드를 이용하면 바로 이용 가능

8단계

차례

1 분수의 덧셈과 뺄셈

QR 코드를 찍어 보세요.
재미있는 학습 게임을
할 수 있어요.

제1화 캠핑장까지 무사히 갈 수 있을까?

이미 배운 내용	이번에 배울 내용	앞으로 배울 내용
[3-1 분수와 소수] • 분수 알아보기 • 분수의 크기 비교 **[3-2 분수]** • 진분수, 가분수, 대분수 알아보기 • 분수의 크기 비교	• (진분수)+(진분수) • (진분수)−(진분수), 1−(진분수) • (대분수)+(대분수) • (자연수)−(분수) • (대분수)−(대분수)	**[4-2 소수의 덧셈과 뺄셈]** • 소수의 덧셈 • 소수의 뺄셈 **[5-1 분수의 덧셈과 뺄셈]** • 분모가 다른 분수의 덧셈 • 분모가 다른 분수의 뺄셈

배운 것 확인하기

1 진분수, 가분수, 대분수 알아보기

✸ 진분수는 '진', 가분수는 '가', 대분수는 '대'라고 쓰시오.

1 $\frac{1}{2}$ (진)

└ $1<2$이므로 진분수

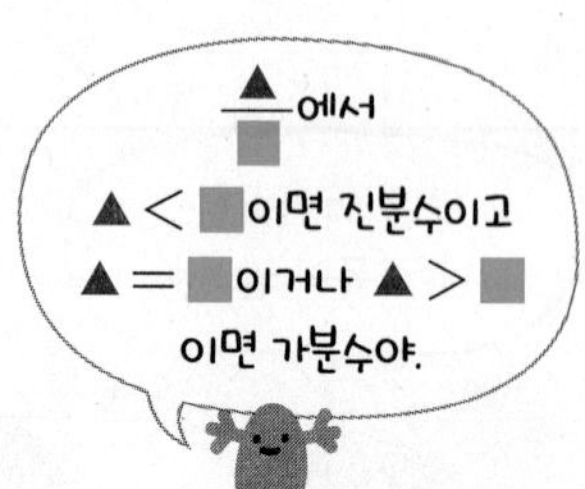

2 $\frac{5}{5}$ ( )

3 $1\frac{3}{4}$ ( )

4 $\frac{9}{7}$ ( )

5 $\frac{7}{8}$ ( )

6 $2\frac{4}{9}$ ( )

7 $\frac{12}{11}$ ( )

2 가분수를 대분수로 나타내기

✸ 가분수를 대분수로 나타내어 보시오.

1 $\frac{4}{3}$ ⇨ ($1\frac{1}{3}$)

└ $\frac{4}{3}$ ⇨ $\frac{3}{3}$과 $\frac{1}{3}$ ⇨ 1과 $\frac{1}{3}$ ⇨ $1\frac{1}{3}$

■/■는 자연수 1과 같아.

2 $\frac{7}{5}$ ⇨ ( )

3 $\frac{13}{6}$ ⇨ ( )

4 $\frac{25}{8}$ ⇨ ( )

5 $\frac{41}{7}$ ⇨ ( )

6 $\frac{38}{9}$ ⇨ ( )

7 $\frac{59}{10}$ ⇨ ( )

3 대분수를 가분수로 나타내기

✹ 대분수를 가분수로 나타내어 보시오.

1 $1\frac{2}{3}$ ⇨ ($\frac{5}{3}$)

$1\frac{2}{3}$ ⇨ 1과 $\frac{2}{3}$ ⇨ $\frac{3}{3}$과 $\frac{2}{3}$ ⇨ $\frac{5}{3}$

2 $2\frac{3}{4}$ ⇨ ( )

3 $3\frac{1}{6}$ ⇨ ( )

4 $4\frac{4}{5}$ ⇨ ( )

5 $2\frac{6}{7}$ ⇨ ( )

6 $5\frac{1}{8}$ ⇨ ( )

7 $6\frac{5}{9}$ ⇨ ( )

4 분수의 크기 비교

✹ 두 분수의 크기를 비교하여 ○ 안에 >, =, <를 알맞게 써넣으시오.

1 $1\frac{2}{7}$ (>) $\frac{8}{7}$

$1\frac{2}{7}=\frac{9}{7}$ ⇨ $\frac{9}{7}>\frac{8}{7}$

2 $2\frac{4}{5}$ ○ $\frac{13}{5}$

3 $3\frac{6}{8}$ ○ $\frac{31}{8}$

4 $\frac{25}{6}$ ○ $2\frac{5}{6}$

5 $\frac{19}{4}$ ○ $4\frac{1}{4}$

6 $\frac{47}{9}$ ○ $5\frac{3}{9}$

7 $\frac{68}{11}$ ○ $5\frac{9}{11}$

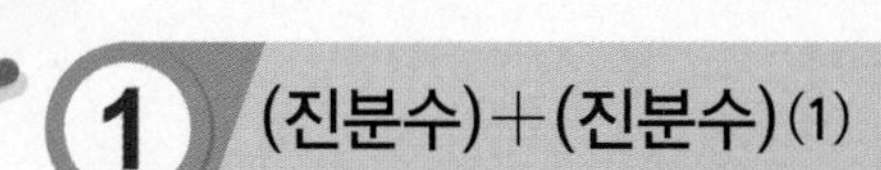

1 (진분수)+(진분수)(1)

공부한 날 월 일

✹ 계산을 하시오.

1 $\frac{1}{4}+\frac{2}{4}=\frac{3}{4}$

$\frac{1}{4}+\frac{2}{4}=\frac{1+2}{4}=\frac{3}{4}$

2 $\frac{3}{6}+\frac{2}{6}$

3 $\frac{3}{7}+\frac{3}{7}$

4 $\frac{6}{8}+\frac{1}{8}$

5 $\frac{4}{10}+\frac{5}{10}$

6 $\frac{3}{12}+\frac{4}{12}$

7 $\frac{3}{5}+\frac{1}{5}$

8 $\frac{5}{9}+\frac{3}{9}$

9 $\frac{2}{15}+\frac{9}{15}$

10 $\frac{7}{11}+\frac{2}{11}$

11 $\frac{8}{17}+\frac{3}{17}$

12 $\frac{2}{8}+\frac{3}{8}$

13 $\frac{1}{9}+\frac{4}{9}$

14 $\frac{2}{10}+\frac{6}{10}$

15 $\frac{4}{11}+\frac{4}{11}$

16 $\frac{6}{13}+\frac{5}{13}$

17 $\frac{9}{20}+\frac{7}{20}$

2 (진분수)+(진분수)(2)

✹ 계산을 하시오.

1 $\frac{2}{3}+\frac{2}{3}=1\frac{1}{3}(=\frac{4}{3})$

$\frac{2}{3}+\frac{2}{3}=\frac{2+2}{3}=\frac{4}{3}=1\frac{1}{3}$

분모는 그대로 두고
분자끼리 더한 후
가분수이면 자연수나
대분수로 바꿔.

2 $\frac{3}{4}+\frac{1}{4}$

3 $\frac{6}{8}+\frac{4}{8}$

4 $\frac{6}{10}+\frac{7}{10}$

5 $\frac{9}{12}+\frac{6}{12}$

6 $\frac{8}{14}+\frac{10}{14}$

7 $\frac{4}{6}+\frac{3}{6}$

8 $\frac{6}{7}+\frac{2}{7}$

9 $\frac{8}{9}+\frac{4}{9}$

10 $\frac{7}{13}+\frac{9}{13}$

11 $\frac{13}{15}+\frac{8}{15}$

12 $\frac{4}{5}+\frac{2}{5}$

13 $\frac{7}{8}+\frac{5}{8}$

14 $\frac{5}{6}+\frac{4}{6}$

15 $\frac{9}{11}+\frac{8}{11}$

16 $\frac{6}{9}+\frac{5}{9}$

17 $\frac{11}{18}+\frac{9}{18}$

3 (진분수)−(진분수)

공부한 날 월 일

✸ 계산을 하시오.

1 $\frac{2}{3}-\frac{1}{3}=\frac{1}{3}$

$\frac{2}{3}-\frac{1}{3}=\frac{2-1}{3}=\frac{1}{3}$

2 $\frac{6}{7}-\frac{4}{7}$

3 $\frac{7}{9}-\frac{6}{9}$

4 $\frac{6}{8}-\frac{1}{8}$

5 $\frac{11}{12}-\frac{4}{12}$

6 $\frac{13}{15}-\frac{8}{15}$

7 $\frac{3}{4}-\frac{2}{4}$

8 $\frac{9}{10}-\frac{4}{10}$

9 $\frac{10}{11}-\frac{5}{11}$

10 $\frac{5}{7}-\frac{3}{7}$

11 $\frac{11}{18}-\frac{7}{18}$

12 $\frac{4}{5}-\frac{1}{5}$

13 $\frac{5}{6}-\frac{2}{6}$

14 $\frac{12}{14}-\frac{9}{14}$

15 $\frac{8}{9}-\frac{2}{9}$

16 $\frac{9}{13}-\frac{6}{13}$

17 $\frac{16}{23}-\frac{10}{23}$

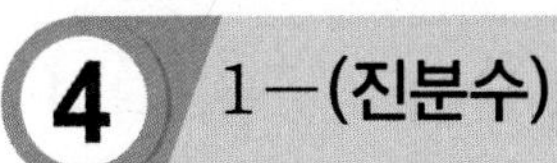

4 $1-$(진분수)

공부한 날 월 일

✹ 계산을 하시오.

1 $1-\frac{1}{2}=\frac{1}{2}$

$1-\frac{1}{2}=\frac{2}{2}-\frac{1}{2}=\frac{1}{2}$

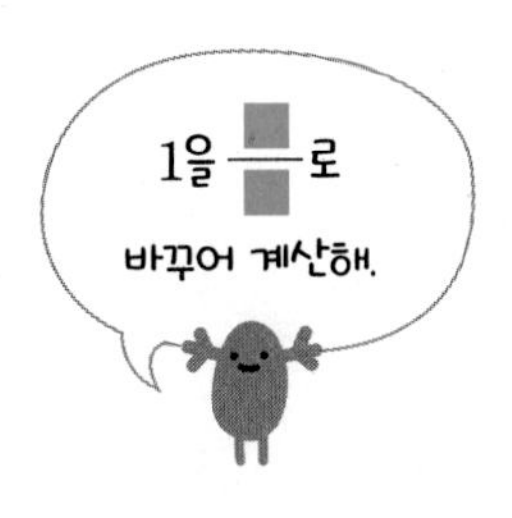

2 $1-\frac{4}{6}$

3 $1-\frac{6}{8}$

4 $1-\frac{7}{9}$

5 $1-\frac{10}{14}$

6 $1-\frac{8}{13}$

7 $1-\frac{1}{4}$

8 $1-\frac{3}{7}$

9 $1-\frac{8}{12}$

10 $1-\frac{11}{15}$

11 $1-\frac{5}{16}$

12 $1-\frac{2}{3}$

13 $1-\frac{3}{5}$

14 $1-\frac{4}{10}$

15 $1-\frac{5}{8}$

16 $1-\frac{6}{11}$

17 $1-\frac{9}{20}$

5 받아올림이 없는 (대분수)+(대분수)

공부한 날 월 일

✱ 계산을 하시오.

1 $1\frac{1}{4}+2\frac{2}{4}=3\frac{3}{4}$

$1+2=3$

$\frac{1}{4}+\frac{2}{4}=\frac{3}{4}$

12 $2\frac{2}{7}+3\frac{2}{7}$

2 $1\frac{4}{8}+3\frac{1}{8}$

7 $2\frac{2}{5}+2\frac{1}{5}$

13 $2\frac{3}{9}+1\frac{4}{9}$

3 $2\frac{1}{7}+1\frac{5}{7}$

8 $5\frac{3}{6}+2\frac{1}{6}$

14 $4\frac{5}{8}+3\frac{2}{8}$

4 $5\frac{6}{9}+1\frac{2}{9}$

9 $1\frac{4}{11}+4\frac{5}{11}$

15 $2\frac{10}{15}+3\frac{3}{15}$

5 $4\frac{3}{12}+2\frac{5}{12}$

10 $5\frac{6}{10}+3\frac{3}{10}$

16 $6\frac{7}{11}+1\frac{2}{11}$

6 $3\frac{2}{13}+4\frac{8}{13}$

11 $7\frac{5}{14}+2\frac{7}{14}$

17 $8\frac{9}{19}+1\frac{8}{19}$

받아올림이 있는 (대분수)+(대분수)

공부한 날 월 일

계산을 하시오.

1 $1\frac{2}{3}+1\frac{1}{3}=3$

$=(1+1)+(\frac{2}{3}+\frac{1}{3})$

$=2+\frac{3}{3}=2+1=3$

진분수 부분끼리의 합이 가분수이면 대분수로 고쳐서 계산해.

2 $2\frac{3}{6}+4\frac{5}{6}$

3 $2\frac{7}{8}+1\frac{3}{8}$

4 $4\frac{5}{10}+1\frac{6}{10}$

5 $3\frac{4}{12}+3\frac{9}{12}$

6 $5\frac{6}{14}+3\frac{10}{14}$

7 $1\frac{2}{4}+2\frac{3}{4}$

8 $2\frac{3}{10}+1\frac{9}{10}$

9 $3\frac{8}{9}+5\frac{2}{9}$

10 $6\frac{11}{13}+7\frac{4}{13}$

11 $3\frac{8}{16}+2\frac{12}{16}$

12 $3\frac{5}{8}+1\frac{4}{8}$

13 $2\frac{7}{9}+3\frac{6}{9}$

14 $3\frac{2}{7}+3\frac{5}{7}$

15 $2\frac{6}{11}+4\frac{8}{11}$

16 $1\frac{9}{15}+8\frac{9}{15}$

17 $6\frac{7}{20}+1\frac{13}{20}$

7 (대분수)+(진분수)

✸ 계산을 하시오.

1 $1\frac{1}{3}+\frac{1}{3}=1\frac{2}{3}$

$\frac{1}{3}+\frac{1}{3}=\frac{2}{3}$

12 $2\frac{5}{7}+\frac{4}{7}$

2 $2\frac{2}{5}+\frac{1}{5}$

7 $6\frac{1}{4}+\frac{2}{4}$

13 $3\frac{6}{8}+\frac{2}{8}$

3 $3\frac{4}{7}+\frac{2}{7}$

8 $8\frac{6}{11}+\frac{4}{11}$

14 $5\frac{8}{10}+\frac{3}{10}$

4 $2\frac{3}{8}+\frac{4}{8}$

9 $3\frac{5}{6}+\frac{2}{6}$

15 $7\frac{9}{14}+\frac{9}{14}$

5 $5\frac{1}{12}+\frac{6}{12}$

10 $1\frac{8}{9}+\frac{6}{9}$

16 $4\frac{7}{13}+\frac{8}{13}$

6 $7\frac{5}{16}+\frac{10}{16}$

11 $2\frac{2}{10}+\frac{9}{10}$

17 $6\frac{4}{15}+\frac{11}{15}$

공부한 날 월 일

계산을 하시오.

1 $1\frac{1}{4}+\frac{5}{4}=2\frac{2}{4}$

$=\frac{5}{4}+\frac{5}{4}=\frac{10}{4}=2\frac{2}{4}$

12 $1\frac{4}{7}+\frac{8}{7}$

2 $3\frac{2}{5}+\frac{7}{5}$

7 $2\frac{1}{2}+\frac{3}{2}$

13 $2\frac{5}{9}+\frac{13}{9}$

3 $4\frac{3}{8}+\frac{9}{8}$

8 $3\frac{5}{6}+\frac{11}{6}$

14 $3\frac{7}{10}+\frac{19}{10}$

4 $5\frac{4}{9}+\frac{10}{9}$

9 $6\frac{2}{7}+\frac{23}{7}$

15 $4\frac{6}{8}+\frac{21}{8}$

5 $2\frac{6}{10}+\frac{17}{10}$

10 $8\frac{2}{3}+\frac{16}{3}$

16 $2\frac{9}{11}+\frac{30}{11}$

6 $4\frac{7}{13}+\frac{14}{13}$

11 $7\frac{1}{14}+\frac{19}{14}$

17 $5\frac{2}{18}+\frac{55}{18}$

9 받아내림이 없는 (대분수)−(대분수)

✸ 계산을 하시오.

1 $3\frac{3}{4}-2\frac{1}{4}=1\frac{2}{4}$ ($3-2=1$, $\frac{3}{4}-\frac{1}{4}=\frac{2}{4}$)

12 $3\frac{4}{7}-1\frac{3}{7}$

2 $2\frac{4}{5}-1\frac{2}{5}$

7 $6\frac{8}{9}-5\frac{5}{9}$

13 $4\frac{5}{6}-3\frac{4}{6}$

3 $3\frac{6}{8}-3\frac{3}{8}$

8 $5\frac{5}{7}-3\frac{3}{7}$

14 $8\frac{4}{8}-6\frac{1}{8}$

4 $6\frac{7}{9}-4\frac{5}{9}$

9 $4\frac{3}{5}-2\frac{3}{5}$

15 $7\frac{8}{10}-7\frac{2}{10}$

5 $8\frac{10}{13}-2\frac{6}{13}$

10 $7\frac{9}{11}-5\frac{4}{11}$

16 $5\frac{7}{14}-4\frac{6}{14}$

6 $5\frac{11}{17}-1\frac{8}{17}$

11 $8\frac{3}{15}-6\frac{2}{15}$

17 $9\frac{16}{21}-2\frac{4}{21}$

10 (자연수)－(진분수)

공부한 날 월 일

계산을 하시오.

1 $2-\frac{1}{2}=1\frac{1}{2}$

$=1\frac{2}{2}-\frac{1}{2}=1\frac{1}{2}$

12 $4-\frac{6}{8}$

2 $3-\frac{2}{5}$

7 $5-\frac{5}{9}$

13 $6-\frac{3}{10}$

3 $4-\frac{6}{7}$

8 $7-\frac{2}{11}$

14 $8-\frac{8}{9}$

4 $2-\frac{5}{10}$

9 $10-\frac{3}{7}$

15 $9-\frac{10}{11}$

5 $5-\frac{7}{12}$

10 $8-\frac{4}{16}$

16 $7-\frac{5}{14}$

6 $6-\frac{8}{15}$

11 $9-\frac{9}{20}$

17 $10-\frac{11}{18}$

11 (자연수)−(대분수)

✹ 계산을 하시오.

1 $3-1\frac{1}{3}=1\frac{2}{3}$

$=2\frac{3}{3}-1\frac{1}{3}=1\frac{2}{3}$

12 $4-3\frac{4}{7}$

2 $2-1\frac{3}{5}$

7 $2-1\frac{3}{6}$

13 $6-4\frac{2}{8}$

3 $4-2\frac{2}{7}$

8 $6-1\frac{4}{10}$

14 $7-5\frac{8}{9}$

4 $5-3\frac{4}{8}$

9 $7-4\frac{2}{5}$

15 $8-2\frac{3}{11}$

5 $6-4\frac{5}{10}$

10 $9-8\frac{8}{13}$

16 $5-1\frac{10}{17}$

6 $8-5\frac{7}{12}$

11 $10-7\frac{6}{15}$

17 $9-1\frac{9}{20}$

공부한 날 월 일

✹ 계산을 하시오.

1 $2-\frac{3}{2}=\frac{1}{2}$

$=\frac{4}{2}-\frac{3}{2}=\frac{1}{2}$

2 $3-\frac{7}{5}$

3 $4-\frac{9}{8}$

4 $5-\frac{13}{10}$

5 $6-\frac{28}{9}$

6 $8-\frac{42}{11}$

7 $5-\frac{11}{6}$

8 $6-\frac{15}{7}$

9 $8-\frac{26}{5}$

10 $7-\frac{20}{6}$

11 $9-\frac{37}{10}$

12 $6-\frac{8}{3}$

13 $4-\frac{10}{9}$

14 $7-\frac{21}{4}$

15 $5-\frac{30}{7}$

16 $8-\frac{46}{15}$

17 $11-\frac{53}{20}$

13 받아내림이 있는 (대분수)−(대분수)

공부한 날 월 일

✸ 계산을 하시오.

1 $3\frac{2}{5}-1\frac{4}{5}=1\frac{3}{5}$

$=2\frac{7}{5}-1\frac{4}{5}=1\frac{3}{5}$

2 $4\frac{1}{3}-2\frac{2}{3}$

3 $6\frac{4}{7}-3\frac{5}{7}$

4 $5\frac{2}{8}-2\frac{6}{8}$

5 $4\frac{3}{11}-3\frac{7}{11}$

6 $3\frac{3}{14}-1\frac{5}{14}$

7 $6\frac{1}{6}-1\frac{4}{6}$

8 $7\frac{2}{5}-2\frac{4}{5}$

9 $6\frac{2}{4}-4\frac{3}{4}$

10 $8\frac{7}{13}-6\frac{10}{13}$

11 $9\frac{2}{12}-2\frac{9}{12}$

12 $4\frac{1}{8}-2\frac{3}{8}$

13 $5\frac{7}{9}-3\frac{8}{9}$

14 $8\frac{2}{6}-6\frac{5}{6}$

15 $2\frac{2}{10}-1\frac{8}{10}$

16 $7\frac{3}{9}-5\frac{4}{9}$

17 $8\frac{4}{15}-4\frac{7}{15}$

14 (대분수)−(진분수), (대분수)−(가분수)

공부한 날 월 일

✹ 계산을 하시오.

1 $2\frac{3}{4}-\frac{1}{4}=2\frac{2}{4}$

$\frac{3}{4}-\frac{1}{4}=\frac{2}{4}$

(대분수)−(진분수)는
진분수 부분끼리 빼고
진분수 부분끼리 뺄 수 없으면
자연수에서 1만큼을
분수로 바꾸어 계산해.

2 $3\frac{5}{6}-\frac{3}{6}$

3 $4\frac{4}{7}-\frac{2}{7}$

4 $6\frac{7}{8}-\frac{4}{8}$

5 $5\frac{6}{11}-\frac{3}{11}$

6 $9\frac{8}{15}-\frac{7}{15}$

7 $4\frac{3}{8}-\frac{4}{8}$

8 $5\frac{1}{9}-\frac{6}{9}$

9 $2\frac{4}{10}-\frac{7}{10}$

10 $6\frac{5}{13}-\frac{8}{13}$

11 $8\frac{6}{17}-\frac{9}{17}$

12 $2\frac{4}{5}-\frac{8}{5}=1\frac{1}{5}$

$=\frac{14}{5}-\frac{8}{5}=\frac{6}{5}=1\frac{1}{5}$

13 $5\frac{2}{9}-\frac{28}{9}$

14 $6\frac{5}{6}-\frac{19}{6}$

15 $3\frac{7}{12}-\frac{23}{12}$

16 $4\frac{3}{10}-\frac{36}{10}$

17 $7\frac{4}{20}-\frac{55}{20}$

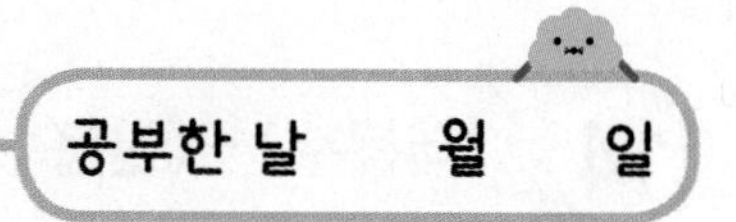

빈칸에 알맞은 수를 써넣으시오.

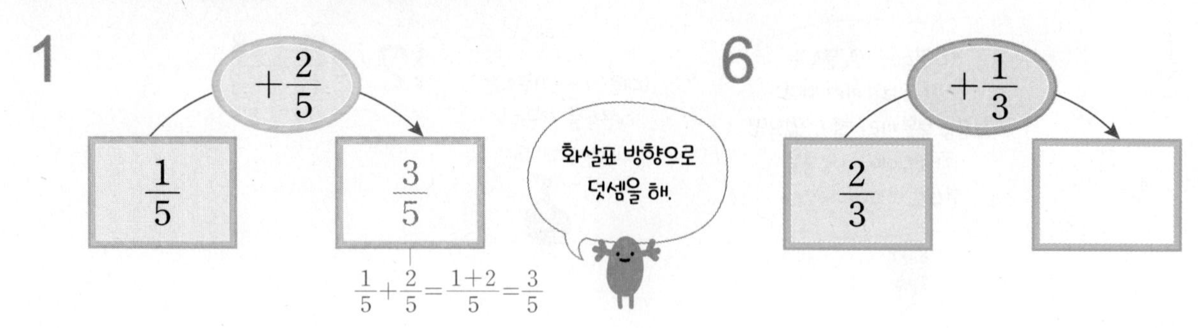

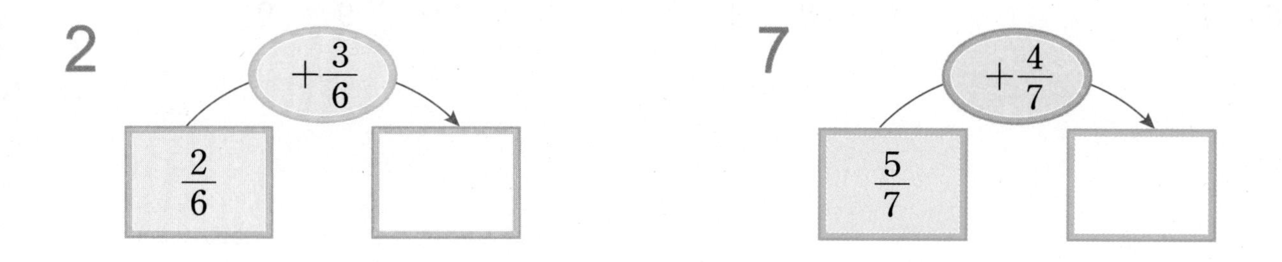

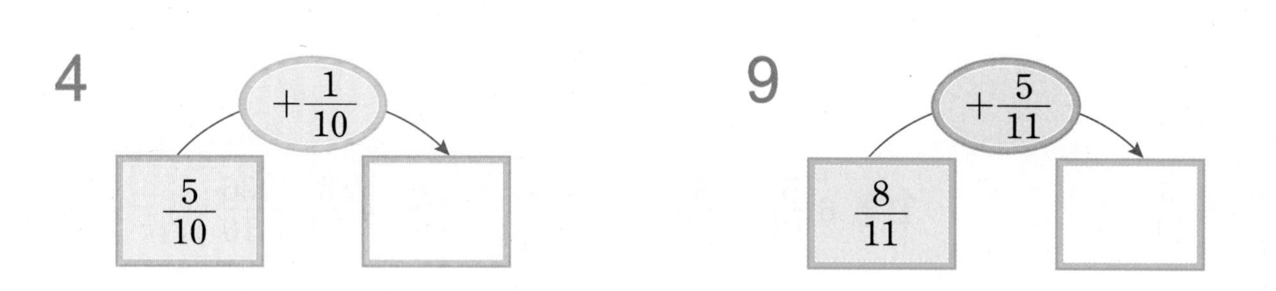

공부한 날 월 일

✸ □ 안에 알맞은 수를 써넣으시오.

1

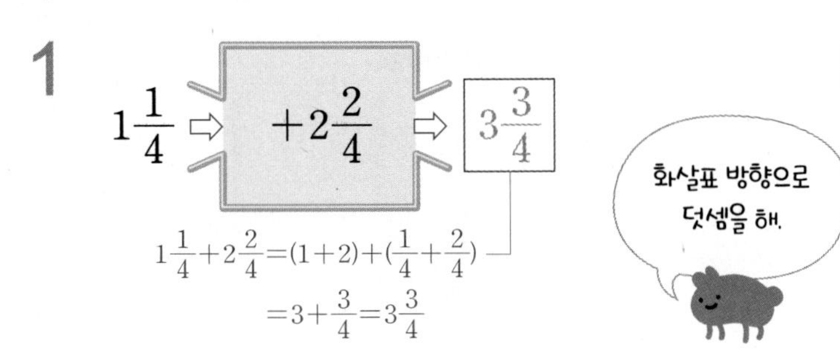

2 $3\frac{2}{5}$ ⇨ $+1\frac{2}{5}$ ⇨ □

3 $2\frac{2}{7}$ ⇨ $+2\frac{3}{7}$ ⇨ □

4 $4\frac{5}{8}$ ⇨ $+3\frac{1}{8}$ ⇨ □

5 $6\frac{2}{10}$ ⇨ $+4\frac{6}{10}$ ⇨ □

6 $2\frac{1}{2}$ ⇨ $+3\frac{1}{2}$ ⇨ □

7 $1\frac{4}{6}$ ⇨ $+2\frac{5}{6}$ ⇨ □

8 $5\frac{5}{9}$ ⇨ $+3\frac{7}{9}$ ⇨ □

9 $6\frac{2}{11}$ ⇨ $+1\frac{9}{11}$ ⇨ □

10 $7\frac{4}{15}$ ⇨ $+2\frac{13}{15}$ ⇨ □

17 분수의 덧셈 연습 (3)

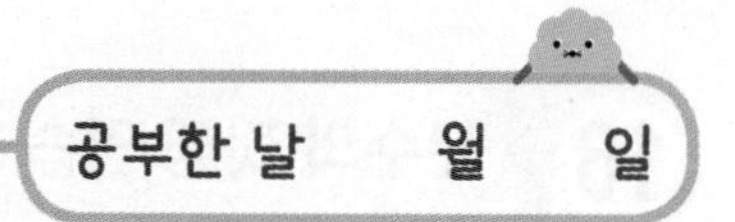

빈칸에 알맞은 수를 써넣으시오.

1 ⊕ →

$1\frac{1}{3}$	$\frac{1}{3}$	$1\frac{2}{3}$
$2\frac{2}{7}$	$\frac{4}{7}$	$2\frac{6}{7}$

$1\frac{1}{3}+\frac{1}{3}=1\frac{2}{3}$

$2\frac{2}{7}+\frac{4}{7}=2\frac{6}{7}$

화살표 방향으로 덧셈을 해.

5 ⊕ →

$2\frac{1}{2}$	$\frac{7}{2}$	
$3\frac{4}{5}$	$\frac{12}{5}$	

2 ⊕ →

$3\frac{3}{8}$	$\frac{2}{8}$	
$5\frac{5}{10}$	$\frac{4}{10}$	

6 ⊕ →

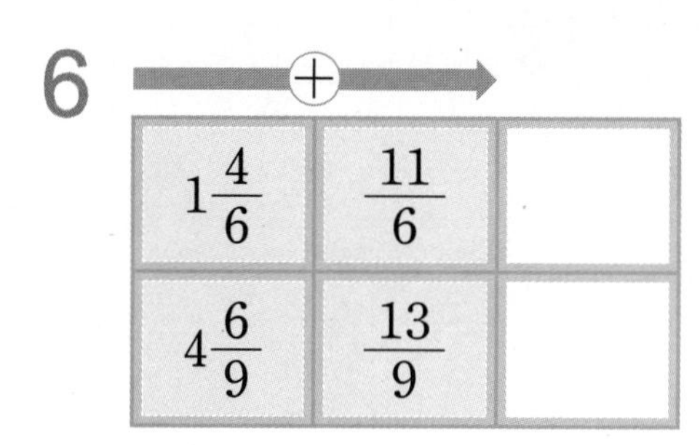

$1\frac{4}{6}$	$\frac{11}{6}$	
$4\frac{6}{9}$	$\frac{13}{9}$	

3 ⊕ →

$2\frac{3}{5}$	$\frac{2}{5}$	
$3\frac{4}{8}$	$\frac{7}{8}$	

7 ⊕ →

$2\frac{6}{7}$	$\frac{15}{7}$	
$7\frac{1}{12}$	$\frac{19}{12}$	

4 ⊕ →

$4\frac{6}{9}$	$\frac{4}{9}$	
$6\frac{5}{11}$	$\frac{8}{11}$	

8 ⊕ →

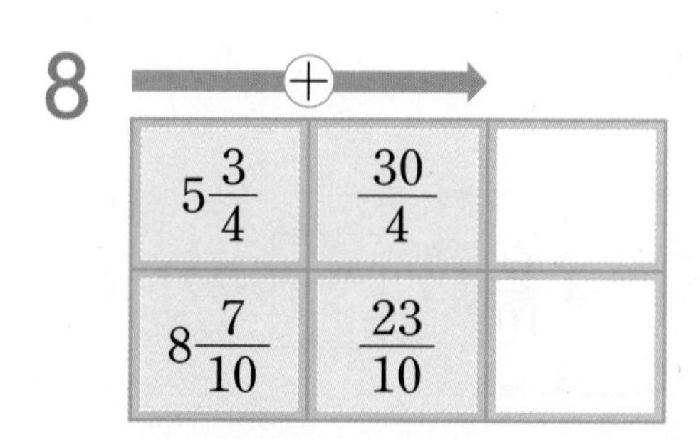

$5\frac{3}{4}$	$\frac{30}{4}$	
$8\frac{7}{10}$	$\frac{23}{10}$	

18 분수의 뺄셈 연습(1)

공부한 날 월 일

빈칸에 알맞은 수를 써넣으시오.

1

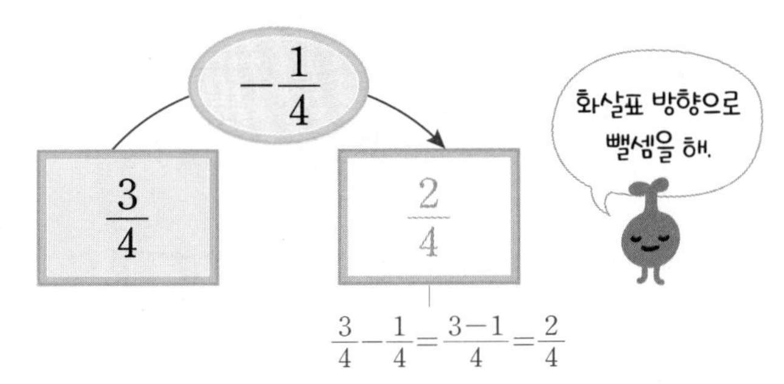

6

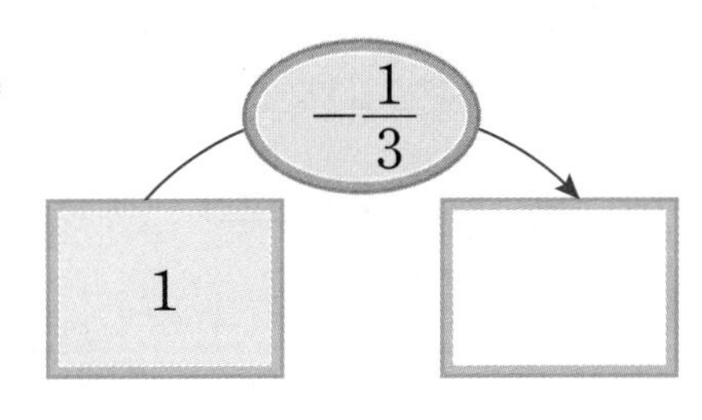

2

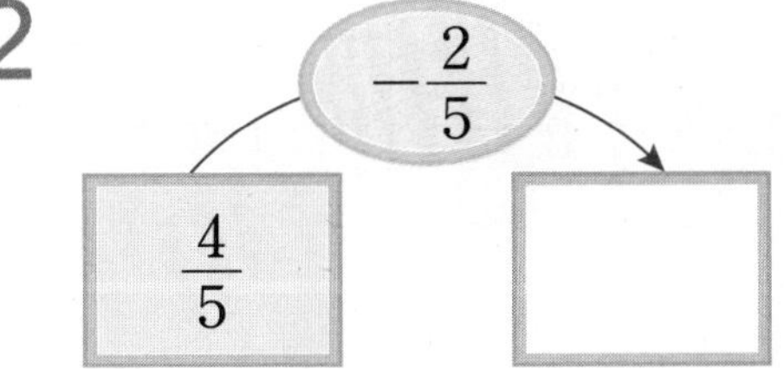

7

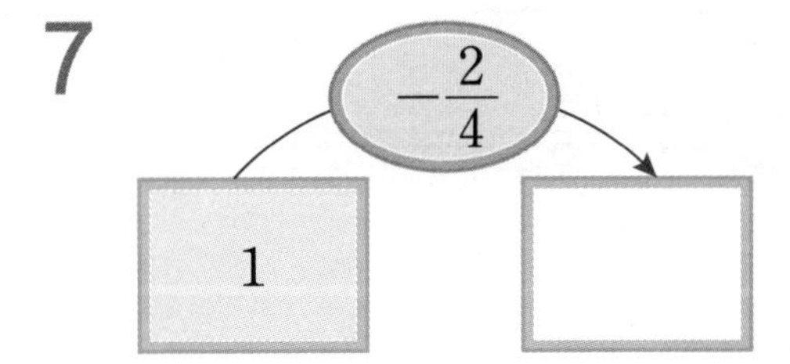

3

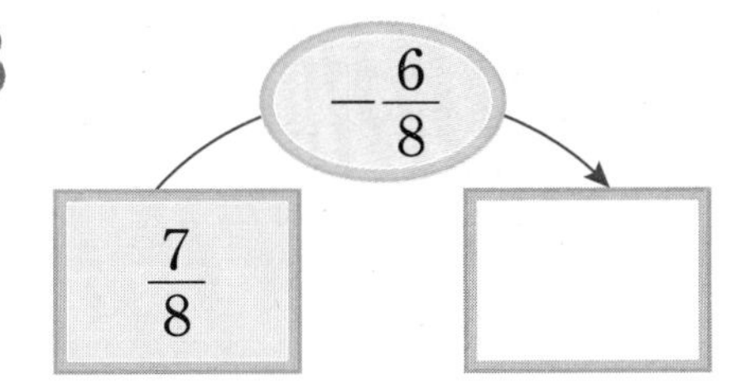

8

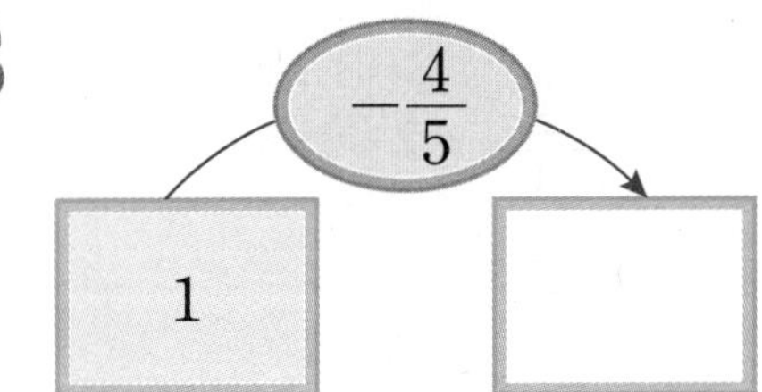

4

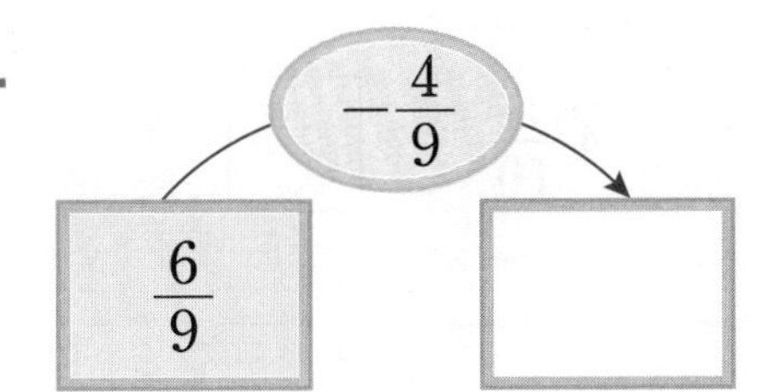

9

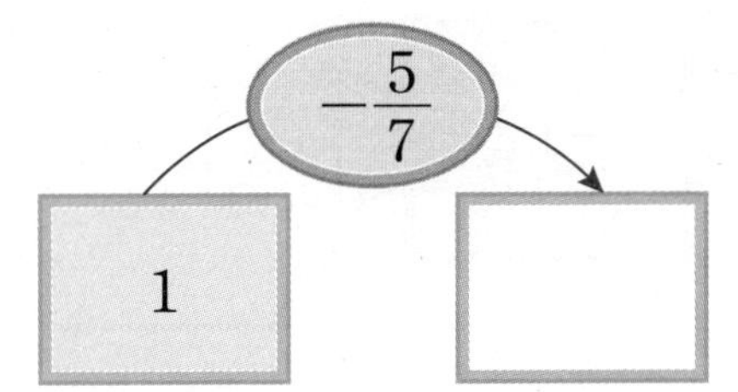

5

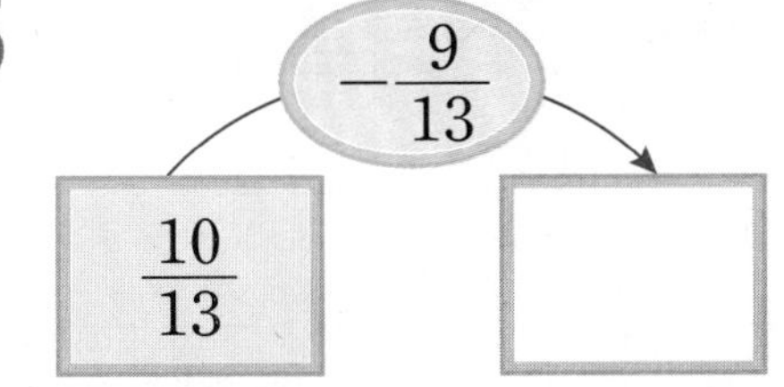

10

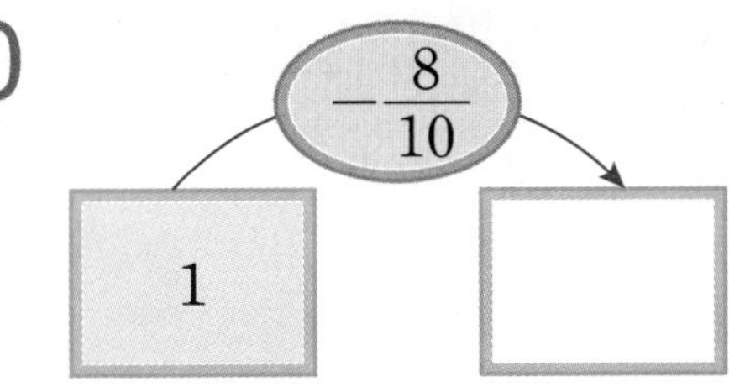

19 분수의 뺄셈 연습 (2)

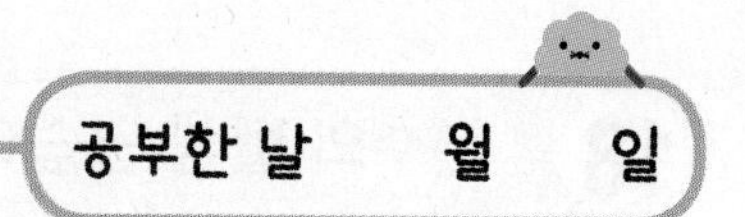

✹ □ 안에 알맞은 수를 써넣으시오.

1

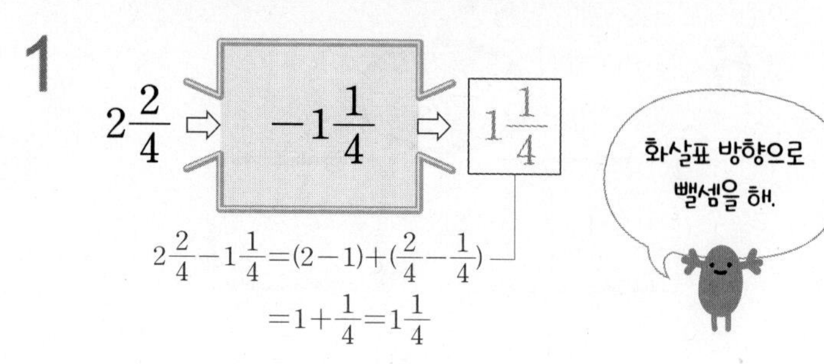

2 $3\frac{4}{5}$ ⇨ $-2\frac{2}{5}$ ⇨ □

3 $4\frac{6}{7}$ ⇨ $-3\frac{2}{7}$ ⇨ □

4 $5\frac{8}{9}$ ⇨ $-1\frac{4}{9}$ ⇨ □

5 $6\frac{9}{11}$ ⇨ $-2\frac{7}{11}$ ⇨ □

6 $3\frac{2}{6}$ ⇨ $-1\frac{5}{6}$ ⇨ □

7 $5\frac{4}{8}$ ⇨ $-2\frac{7}{8}$ ⇨ □

8 $6\frac{1}{3}$ ⇨ $-5\frac{2}{3}$ ⇨ □

9 $7\frac{3}{10}$ ⇨ $-4\frac{5}{10}$ ⇨ □

10 $8\frac{2}{13}$ ⇨ $-5\frac{6}{13}$ ⇨ □

공부한 날 월 일

✸ 빈칸에 알맞은 수를 써넣으시오.

1 (−→)

$2-\frac{3}{5}=1\frac{5}{5}-\frac{3}{5}=1\frac{2}{5}$

2	$\frac{3}{5}$	$1\frac{2}{5}$
4	$\frac{2}{7}$	$3\frac{5}{7}$

$4-\frac{2}{7}=3\frac{7}{7}-\frac{2}{7}=3\frac{5}{7}$

화살표 방향으로 뺄셈을 해.

2 (−→)

3	$\frac{7}{3}$	
5	$\frac{14}{6}$	

3 (−→)

4	$1\frac{2}{4}$	
6	$2\frac{4}{5}$	

4 (−→)

7	$3\frac{1}{2}$	
9	$4\frac{3}{8}$	

5 (−→)

$1\frac{3}{4}$	$\frac{2}{4}$	
$4\frac{5}{6}$	$\frac{1}{6}$	

6 (−→)

$5\frac{7}{8}$	$\frac{3}{8}$	
$7\frac{5}{10}$	$\frac{4}{10}$	

7 (−→)

$2\frac{2}{7}$	$\frac{9}{7}$	
$4\frac{6}{10}$	$\frac{21}{10}$	

8 (−→)

$6\frac{5}{9}$	$\frac{43}{9}$	
$8\frac{3}{11}$	$\frac{72}{11}$	

1 계산을 하시오.

(1) $\frac{5}{12}+\frac{3}{12}$　　(2) $\frac{9}{11}-\frac{6}{11}$

• 진분수끼리의 덧셈은 분모는 그대로 두고 분자끼리 더합니다.
• 진분수끼리의 뺄셈은 분모는 그대로 두고 분자끼리 뺍니다.

2 계산을 하시오.

(1) $\frac{2}{6}+\frac{5}{6}$　　(2) $1-\frac{7}{8}$

• 분모는 그대로 두고 분자끼리 더한 후 가분수이면 대분수로 바꿉니다.
• 1을 가분수로 바꾸어 계산합니다.

3 □ 안에 알맞은 대분수를 써넣으시오.

(1) $2\frac{3}{9}$

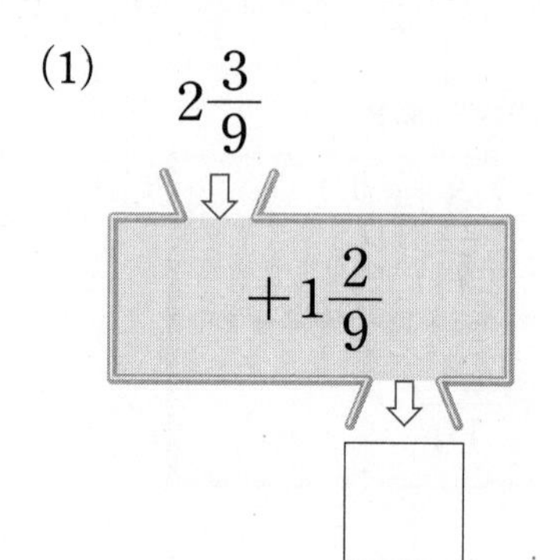

(2) $3\frac{5}{13}$

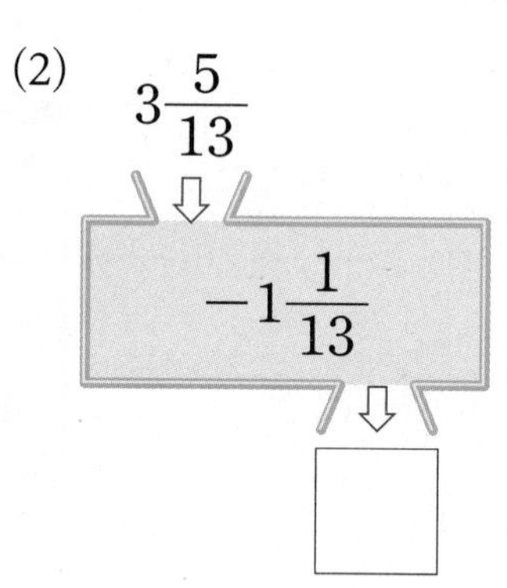

• 화살표 방향을 따라 덧셈과 뺄셈을 합니다.

4 빈칸에 두 수의 합을 써넣으시오.

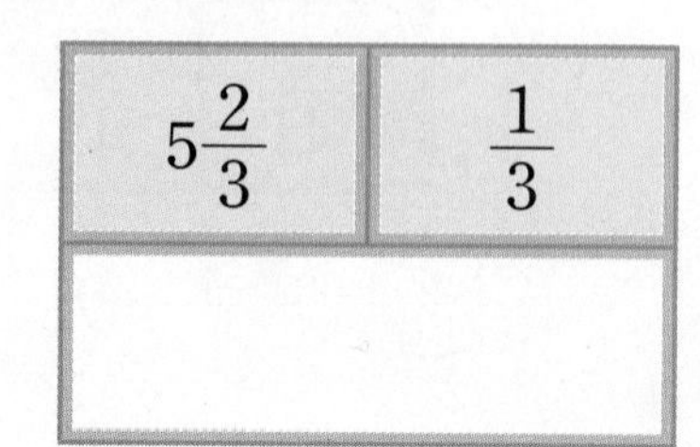

5 □ 안에 알맞은 대분수를 써넣으시오.

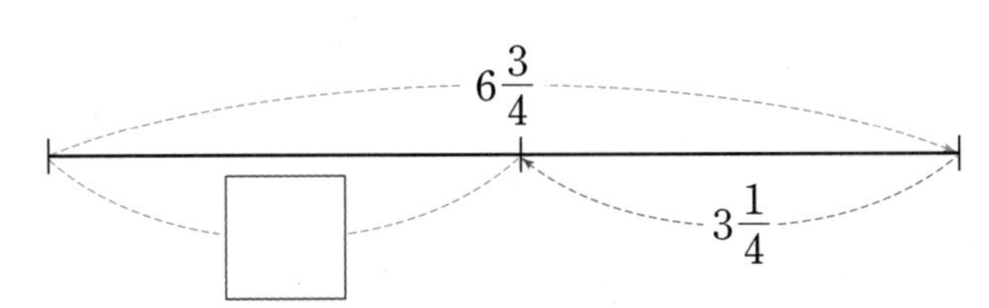

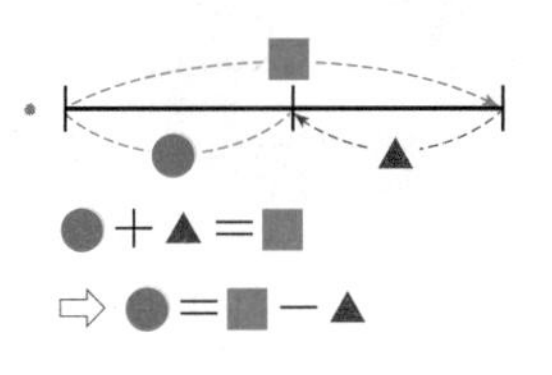

6 계산 결과를 비교하여 ○ 안에 >, =, <를 알맞게 써넣으시오.

$$1\frac{5}{7}+1\frac{3}{7} \bigcirc 5-2\frac{4}{7}$$

• 덧셈과 뺄셈을 한 후 크기를 비교합니다.

7 만 원짜리 지폐의 가로와 세로의 길이의 합은 몇 cm입니까?

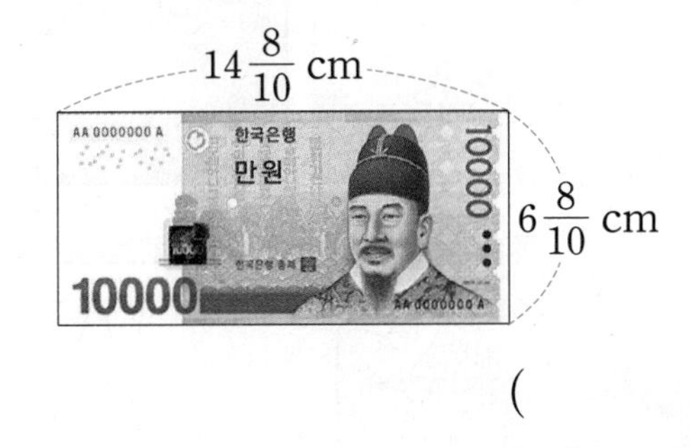

(　　　　　　　　　)

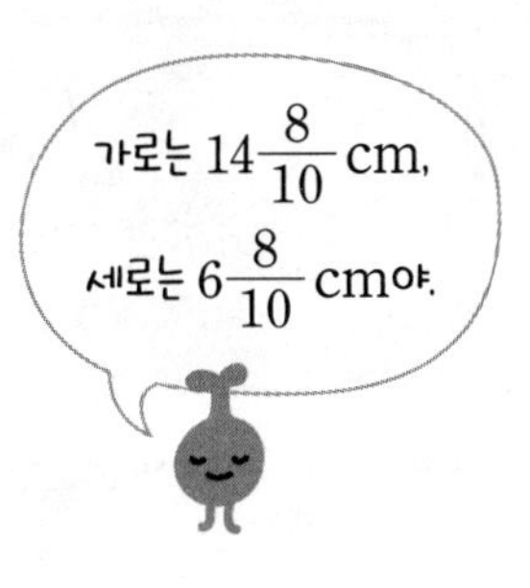

8 선경이는 냉장고에 있는 우유 $3\frac{4}{5}$ L 중에서 $\frac{2}{5}$ L를 마셨습니다. 남은 우유는 몇 L입니까?

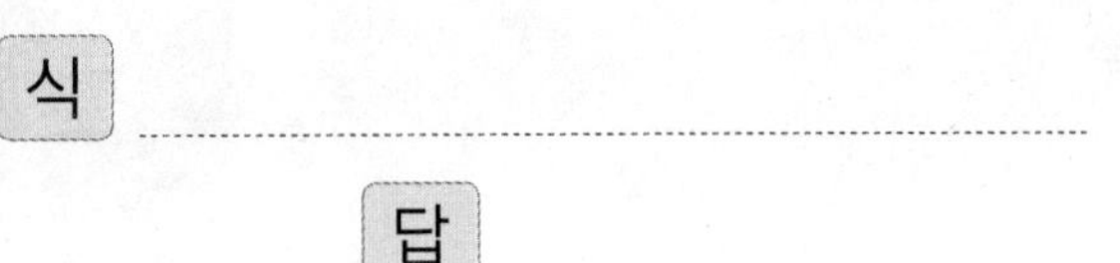

• 처음 냉장고에 있던 우유의 양에서 마신 우유의 양을 뺍니다.

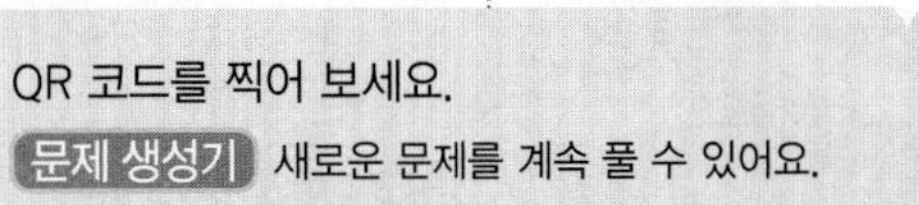

2 삼각형

제2화 구워 먹는 마시멜로는 맛있어~

이미 배운 내용	이번에 배울 내용	앞으로 배울 내용
[4-1 각도] • 예각 알아보기 • 둔각 알아보기 • 삼각형의 세 각의 크기의 합	• 변의 길이에 따라 삼각형 분류하고 알아보기 • 각의 크기에 따라 삼각형 분류하고 알아보기	[4-2 사각형] • 수직과 수선 알아보기 • 평행과 평행선 알아보기 • 사다리꼴, 평행사변형, 마름모 • 여러 가지 사각형

배운 것 확인하기

1 직각 알아보기

✸ 직각을 찾아 ∟ 로 표시해 보시오.

종이를 반듯하게 두 번 접었을 때 생기는 각이 직각이야.

1

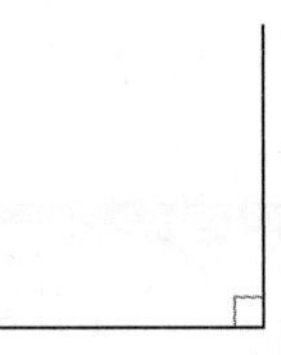

2

3

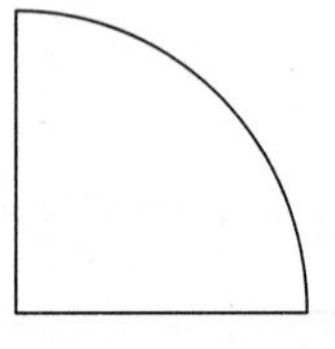

4

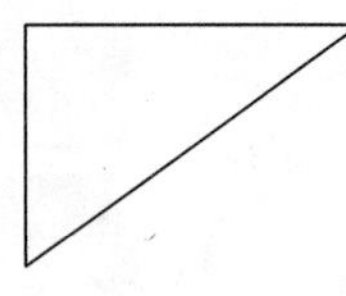

5

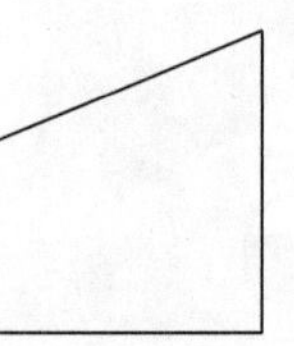

2 직각삼각형 알아보기

✸ 직각삼각형이면 ○표, 아니면 ×표 하시오.

한 각이 직각인 삼각형을 직각삼각형이라고 해.

1

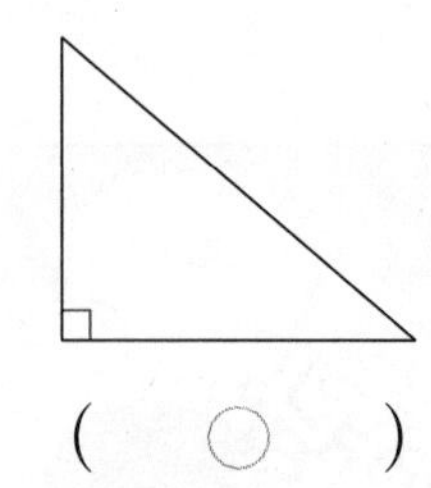

(○)

2

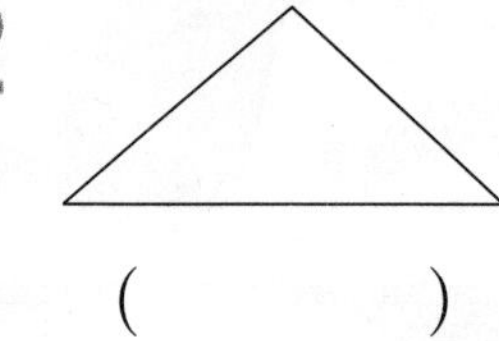

(　　　)

3

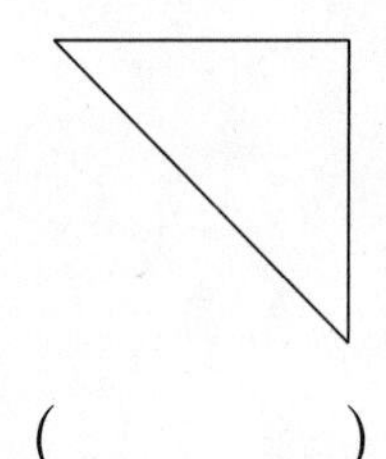

(　　　)

4

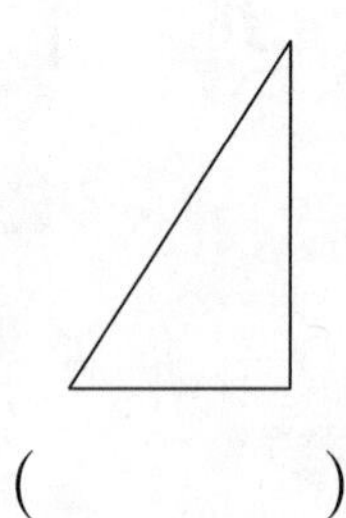

(　　　)

5

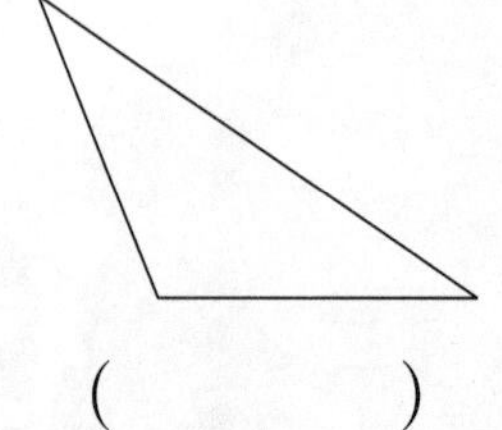

(　　　)

3 예각, 직각, 둔각 알아보기

✹ 예각, 직각, 둔각 중 어느 것인지 쓰시오.

1

(예각)

각도가 90°보다 작은 각을 예각, 각도가 직각보다 크고 180°보다 작은 각을 둔각이라고 해.

2

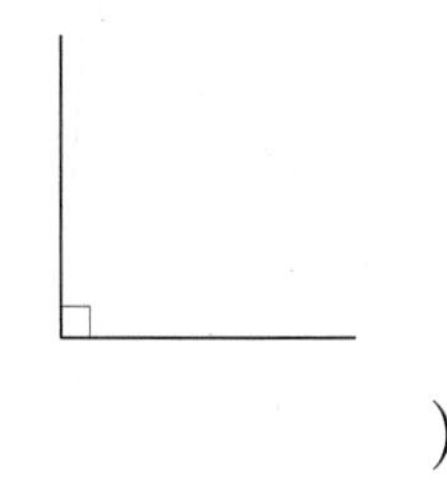

( )

3

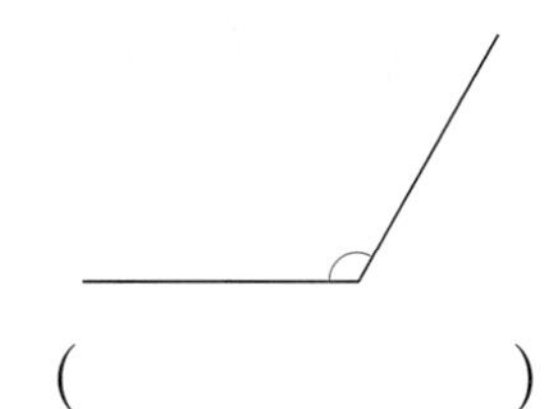

( )

4

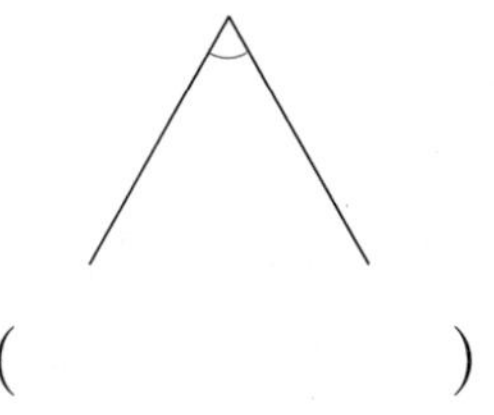

( )

5

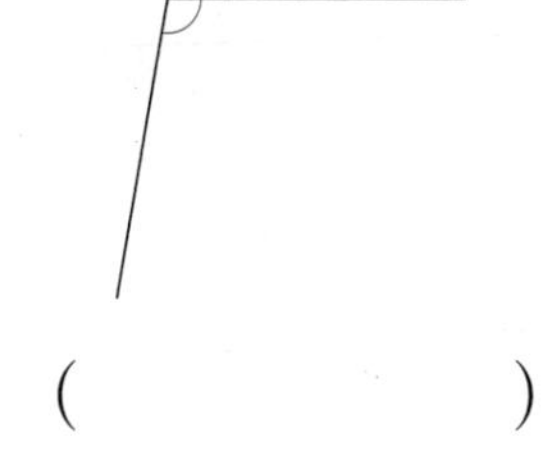

( )

4 삼각형에서 한 각의 크기 구하기

✹ □ 안에 알맞은 수를 써넣으시오.

1

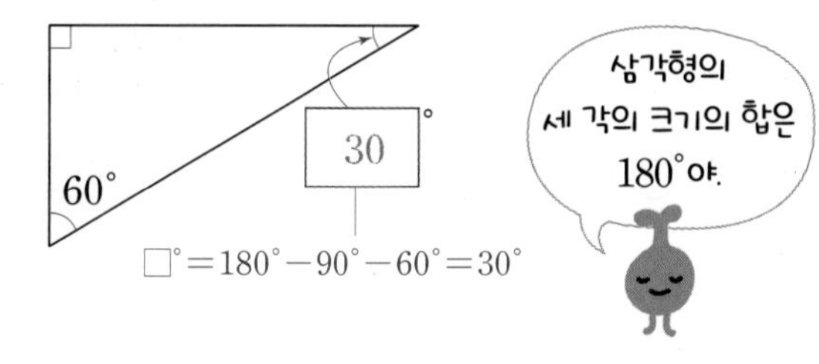

2

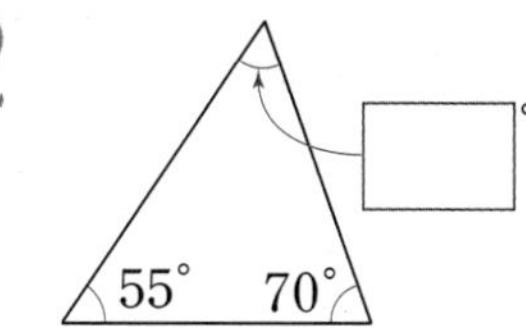

3

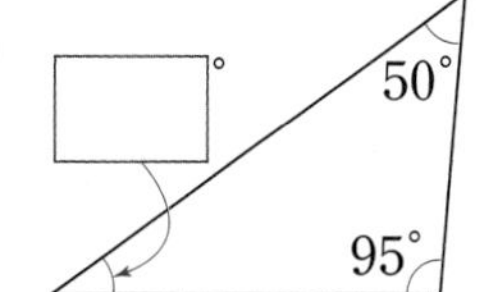

4

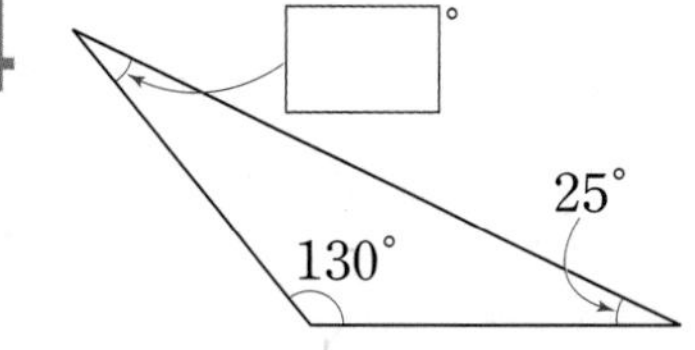

5

□° 30° 40°

1 이등변삼각형 알아보기

✹ 이등변삼각형이면 ○표, 아니면 ×표 하시오.

두 변의 길이가 같은 삼각형을 이등변삼각형이라고 해.

1
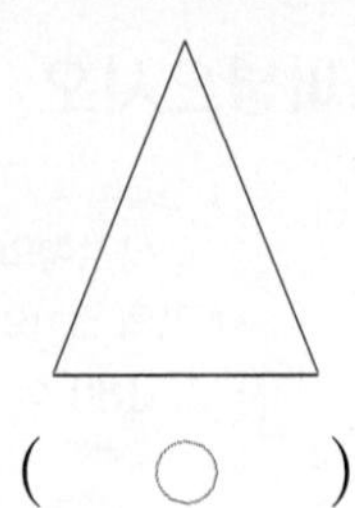
(○)

2
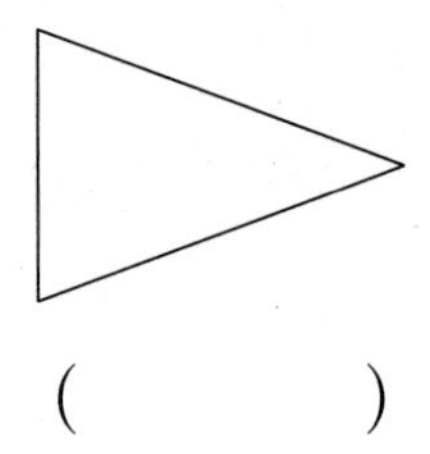
(   )

3
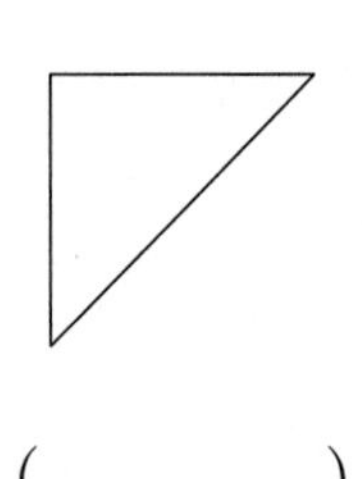
(   )

4
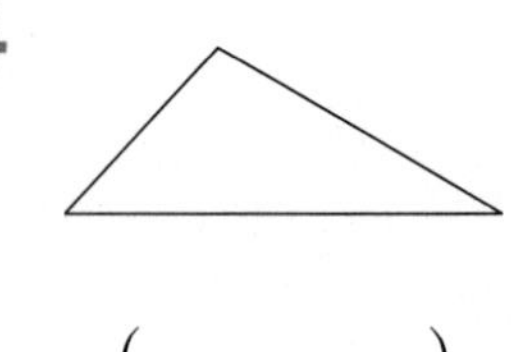
(   )

5

(   )

6
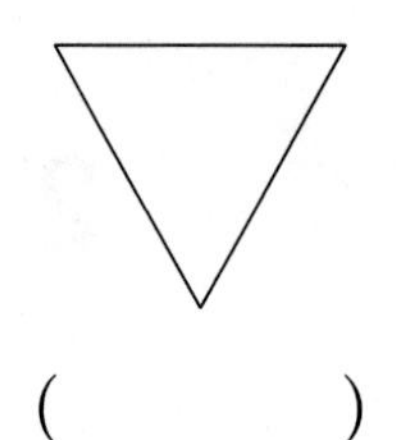
(   )

7
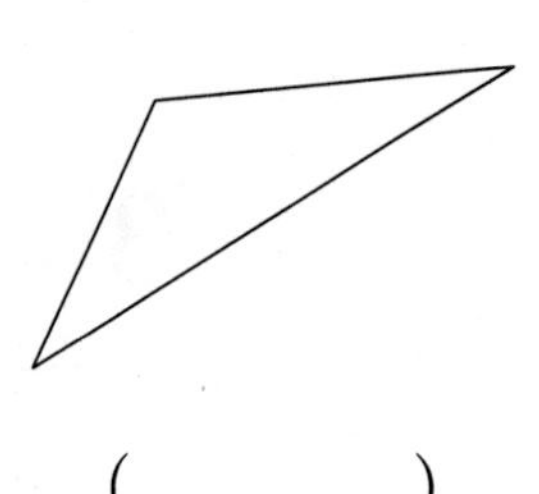
(   )

8
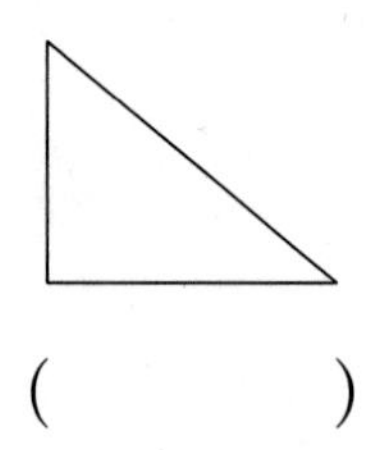
(   )

9
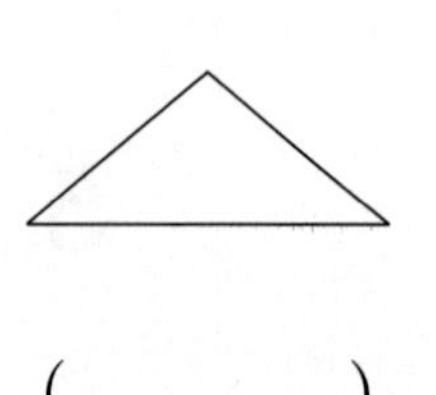
(   )

10
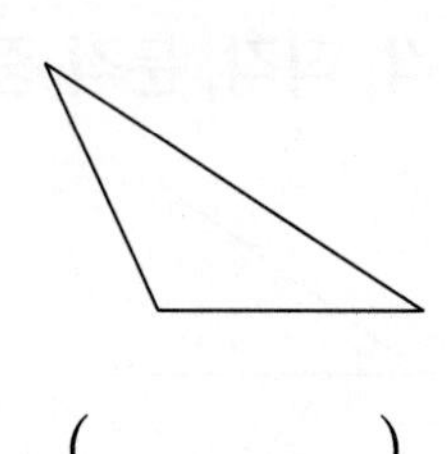
(   )

11
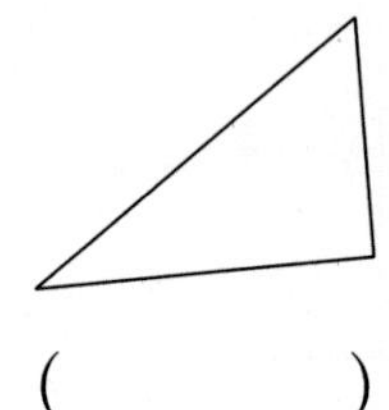
(   )

12
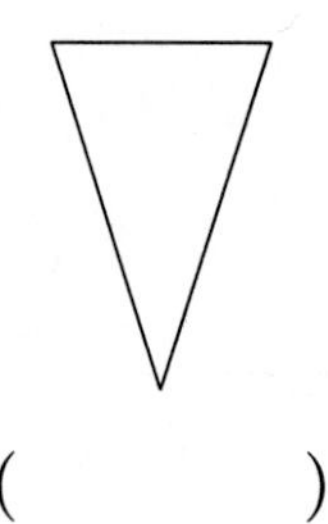
(   )

13
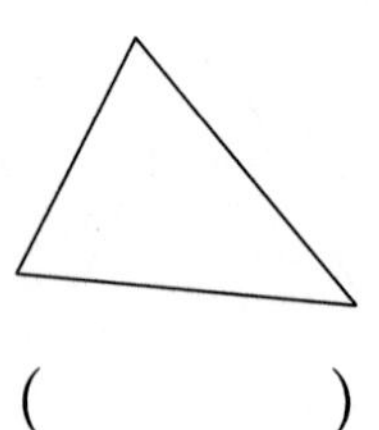
(   )

14
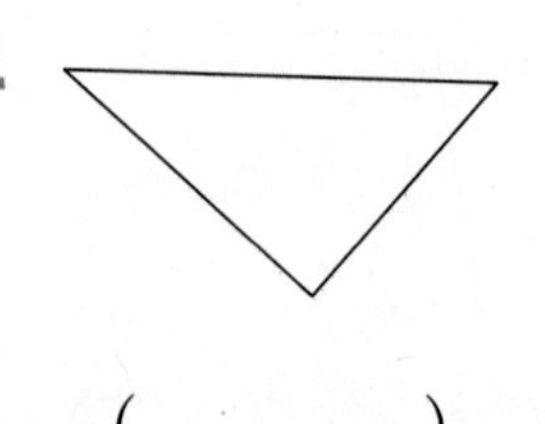
(   )

2 정삼각형 알아보기

✸ **정삼각형이면 ○표, 아니면 ×표 하시오.**

1
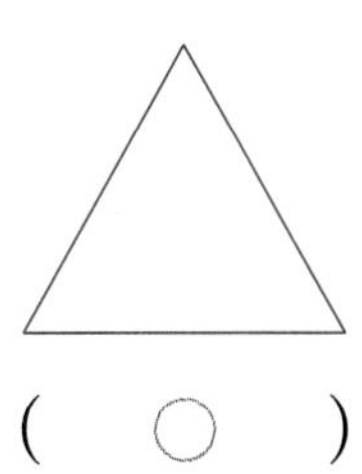
(○)

세 변의 길이가 같은 삼각형을 정삼각형이라고 해.

10
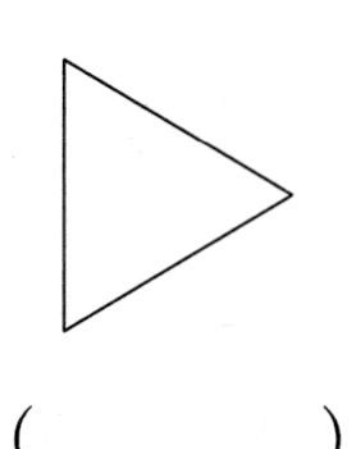
(   )

2
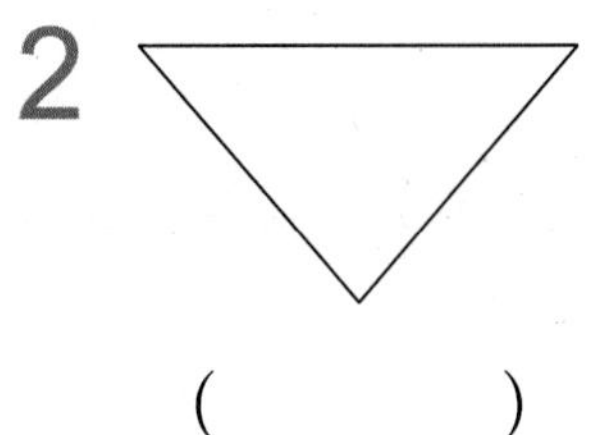
(   )

6
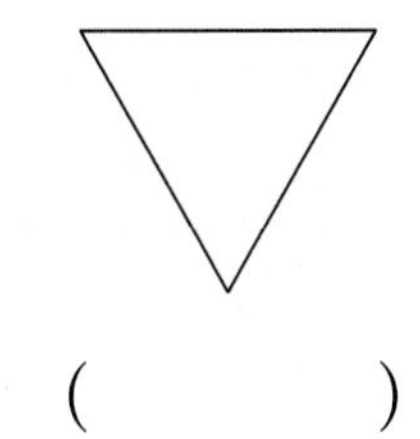
(   )

11
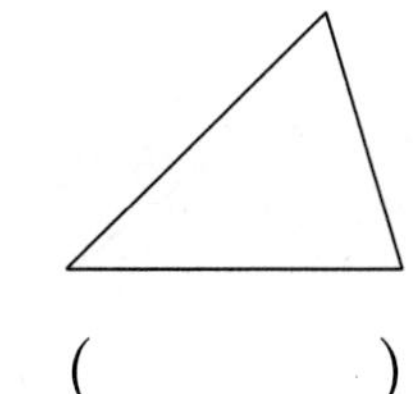
(   )

3
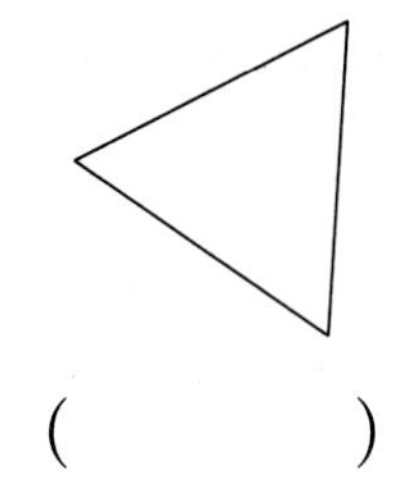
(   )

7
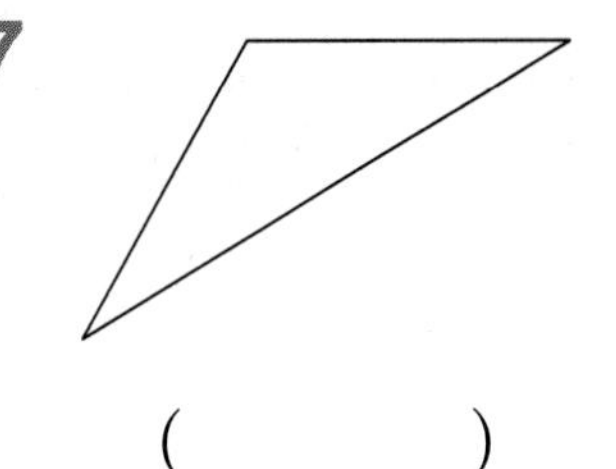
(   )

12
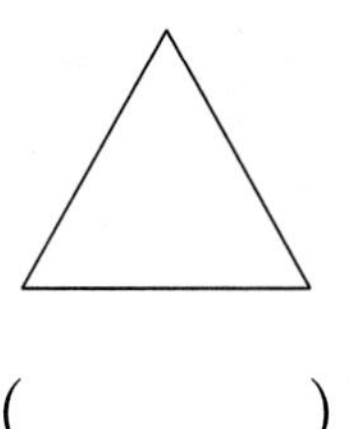
(   )

4
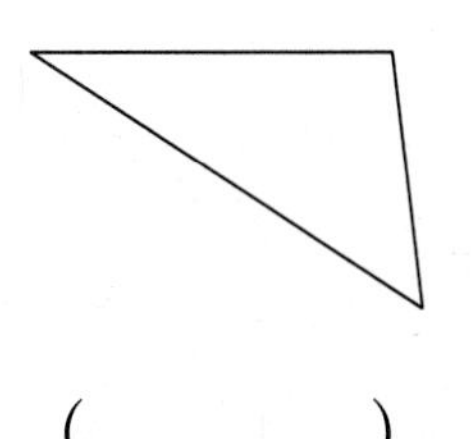
(   )

8
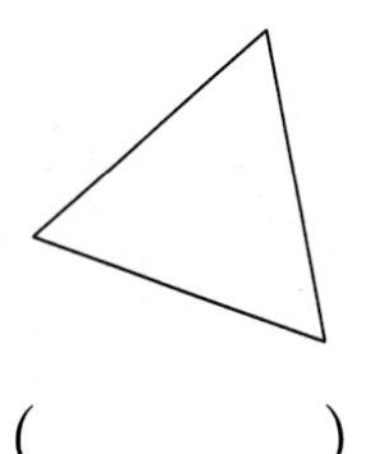
(   )

13
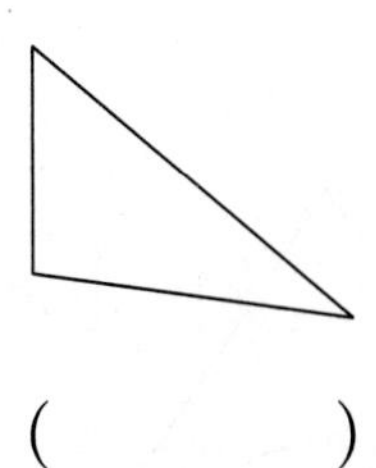
(   )

5
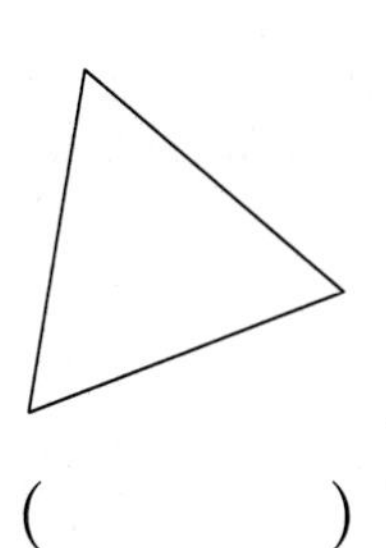
(   )

9
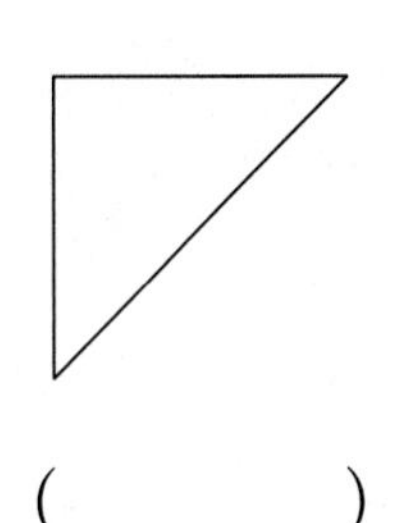
(   )

14
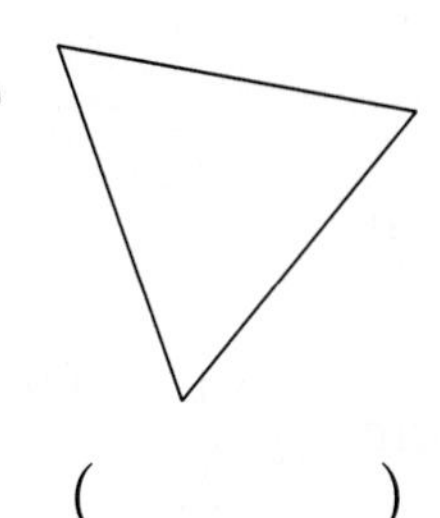
(   )

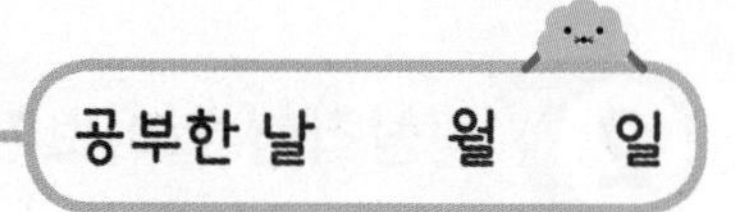

공부한 날 월 일

✹ 이등변삼각형입니다. □ 안에 알맞은 수를 써넣으시오.

1

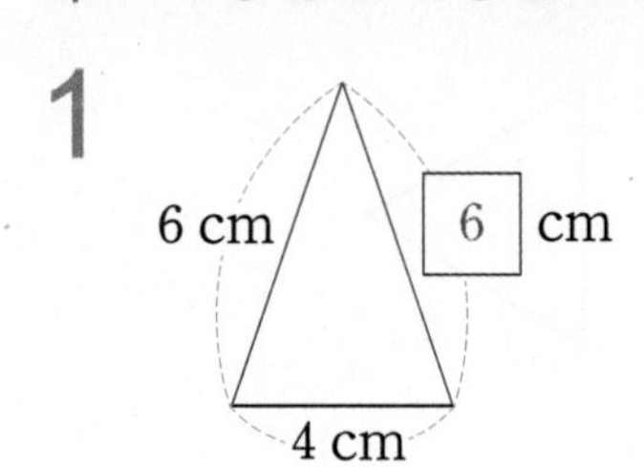

6

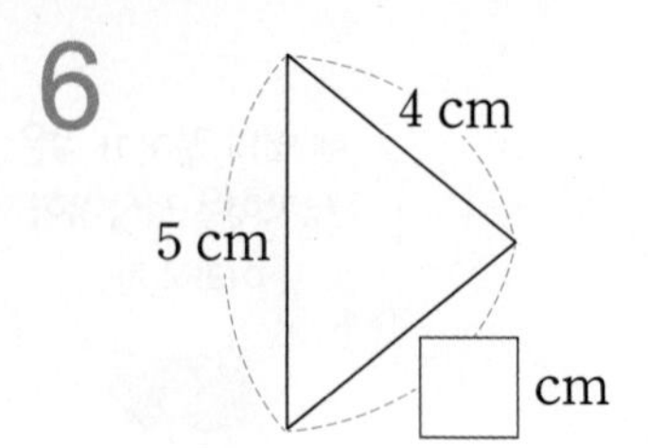

2

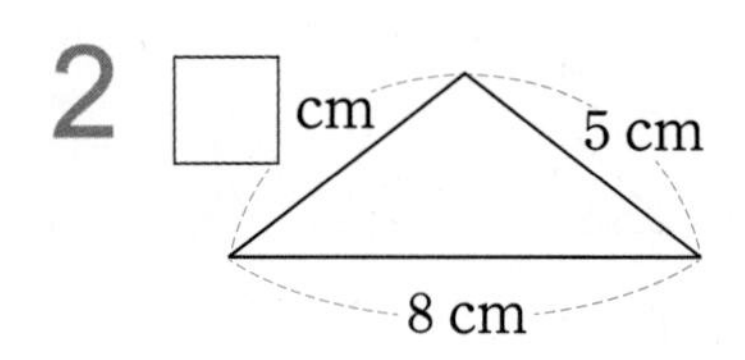

7

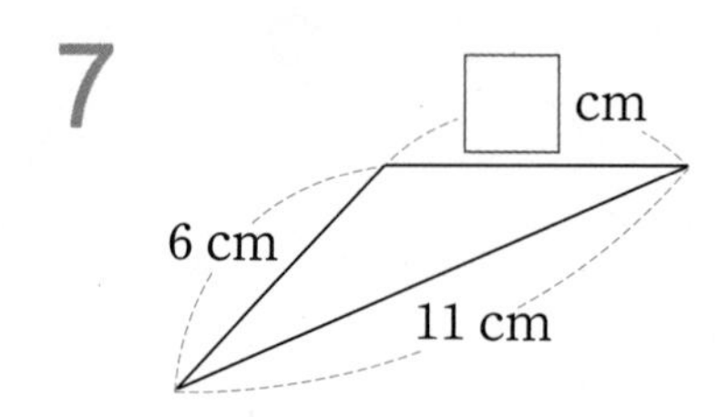

3

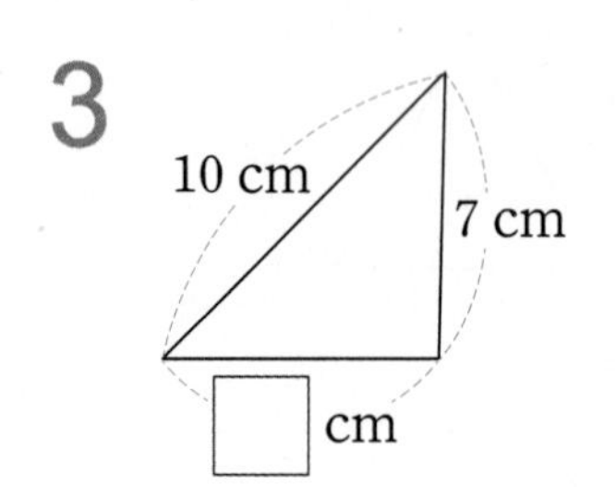

8

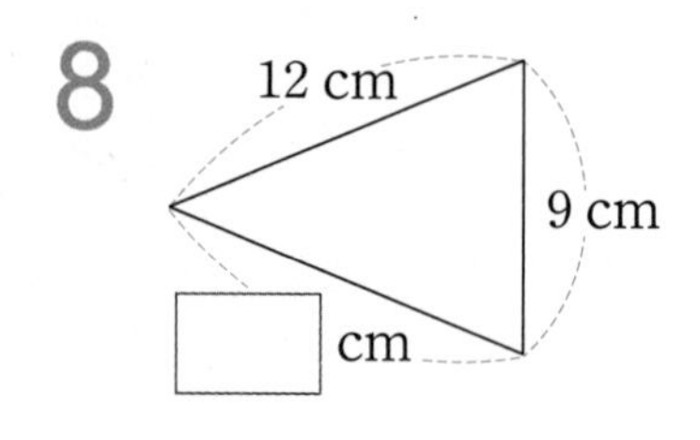

4

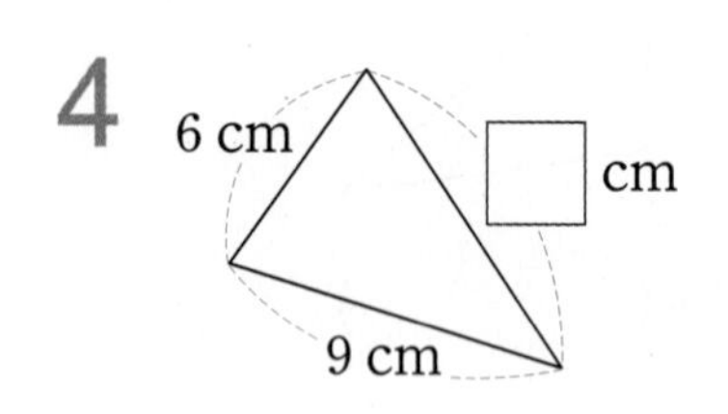

9

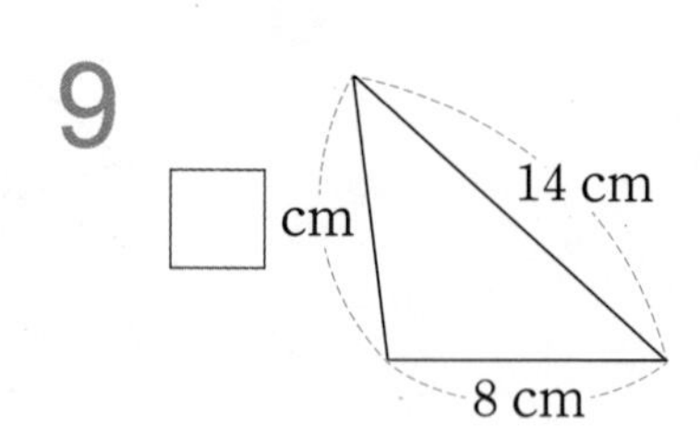

5

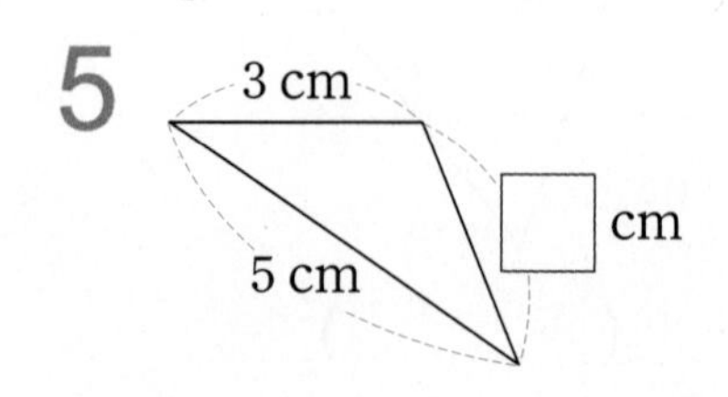

10

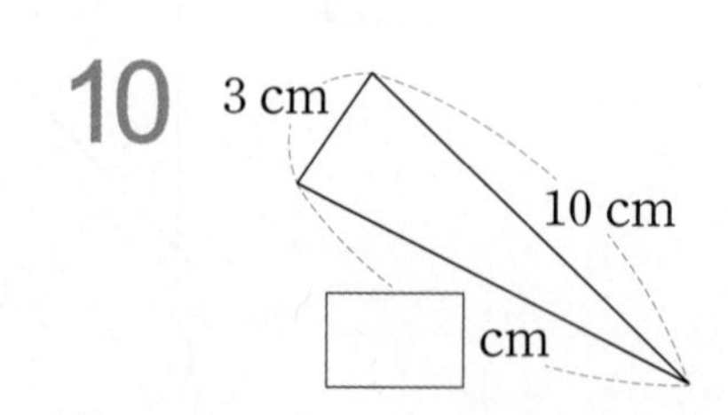

공부한 날 월 일

✸ 이등변삼각형입니다. □ 안에 알맞은 수를 써넣으시오.

1

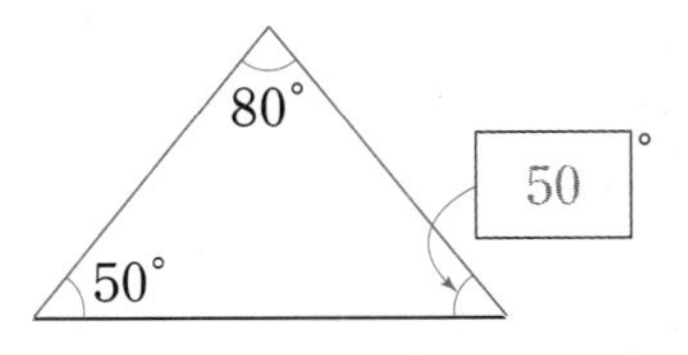

이등변삼각형은 길이가 같은 두 변과 함께 하는 두 각의 크기가 같아.

2

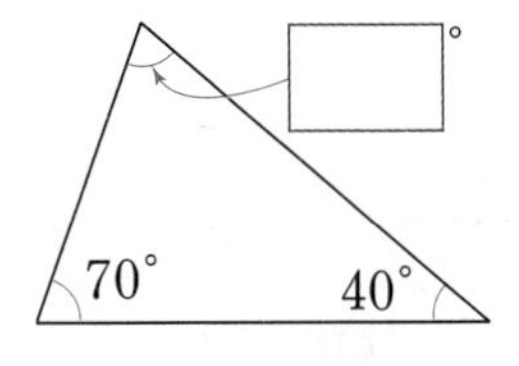

3

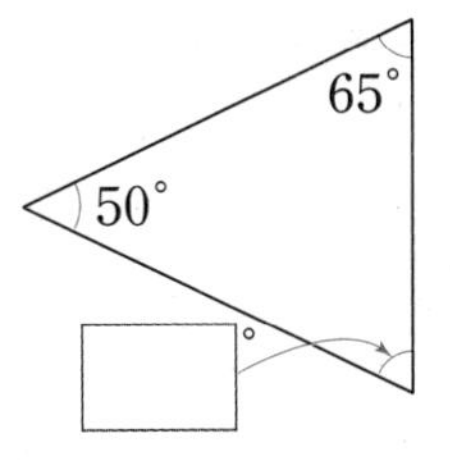

4

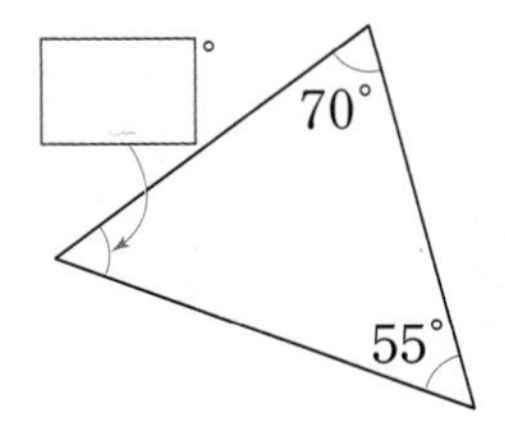

5

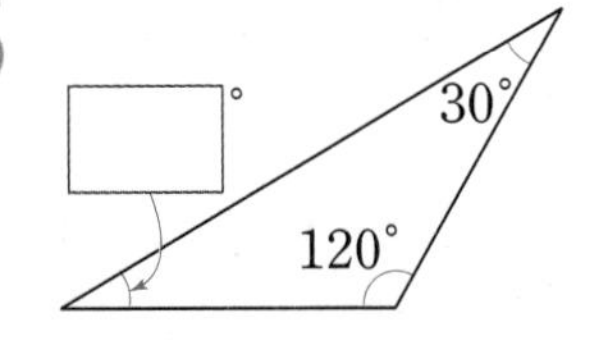

6

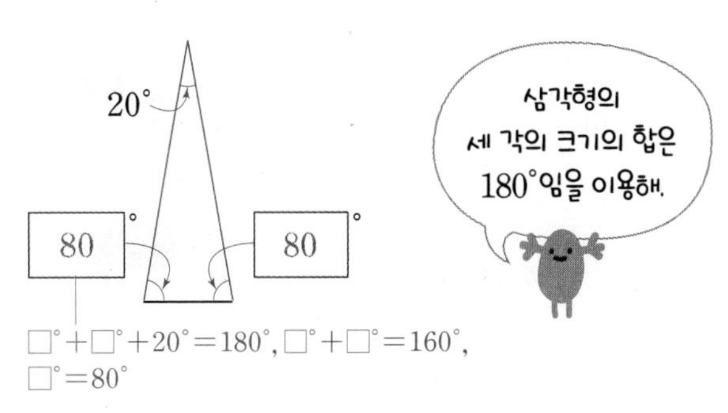

7

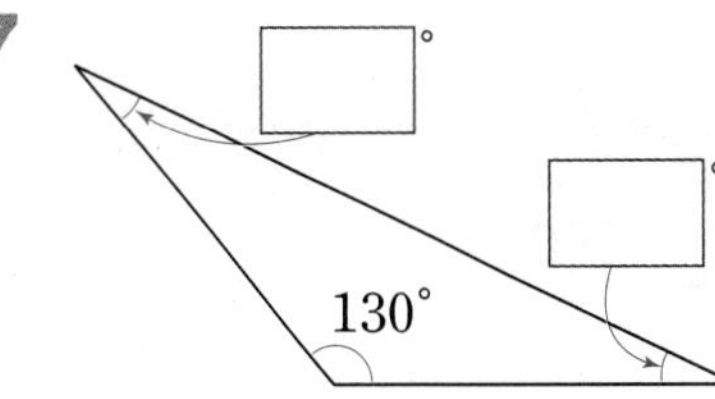

8

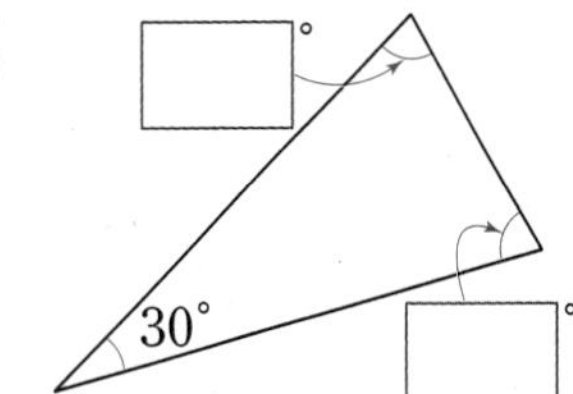

9

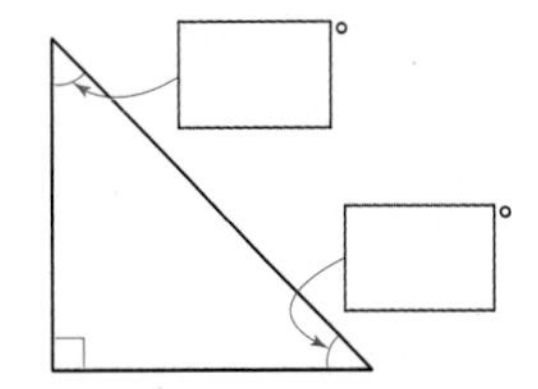

10

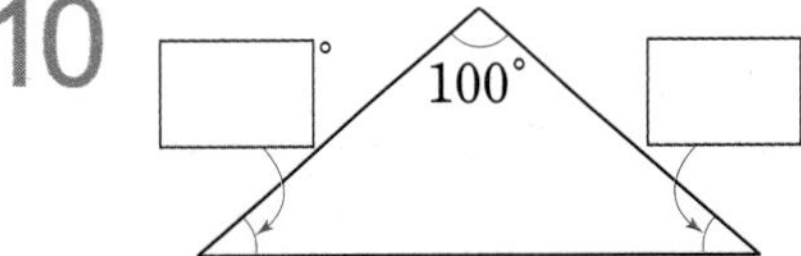

2 삼각형

✹ 정삼각형입니다. □ 안에 알맞은 수를 써넣으시오.

1

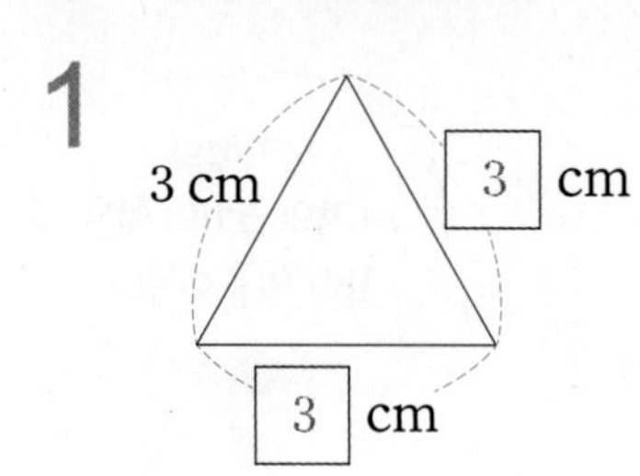

2

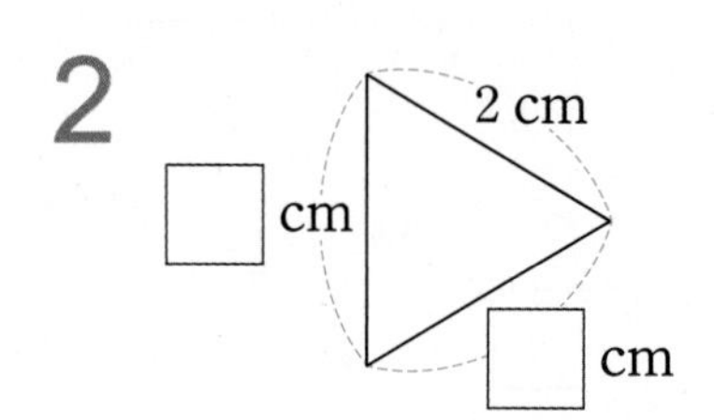

3

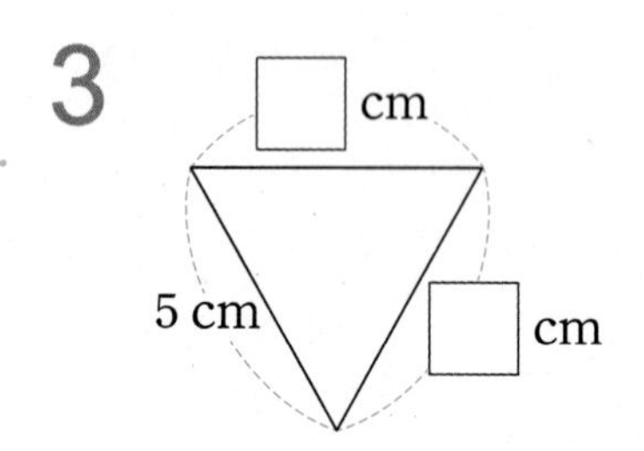

4

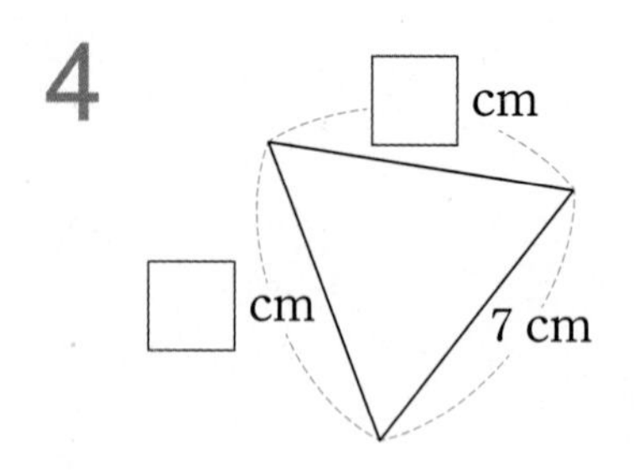

5

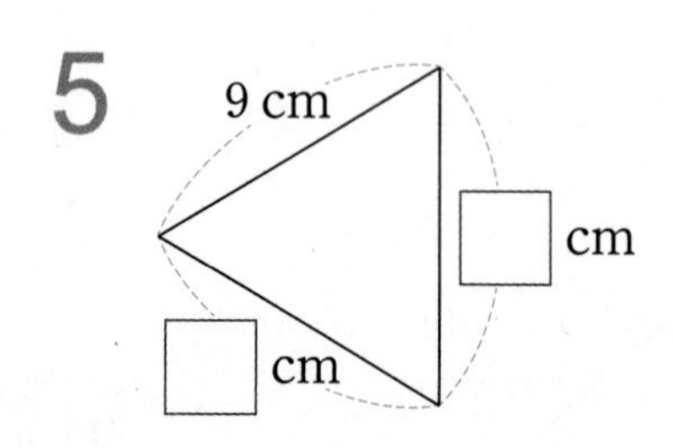

6

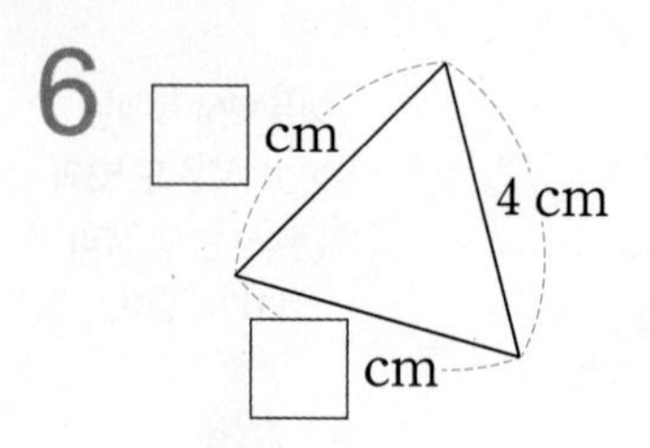

7

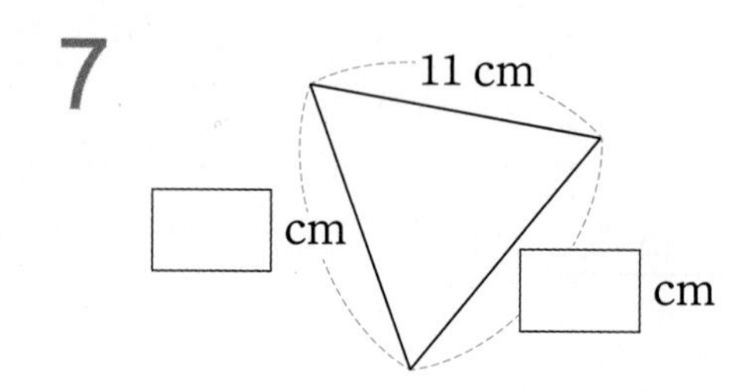

8

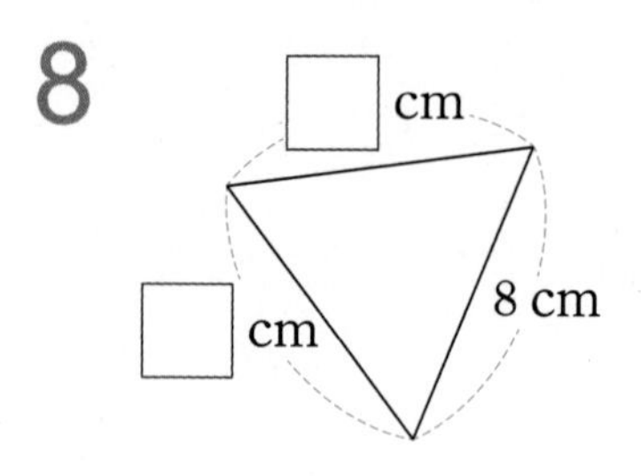

9

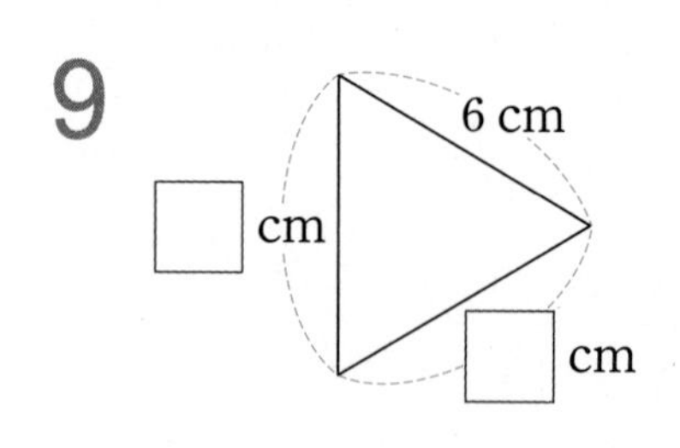

10

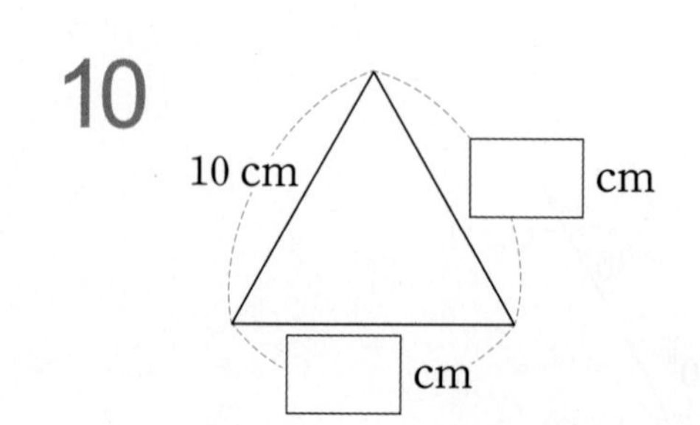

6 정삼각형의 성질 알아보기(2)

공부한 날　　월　　일

정삼각형입니다. □ 안에 알맞은 수를 써넣으시오.

1

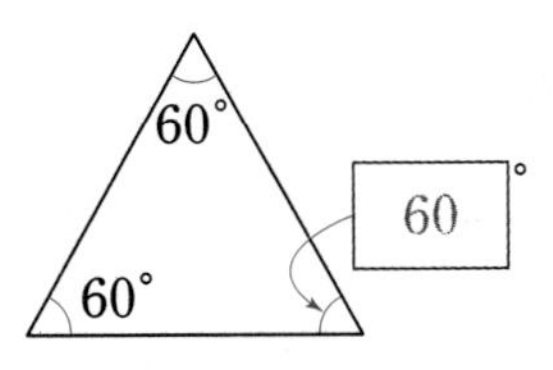

2

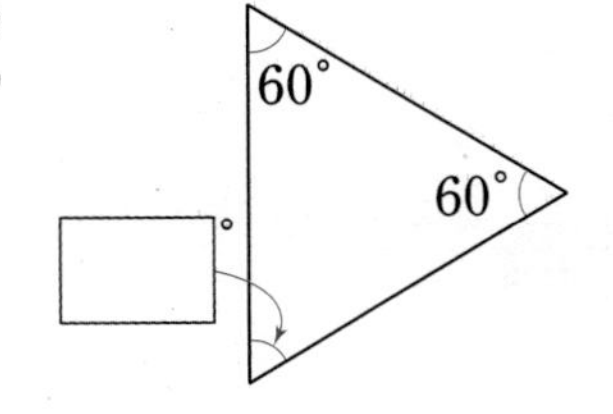

3

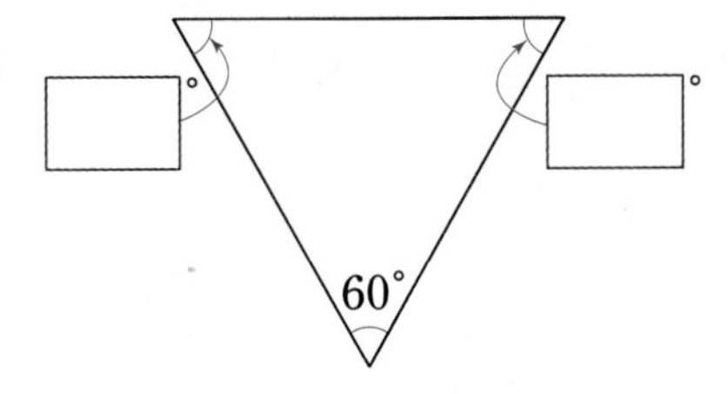

4

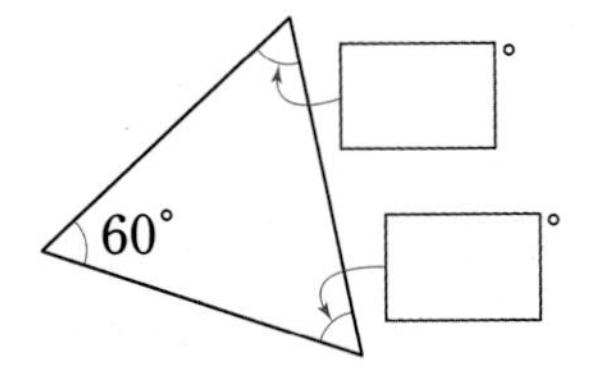

5

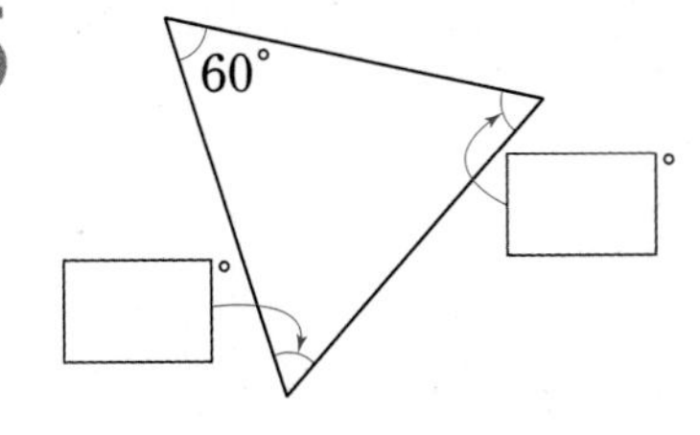

6

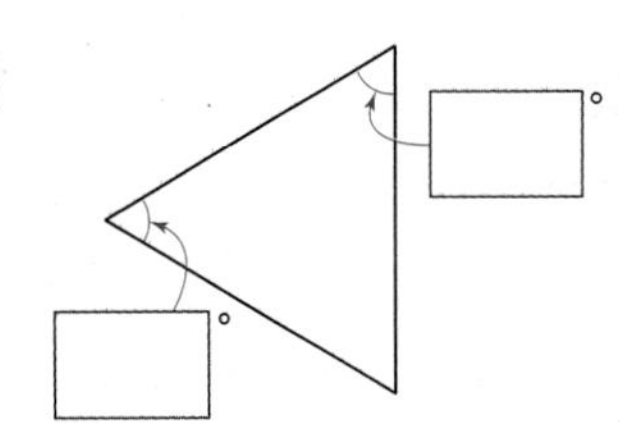

7

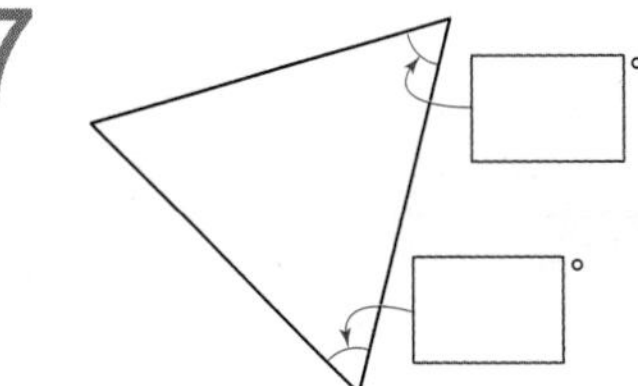

8

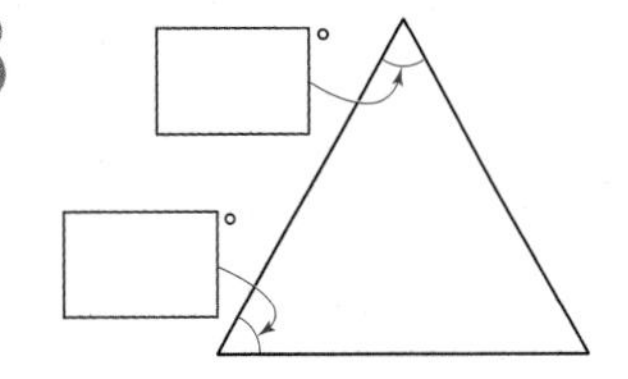

9

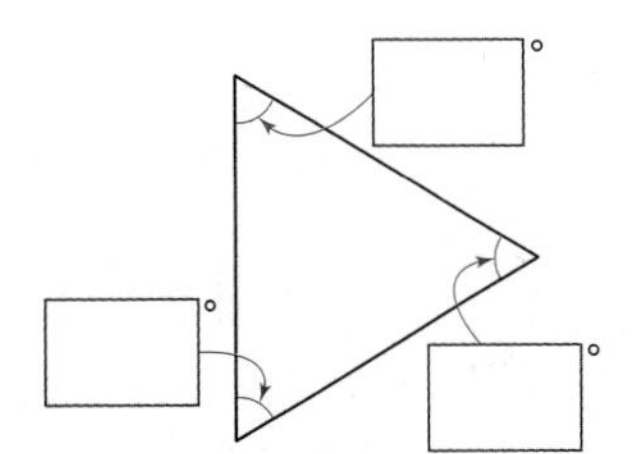

10

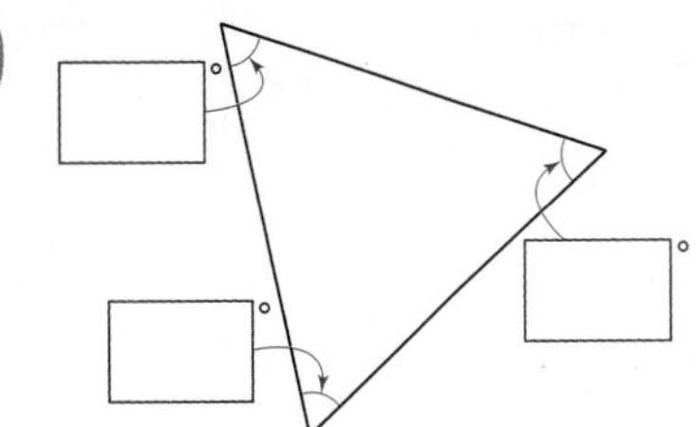

2
삼각형

7 이등변삼각형 그리기

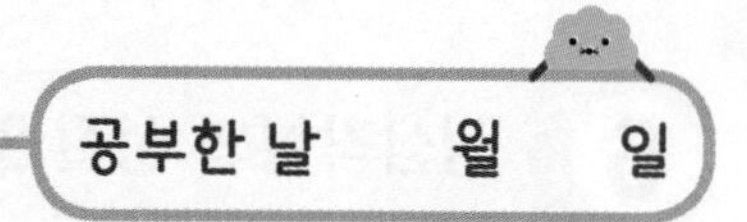

✹ 자 또는 각도기를 사용하여 이등변삼각형을 그려 보시오.

1

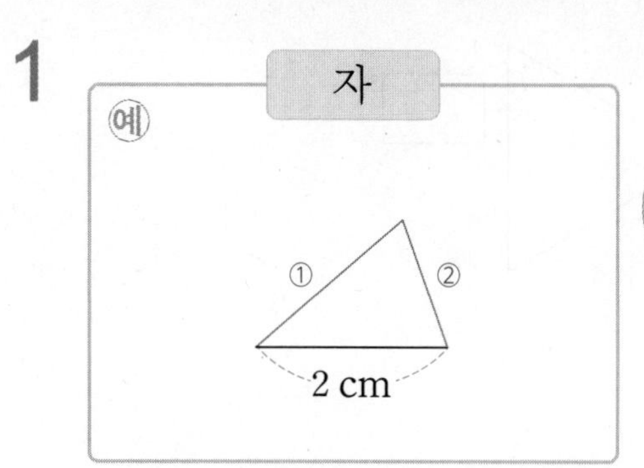

두 변의 길이가 같은 삼각형을 그려 봐.

① 주어진 선분의 한쪽 끝에 2 cm인 선분 긋기
② 두 선분의 양 끝 연결하기

5

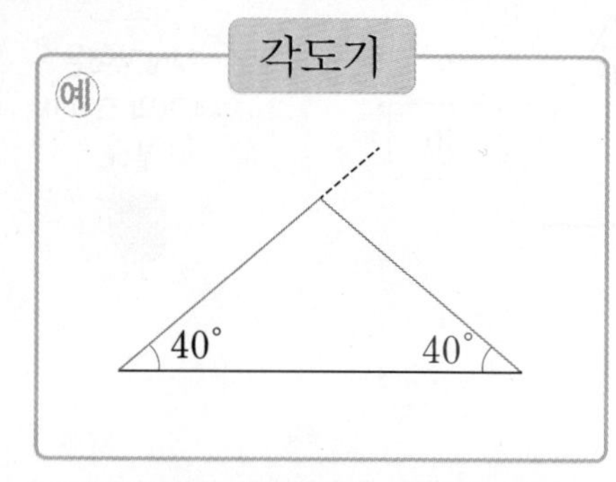

두 각의 크기가 같은 삼각형을 그려 봐.

① 주어진 선분의 다른 쪽 끝에 40°인 각 그리기
② 두 각의 변이 만나는 점과 선분의 양 끝 연결하기

2

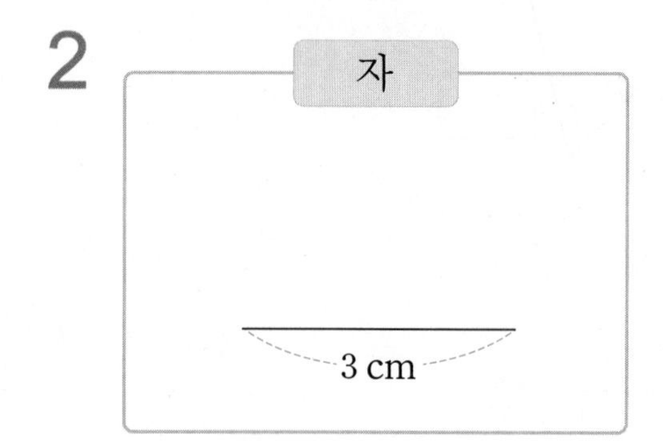

6

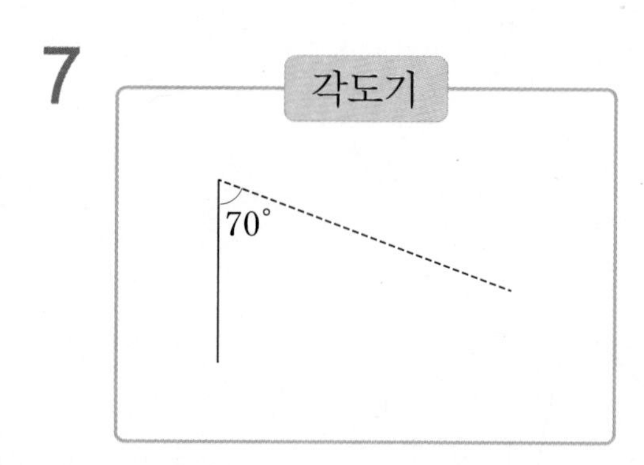

3

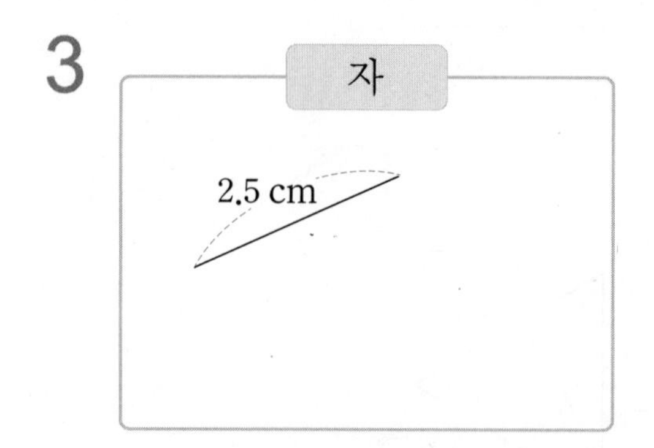

7

각도기

70°

4

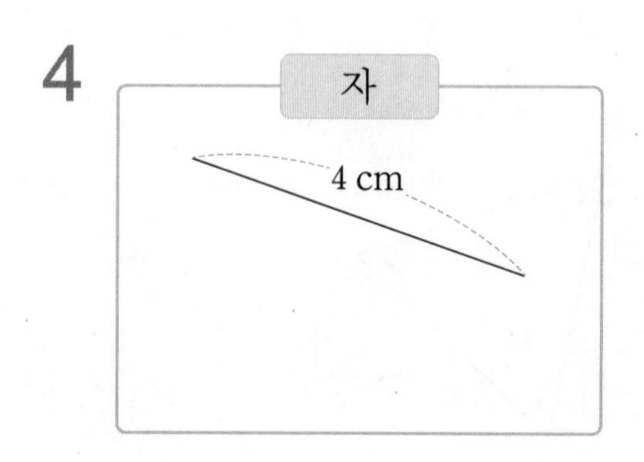

8

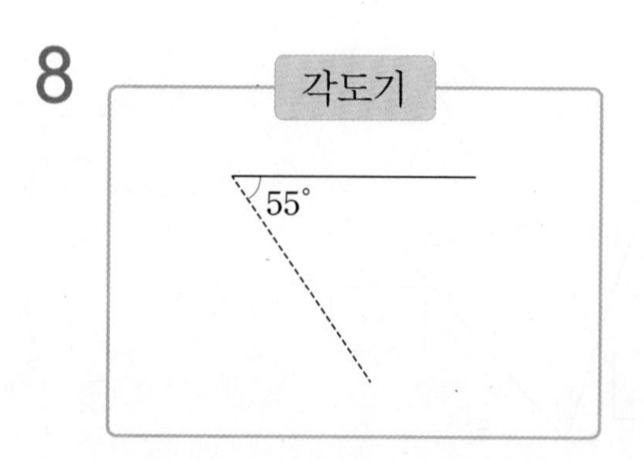

8 정삼각형 그리기

✹ 다음을 사용하여 정삼각형을 그려 보시오.

1 컴퍼스와 자

예

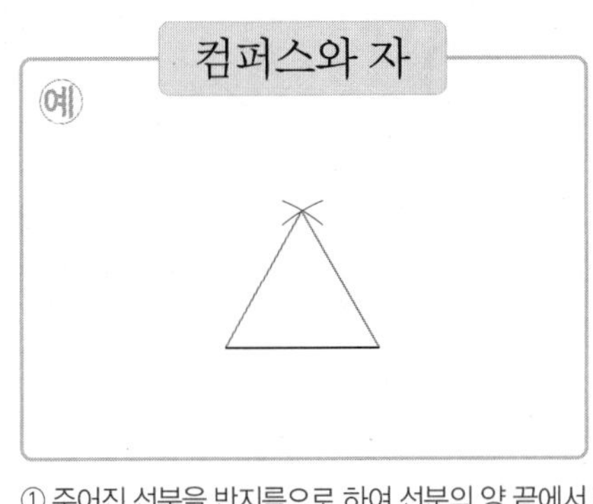

세 변의 길이가 같은 삼각형을 그려 봐.

① 주어진 선분을 반지름으로 하여 선분의 양 끝에서 각각 원 그리기
② 두 원이 만나는 점과 선분의 양 끝 연결하기

2 컴퍼스와 자

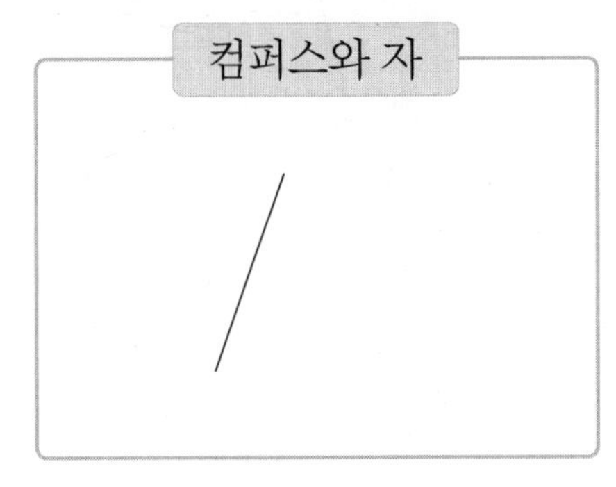

3 컴퍼스와 자

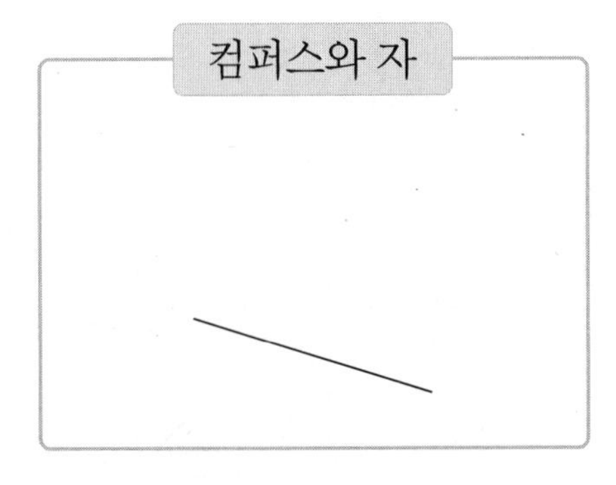

4 컴퍼스와 자

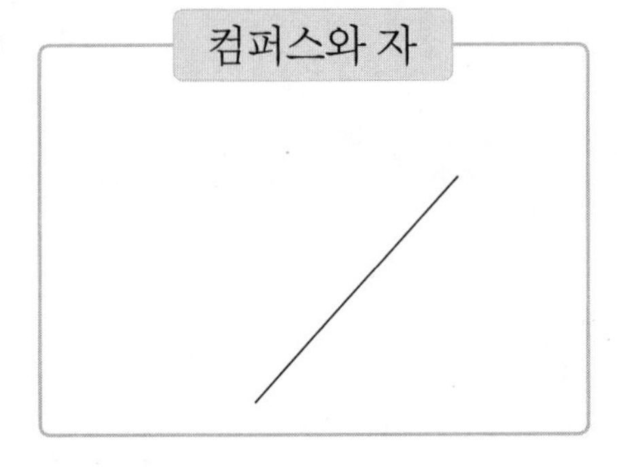

5 각도기와 자

예

60°

60°

세 각의 크기가 60°인 삼각형을 그려 봐.

① 주어진 선분의 양 끝에 각각 60°인 각 그리기
② 두 각의 변이 만나는 점과 선분의 양 끝 연결하기

6 각도기와 자

7 각도기와 자

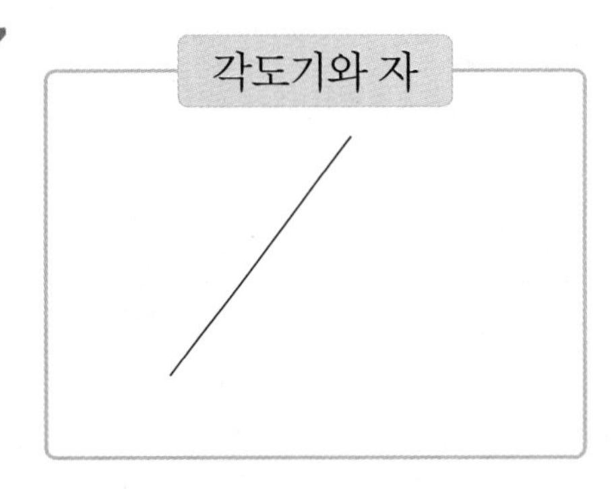

8 각도기와 자

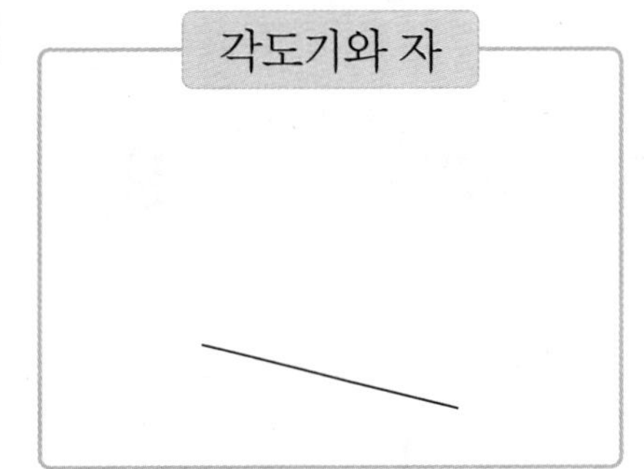

9 예각삼각형, 둔각삼각형, 직각삼각형 알아보기

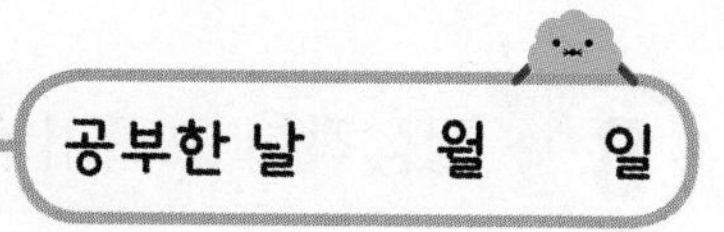

✹ 예각삼각형이면 '예', 둔각삼각형이면 '둔', 직각삼각형이면 '직'이라고 쓰시오.

1
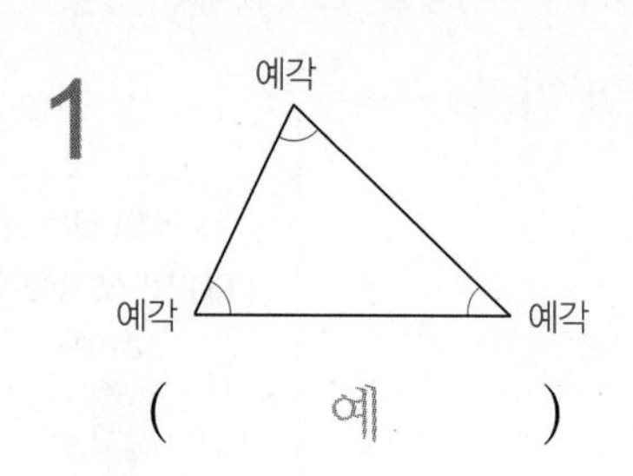

(예)

2
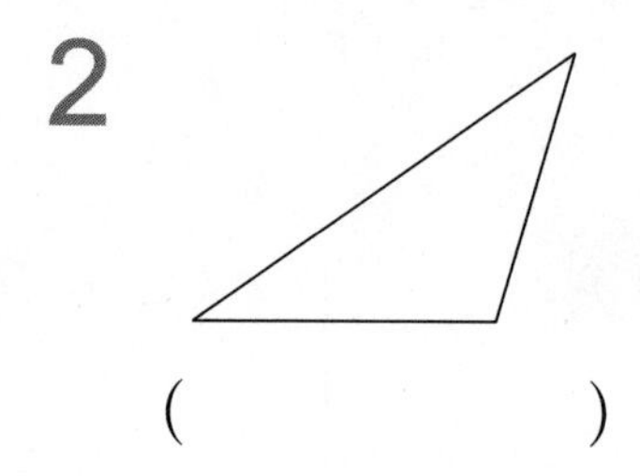

(   )

3
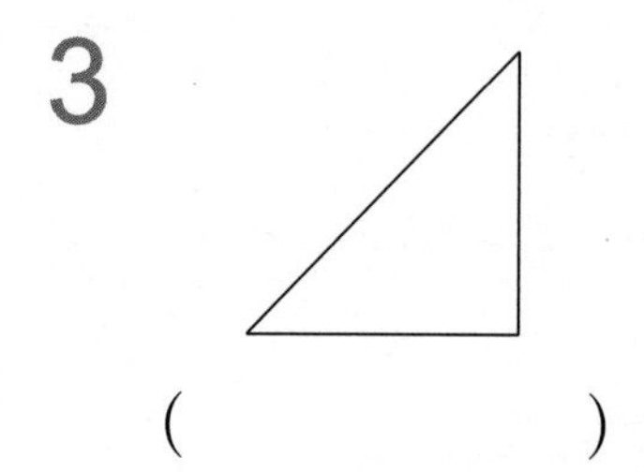

(   )

4
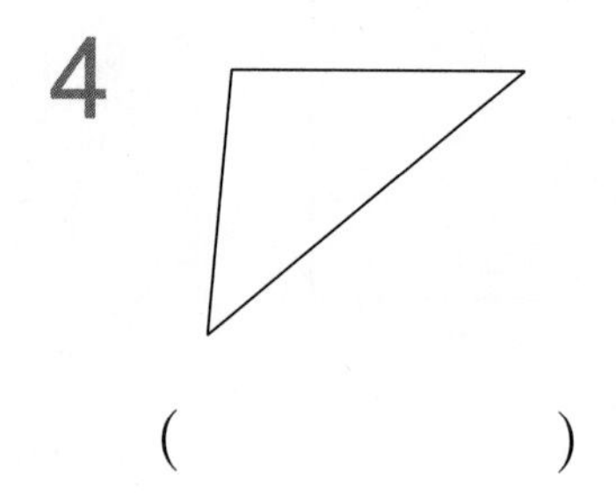

(   )

5
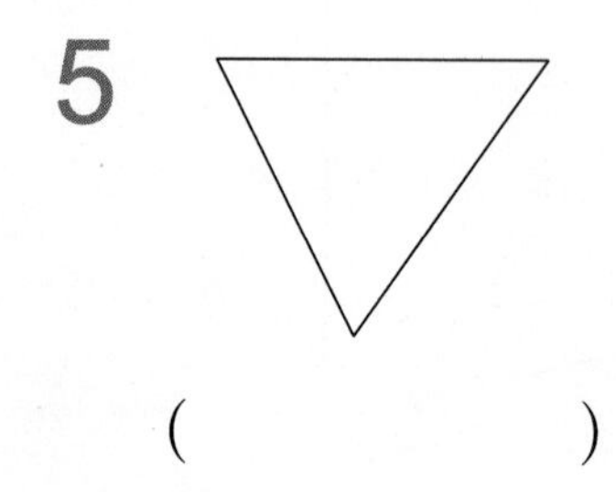

(   )

6
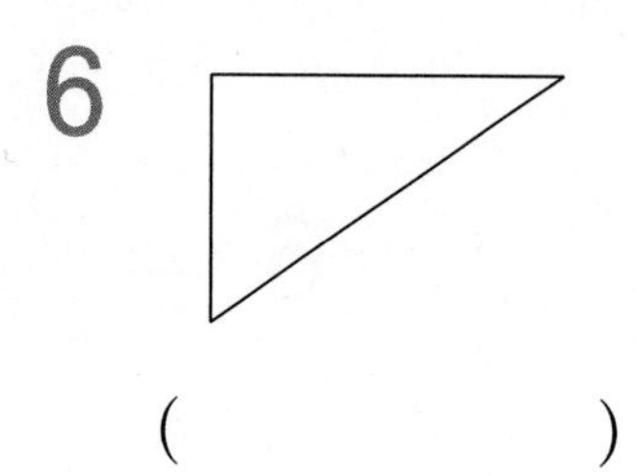

(   )

7
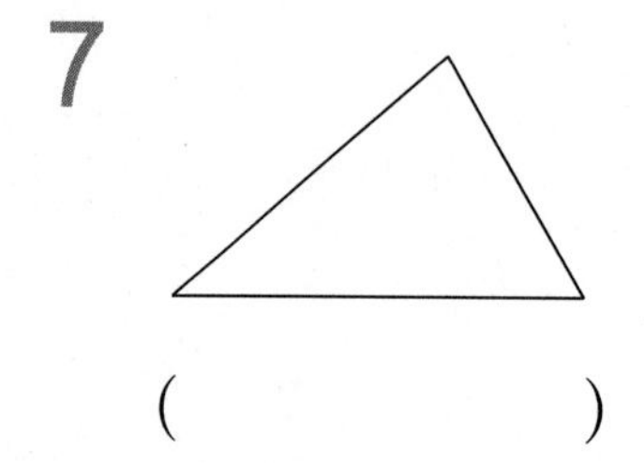

(   )

8
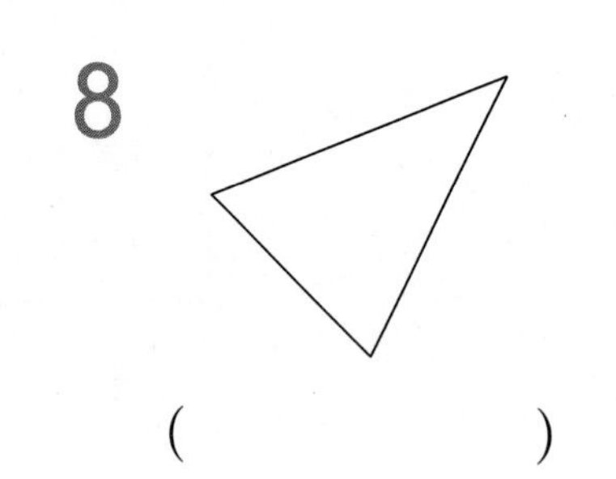

(   )

9
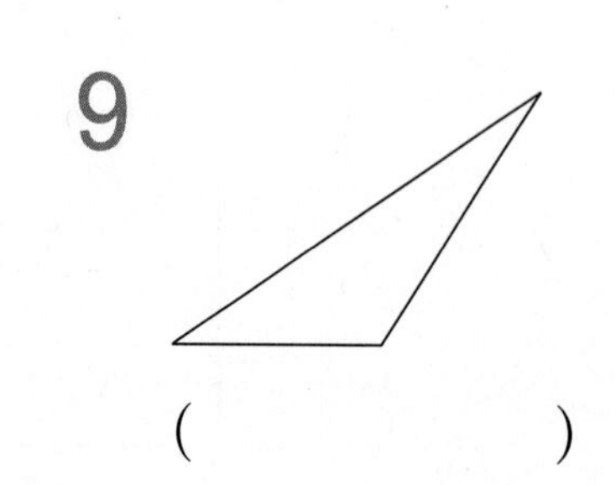

(   )

10
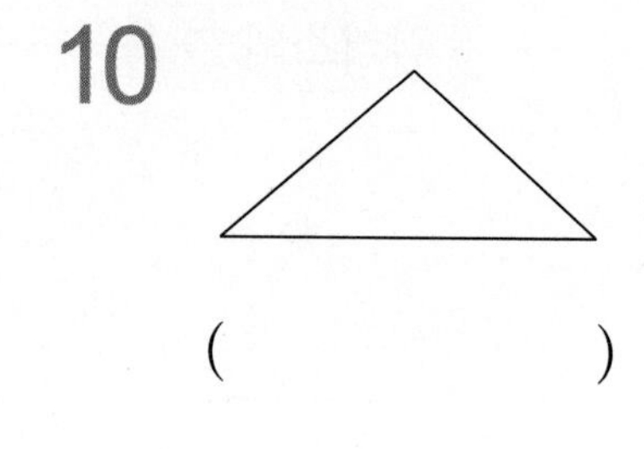

(   )

11
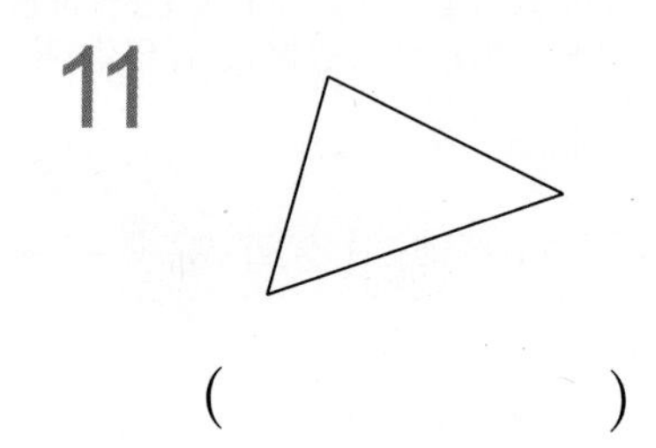

(   )

12
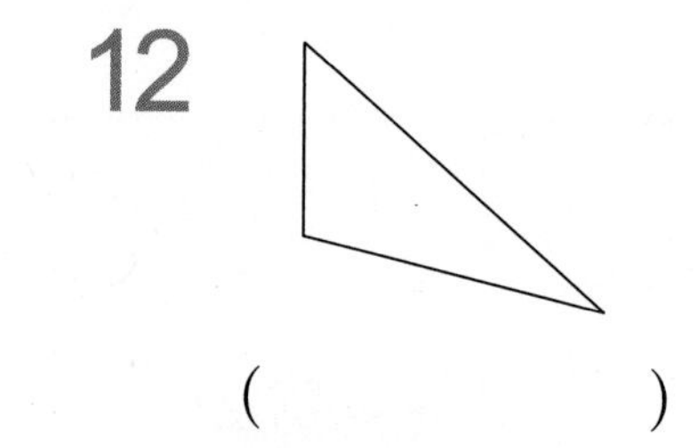

(   )

13
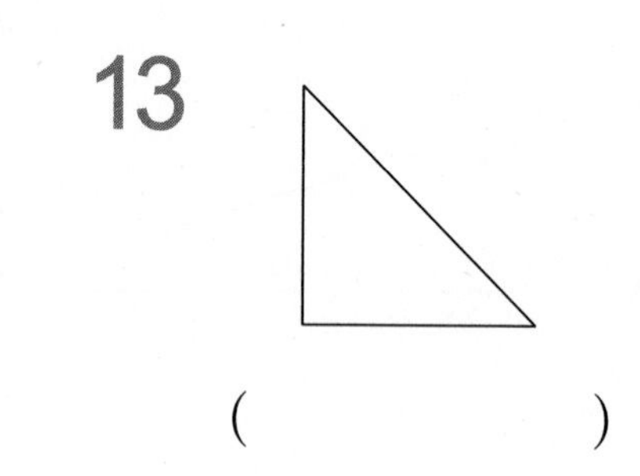

(   )

14
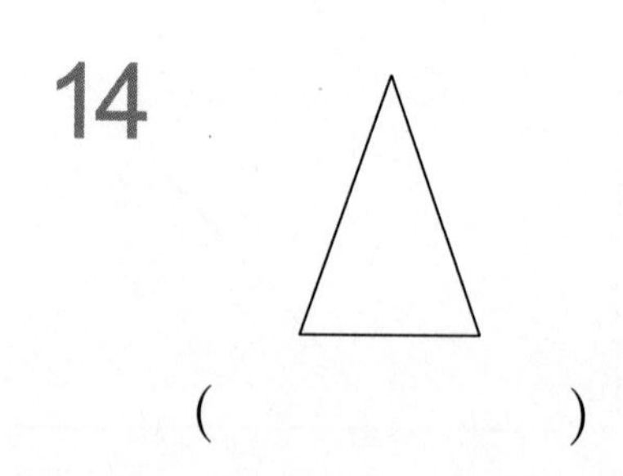

(   )

10 예각삼각형, 둔각삼각형 그리기

공부한 날 월 일

✱ 삼각형을 그려 보시오.

1

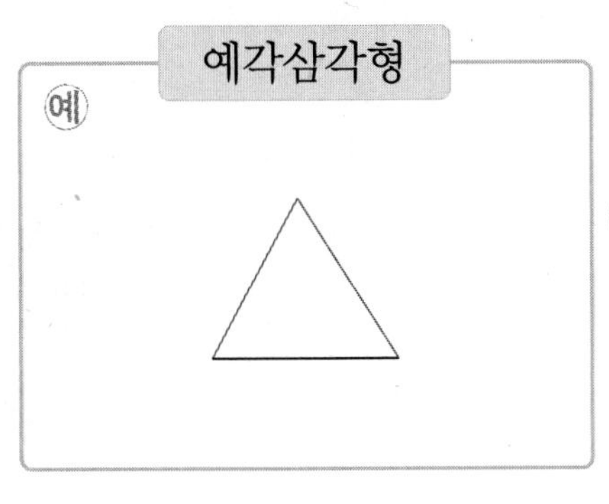

세 각이 모두
예각인 삼각형을
그려 봐.

2

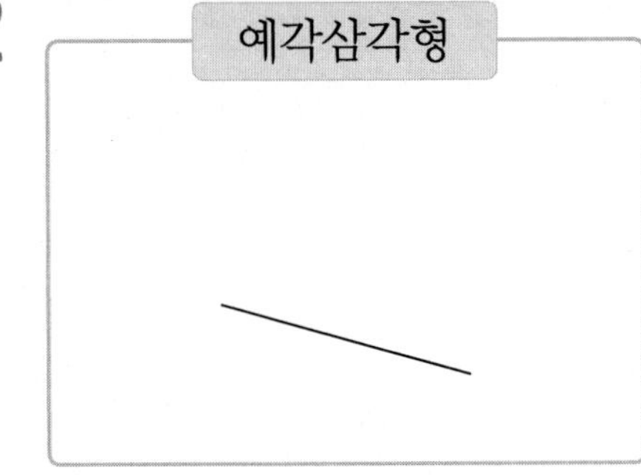

3

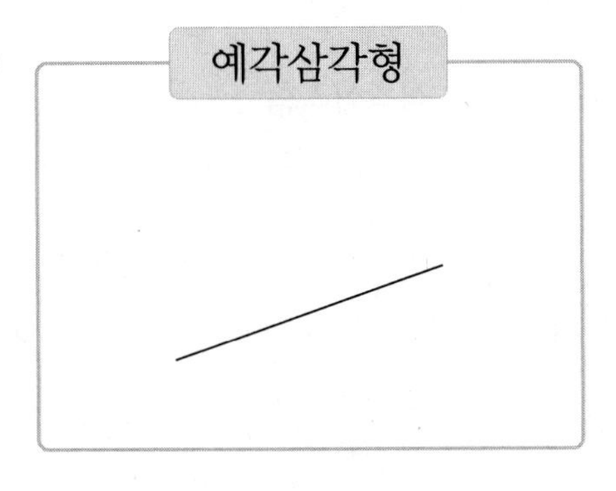

4

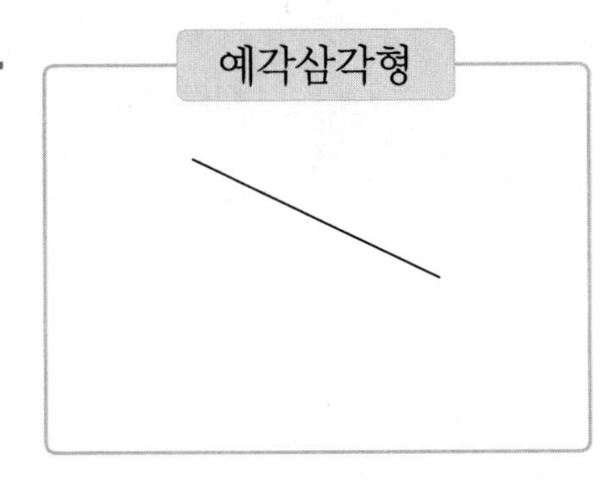

5

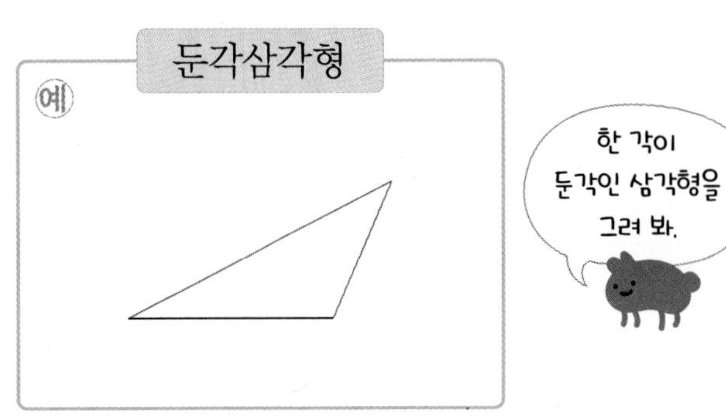

6

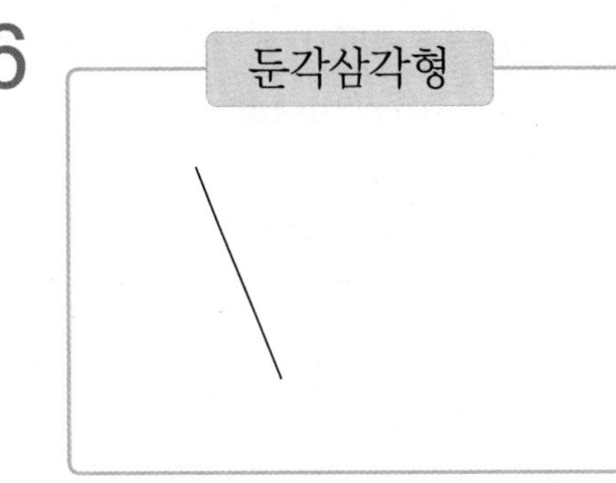

7

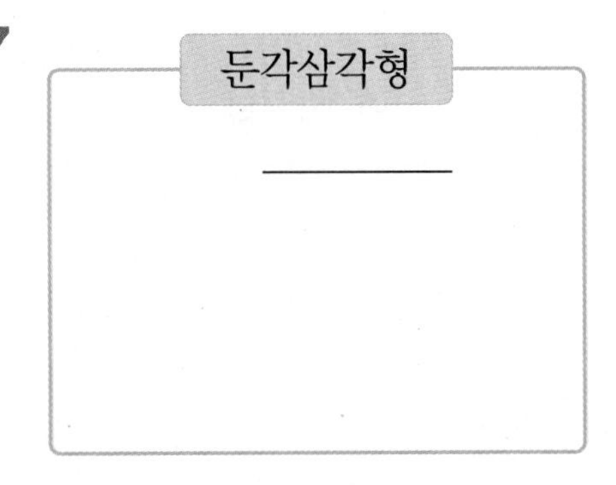

8

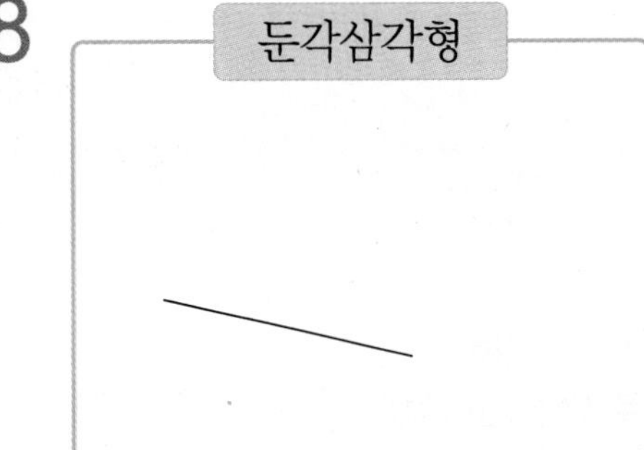

11 삼각형을 두 가지 기준으로 분류하기

✱ **삼각형을 분류해 보시오. [1~3]**

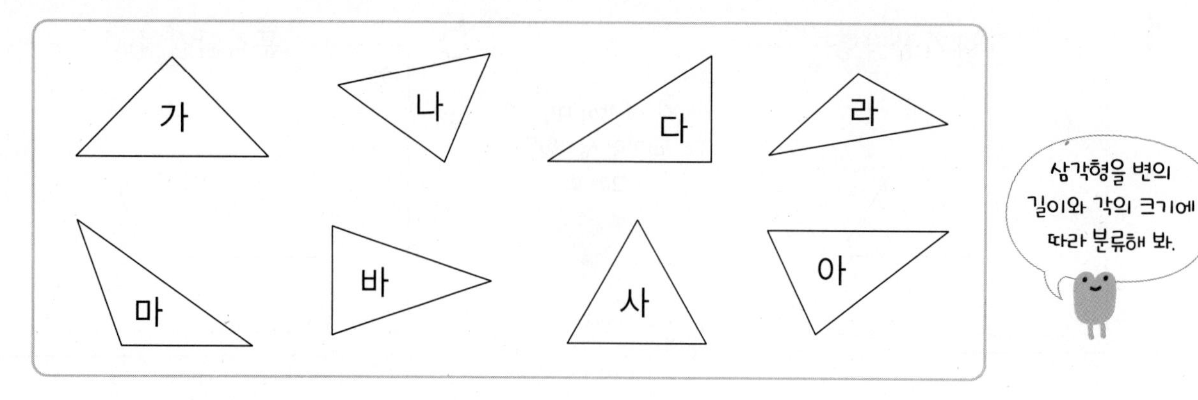

삼각형을 변의 길이와 각의 크기에 따라 분류해 봐.

1 변의 길이에 따라 삼각형을 분류하여 기호를 쓰시오.

이등변삼각형	가, 마, 바, 사
세 변의 길이가 모두 다른 삼각형	나, 다, 라, 아

2 각의 크기에 따라 삼각형을 분류하여 기호를 쓰시오.

예각삼각형	둔각삼각형	직각삼각형

3 변의 길이와 각의 크기에 따라 삼각형을 분류하여 기호를 쓰시오.

	예각삼각형	둔각삼각형	직각삼각형
이등변삼각형			
세 변의 길이가 모두 다른 삼각형			

4 변의 길이와 각의 크기에 따라 삼각형을 분류하여 기호를 쓰시오.

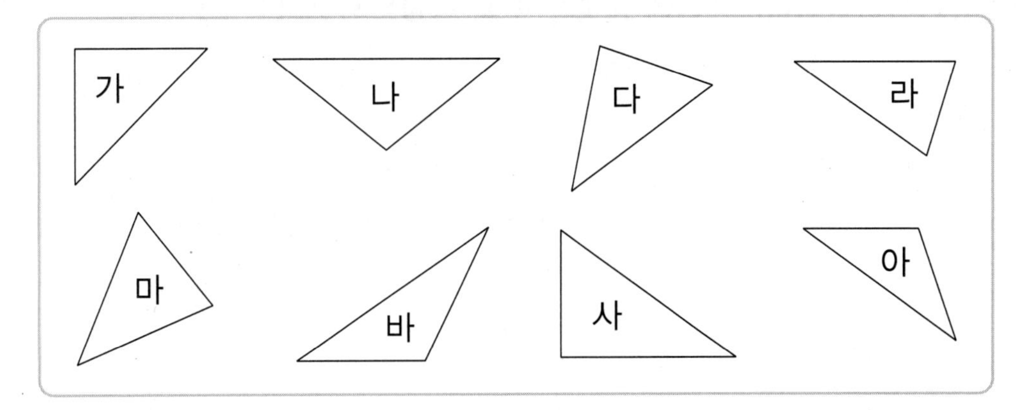

	예각삼각형	둔각삼각형	직각삼각형
이등변삼각형			
세 변의 길이가 모두 다른 삼각형			

5 변의 길이와 각의 크기에 따라 삼각형을 분류하여 기호를 쓰시오.

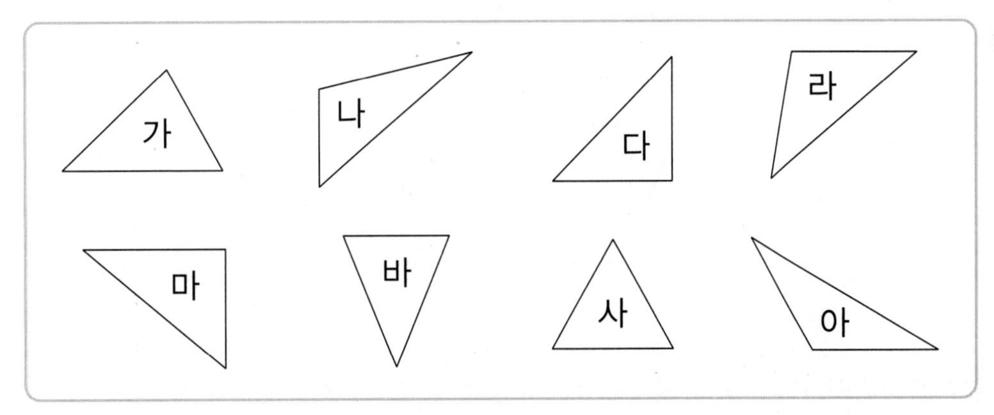

	예각삼각형	둔각삼각형	직각삼각형
이등변삼각형			
세 변의 길이가 모두 다른 삼각형			

✱ **이등변삼각형입니다. □ 안에 알맞은 수를 써넣으시오. [1~2]**

1

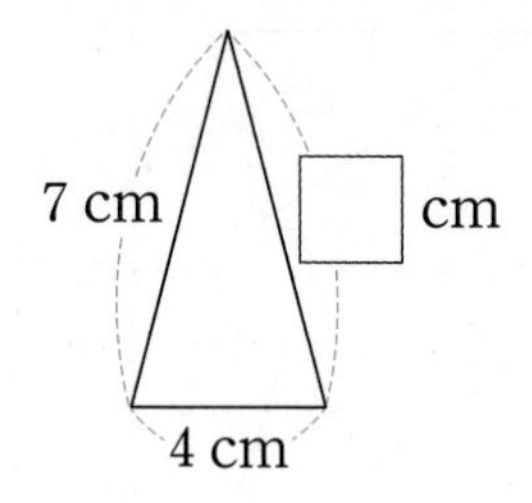

2

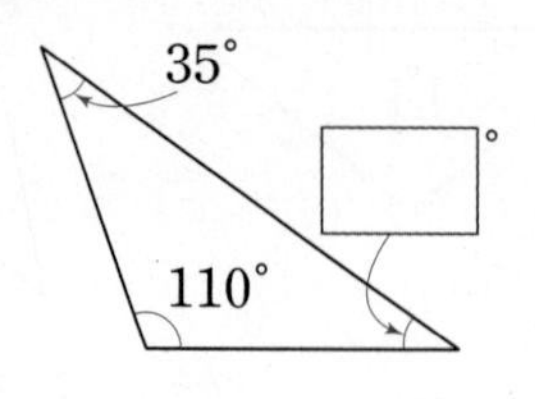

• 이등변삼각형은 두 변의 길이와 두 각의 크기가 각각 같습니다.

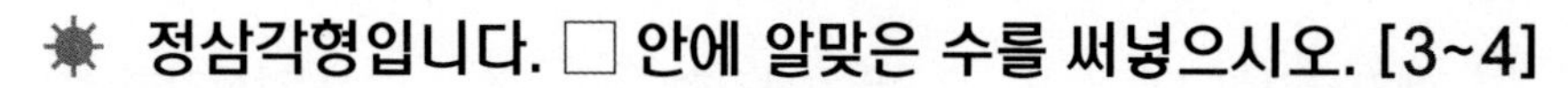

✱ **정삼각형입니다. □ 안에 알맞은 수를 써넣으시오. [3~4]**

3

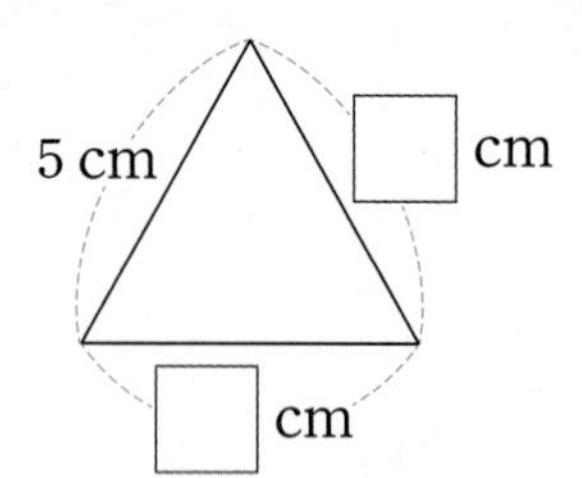

4

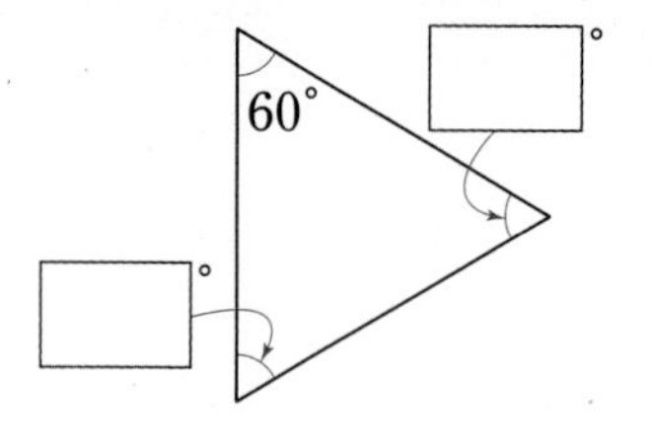

• 정삼각형은 세 변의 길이와 세 각의 크기가 각각 같습니다.

5 예각삼각형을 그려 보시오.

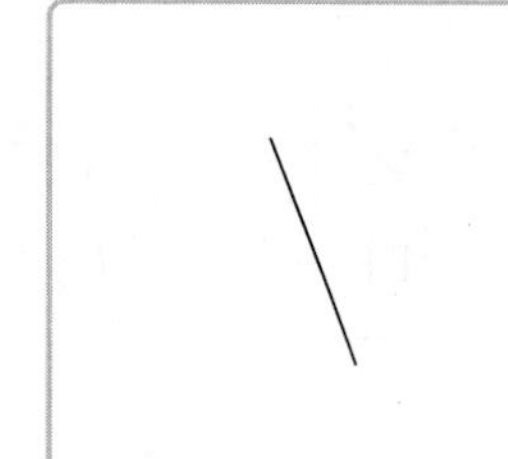

• 예각삼각형은 세 각이 모두 예각이 되도록 그립니다.

6 둔각삼각형을 그려 보시오.

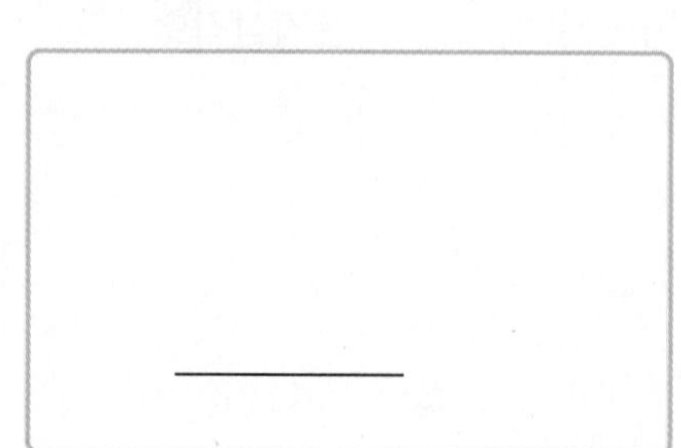

• 둔각삼각형은 한 각이 둔각이 되도록 그립니다.

7 도형을 보고 빈칸에 알맞은 기호를 써넣으시오.

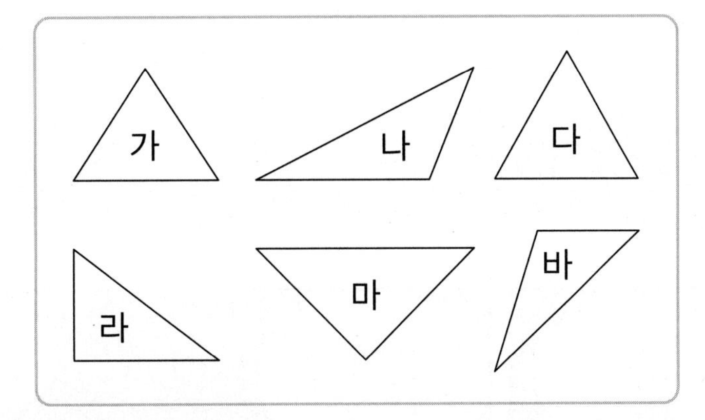

이등변삼각형	정삼각형	예각삼각형	둔각삼각형

삼각형을 변의 길이와 각의 크기에 따라 분류해 봐.

2 삼각형

8 새롬이는 미술 시간에 오른쪽과 같은 정삼각형 모양의 교통안전표지판을 만들었습니다. 교통안전표지판의 세 변의 길이의 합은 몇 cm입니까?

(　　　　　　　　)

• 정삼각형은 세 변의 길이가 모두 같습니다.

9 다음 도형이 이등변삼각형이 아닌 이유를 설명해 보시오.

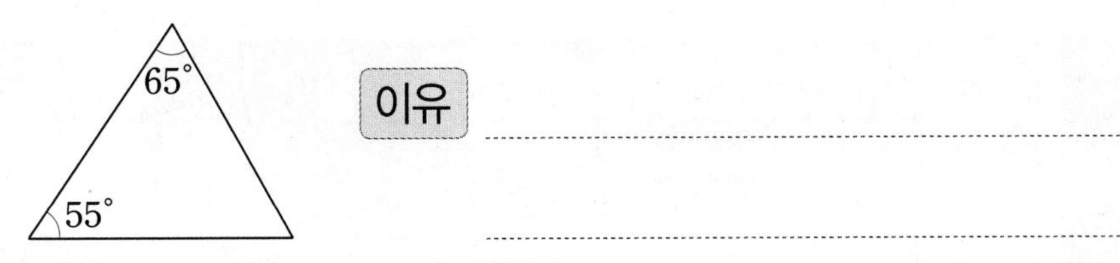

삼각형의 세 각의 크기의 합이 180°임을 이용하면 나머지 한 각의 크기를 알 수 있어.

QR 코드를 찍어 보세요.
문제 생성기 새로운 문제를 계속 풀 수 있어요.

3 소수의 덧셈과 뺄셈

QR 코드를 찍어 보세요.
재미있는 학습 게임을
할 수 있어요.

제3화 콩 한 쪽도 나눠 먹으랬지만……

$$\frac{1}{100}=0.01\,(\text{영 점 영일})$$

이미 배운 내용

[3-1 분수와 소수]
- 소수 한 자리 수 알아보기
- 소수의 크기 비교하기

이번에 배울 내용

- 소수 두(세) 자리 수 알아보기
- 소수의 크기 비교하기
- 소수 사이의 관계 알아보기
- 소수 한 자리 수의 덧셈과 뺄셈
- 소수 두 자리 수의 덧셈과 뺄셈

앞으로 배울 내용

[5-2 소수의 곱셈]
- (소수)×(자연수), (자연수)×(소수)
- (소수)×(소수)

[5-2 소수의 나눗셈]
- (소수)÷(자연수)
- (자연수)÷(자연수)

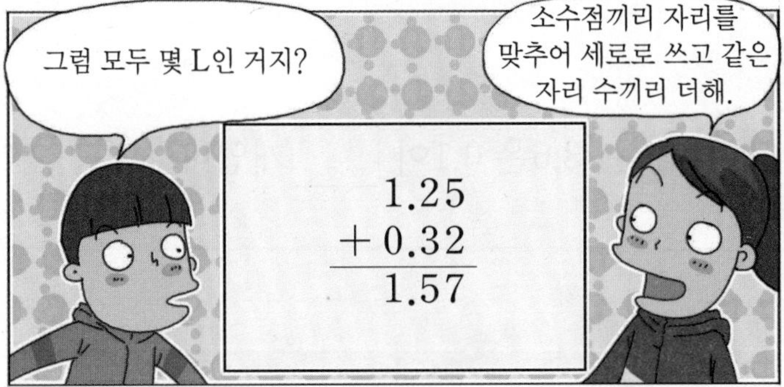

배운 것 확인하기

1 소수 한 자리 수 알아보기

✸ 분수는 소수로, 소수는 분수로 나타내어 보시오.

1 $\frac{1}{10}$= [0.1]

2 $\frac{3}{10}$= □

3 $\frac{5}{10}$= □

4 $\frac{8}{10}$= □

5 0.2= □

6 0.4= □

7 0.7= □

8 0.9= □

2 0.1이 몇 개인 수 알아보기

✸ □ 안에 알맞은 수를 써넣으시오.

1 0.1이 4개이면 [0.4] 입니다.
(또는 $\frac{4}{10}$)

0.1이 ■개이면
0.■이고
0.1이 ■▲개이면
■.▲야.

2 0.1이 12개이면 □ 입니다.

3 0.1이 53개이면 □ 입니다.

4 0.1이 69개이면 □ 입니다.

5 0.8은 0.1이 □ 개입니다.

6 3.6은 0.1이 □ 개입니다.

7 7.4는 0.1이 □ 개입니다.

8 9.5는 0.1이 □ 개입니다.

3 길이를 소수로 나타내기

✱ □ 안에 알맞은 소수를 써넣으시오.

1mm=0.1cm 임을 이용하여 길이를 소수로 나타내 봐.

1 2 mm= [0.2] cm

2 6 mm= [ ] cm

3 1 cm 4 mm= [ ] cm

4 3 cm 8 mm= [ ] cm

5 5 cm 7 mm= [ ] cm

6 49 mm= [ ] cm

7 81 mm= [ ] cm

8 93 mm= [ ] cm

4 소수의 크기 비교

✱ 두 소수의 크기를 비교하여 ○ 안에 >, =, <를 알맞게 써넣으시오.

소수는 자연수 부분이 클수록 크고, 자연수 부분이 같으면 소수 부분이 클수록 커.

1 0.5 (>) 0.1 (5>1)

2 0.3 ○ 0.7

3 1.7 ○ 3.2

4 6.6 ○ 4.8

5 5.9 ○ 8.3

6 2.8 ○ 2.1

7 7.6 ○ 7.5

8 9.2 ○ 9.4

1 분모가 100인 분수를 소수로 나타내기

✸ 분수를 소수로 나타내고 읽어 보시오.

1 $\frac{3}{100}$ 쓰기 (0.03), 읽기 (영 점 영삼)

소수점 아래 수는 숫자를 하나씩 차례로 읽습니다.

2 $\frac{46}{100}$ 쓰기 ( ), 읽기 ( )

3 $\frac{75}{100}$ 쓰기 ( ), 읽기 ( )

4 $\frac{91}{100}$ 쓰기 ( ), 읽기 ( )

5 $1\frac{2}{100}$ 쓰기 ( ), 읽기 ( )

6 $5\frac{64}{100}$ 쓰기 ( ), 읽기 ( )

7 $9\frac{83}{100}$ 쓰기 ( ), 읽기 ( )

2 소수 두 자리 수의 각 자리 숫자와 나타내는 수

공부한 날 월 일

□ 안에 알맞은 수나 말을 써넣으시오.

1 2.87에서 2는 [일]의 자리 숫자이고, [2]를 나타냅니다.

- 일의 자리 숫자, 2를 나타냅니다.
- 소수 첫째 자리 숫자, 0.8을 나타냅니다.
- 소수 둘째 자리 숫자, 0.07을 나타냅니다.

같은 수라도 어느 자리에 있느냐에 따라 나타내는 수가 달라.

2 3.14에서 4는 □ 자리 숫자이고, □을/를 나타냅니다.

3 4.39에서 3은 □ 자리 숫자이고, □을/를 나타냅니다.

4 5.08에서 8은 □ 자리 숫자이고, □을/를 나타냅니다.

5 6.42에서 6은 □의 자리 숫자이고, □을/를 나타냅니다.

6 7.25에서 2는 □ 자리 숫자이고, □을/를 나타냅니다.

7 8.93에서 3은 □ 자리 숫자이고, □을/를 나타냅니다.

8 15.06에서 5는 □의 자리 숫자이고, □을/를 나타냅니다.

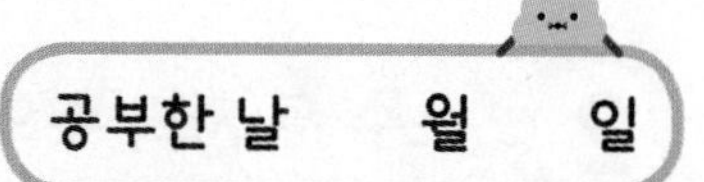

3 소수 두 자리 수 알아보기

✸ □ 안에 알맞은 수를 써넣으시오.

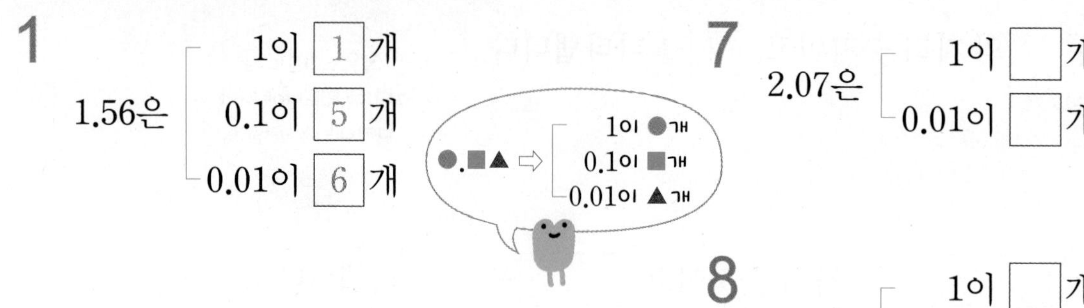

1 1.56은
- 1이 [1]개
- 0.1이 [5]개
- 0.01이 [6]개

2 3.72는
- 1이 □개
- 0.1이 □개
- 0.01이 □개

3 5.48은
- 1이 □개
- 0.1이 □개
- 0.01이 □개

4 6.04는
- 1이 □개
- 0.01이 □개

5 7.19는
- 1이 □개
- 0.1이 □개
- 0.01이 □개

6 8.63은
- 1이 □개
- 0.1이 □개
- 0.01이 □개

7 2.07은
- 1이 □개
- 0.01이 □개

8 4.81은
- 1이 □개
- 0.1이 □개
- 0.01이 □개

9 6.93은
- 1이 □개
- 0.1이 □개
- 0.01이 □개

10 9.25는
- 1이 □개
- 0.1이 □개
- 0.01이 □개

11 13.06은
- 10이 □개
- 1이 □개
- 0.01이 □개

12 25.48은
- 10이 □개
- 1이 □개
- 0.1이 □개
- 0.01이 □개

수직선에 소수 두 자리 수 나타내기

공부한 날 월 일

□ 안에 알맞은 소수를 써넣으시오.

1

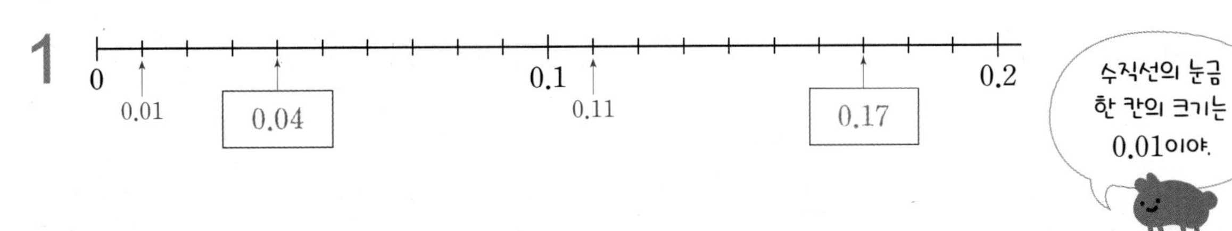

2

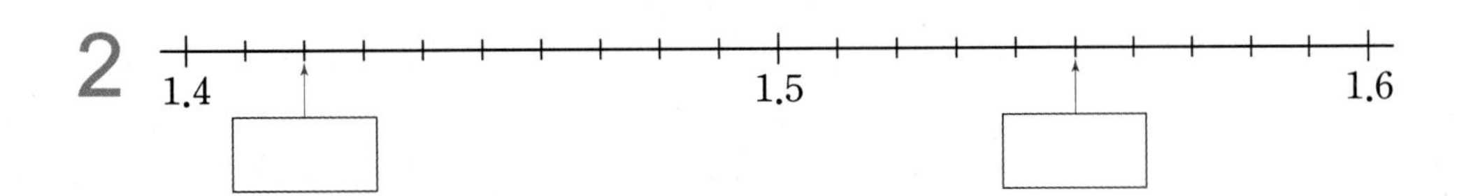

3

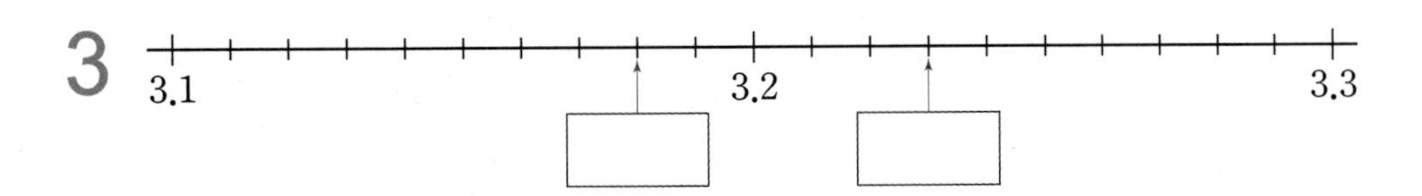

4

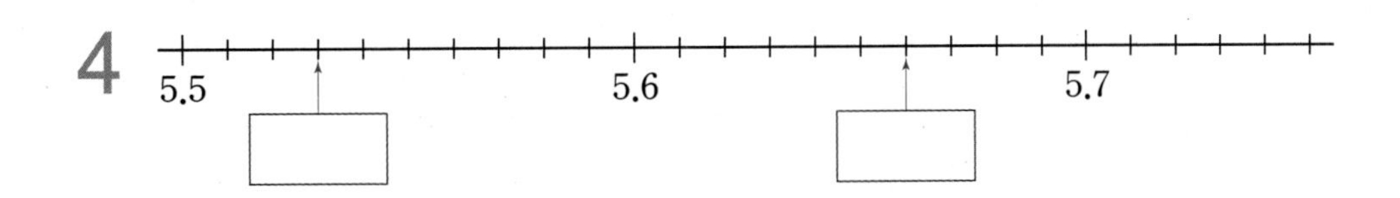

5

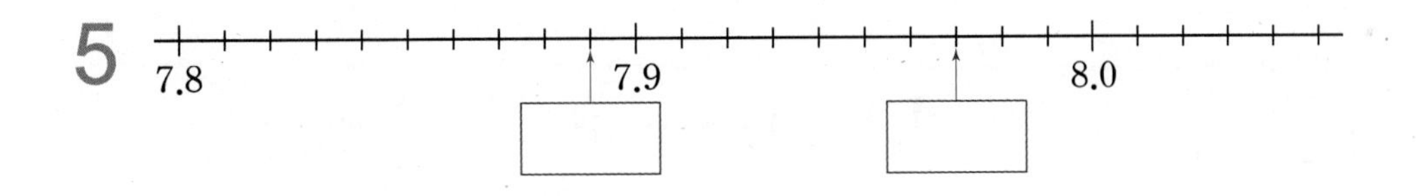

6

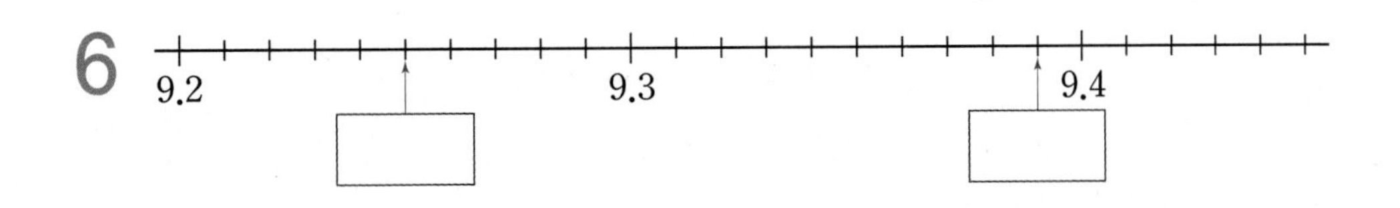

5 0.01이 몇 개인 수 알아보기

공부한 날 월 일

☀ □ 안에 알맞은 수를 써넣으시오.

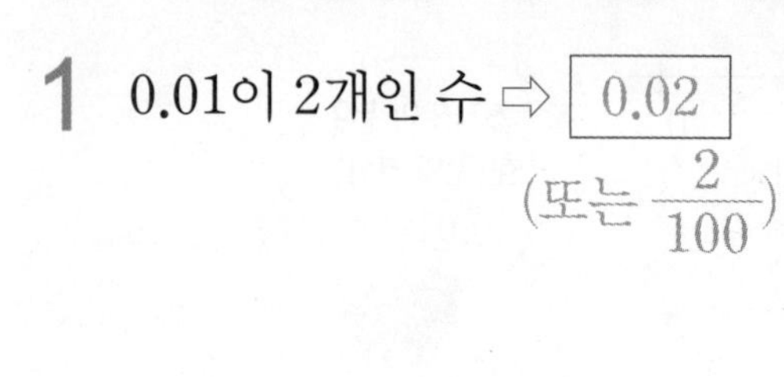

1 0.01이 2개인 수 ⇨ [0.02] (또는 $\frac{2}{100}$)

2 0.01이 8개인 수 ⇨ □

3 0.01이 35개인 수 ⇨ □

4 0.01이 61개인 수 ⇨ □

5 0.01이 147개인 수 ⇨ □

6 0.01이 524개인 수 ⇨ □

7 0.01이 903개인 수 ⇨ □

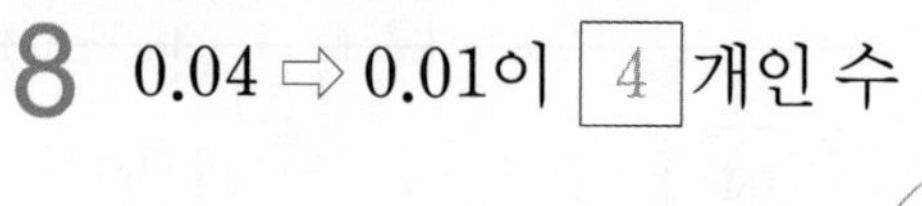

8 0.04 ⇨ 0.01이 [4]개인 수

9 0.09 ⇨ 0.01이 □개인 수

10 0.56 ⇨ 0.01이 □개인 수

11 0.72 ⇨ 0.01이 □개인 수

12 3.08 ⇨ 0.01이 □개인 수

13 6.15 ⇨ 0.01이 □개인 수

14 8.27 ⇨ 0.01이 □개인 수

6 1, 0.1, 0.01이 몇 개인 수 알아보기

공부한 날 월 일

☐ 안에 알맞은 소수를 써넣으시오.

1 1이 1개, 0.1이 5개, 0.01이 8개인 수 ⇨ 1.58

1+0.5+0.08=1.58

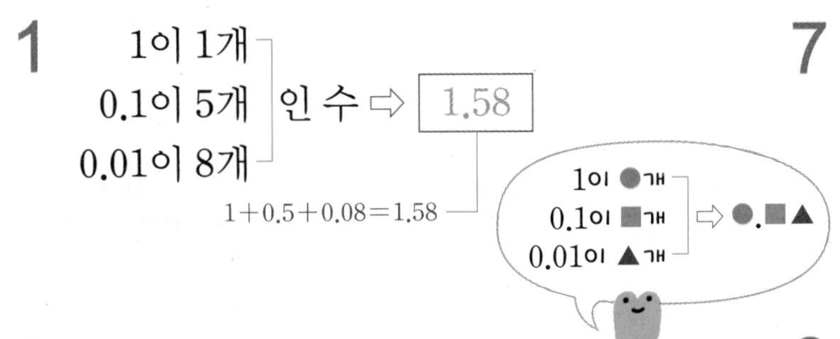

2 1이 4개, 0.1이 6개, 0.01이 9개인 수 ⇨ ☐

3 1이 8개, 0.1이 2개, 0.01이 3개인 수 ⇨ ☐

4 1이 7개, 0.01이 6개인 수 ⇨ ☐

5 10이 2개, 1이 5개, 0.1이 4개, 0.01이 1개인 수 ⇨ ☐

6 10이 3개, 1이 8개, 0.01이 2개인 수 ⇨ ☐

7 1이 2개, 0.1이 3개, 0.01이 7개인 수 ⇨ ☐

8 1이 9개, 0.01이 8개인 수 ⇨ ☐

9 10이 6개, 0.1이 9개, 0.01이 5개인 수 ⇨ ☐

10 10이 4개, $\frac{1}{100}$이 9개인 수 ⇨ ☐

11 10이 5개, 1이 6개, $\frac{1}{10}$이 1개, $\frac{1}{100}$이 7개인 수 ⇨ ☐

12 10이 7개, 1이 2개, $\frac{1}{100}$이 4개인 수 ⇨ ☐

7 분모가 1000인 분수를 소수로 나타내기

✸ 분수를 소수로 나타내고 읽어 보시오.

1 $\frac{7}{1000}$ 쓰기 (0.007), 읽기 (영 점 영영칠)

소수점 아래 수는 숫자를 하나씩 차례로 읽습니다.

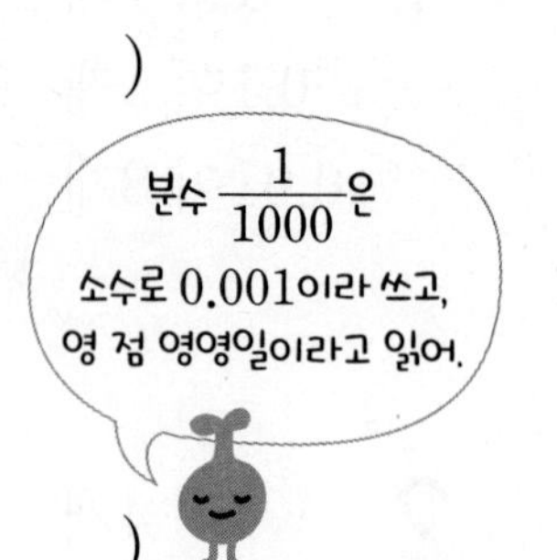

2 $\frac{82}{1000}$ 쓰기 ( ), 읽기 ( )

3 $\frac{516}{1000}$ 쓰기 ( ), 읽기 ( )

4 $\frac{904}{1000}$ 쓰기 ( ), 읽기 ( )

5 $2\frac{5}{1000}$ 쓰기 ( ), 읽기 ( )

6 $4\frac{39}{1000}$ 쓰기 ( ), 읽기 ( )

7 $7\frac{681}{1000}$ 쓰기 ( ), 읽기 ( )

공부한 날 월 일

□ 안에 알맞은 수나 말을 써넣으시오.

1 1.489에서 4는 [소수 첫째] 자리 숫자이고, [0.4]를 나타냅니다.

- 일의 자리 숫자, 1을 나타냅니다.
- 소수 첫째 자리 숫자, 0.4를 나타냅니다.
- 소수 둘째 자리 숫자, 0.08을 나타냅니다.
- 소수 셋째 자리 숫자, 0.009를 나타냅니다.

같은 수라도 어느 자리에 있느냐에 따라 나타내는 수가 달라.

2 3.075에서 7은 □ 자리 숫자이고, □을/를 나타냅니다.

3 5.162에서 5는 □의 자리 숫자이고, □을/를 나타냅니다.

4 6.243에서 3은 □ 자리 숫자이고, □을/를 나타냅니다.

5 8.914에서 1은 □ 자리 숫자이고, □을/를 나타냅니다.

6 7.502에서 2는 □ 자리 숫자이고, □을/를 나타냅니다.

7 9.628에서 6은 □ 자리 숫자이고, □을/를 나타냅니다.

8 18.037에서 8은 □의 자리 숫자이고, □을/를 나타냅니다.

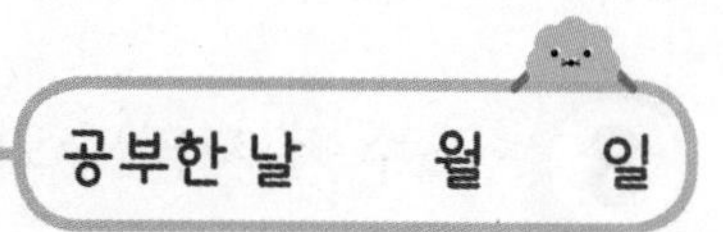

9 소수 세 자리 수 알아보기

✺ □ 안에 알맞은 수를 써넣으시오.

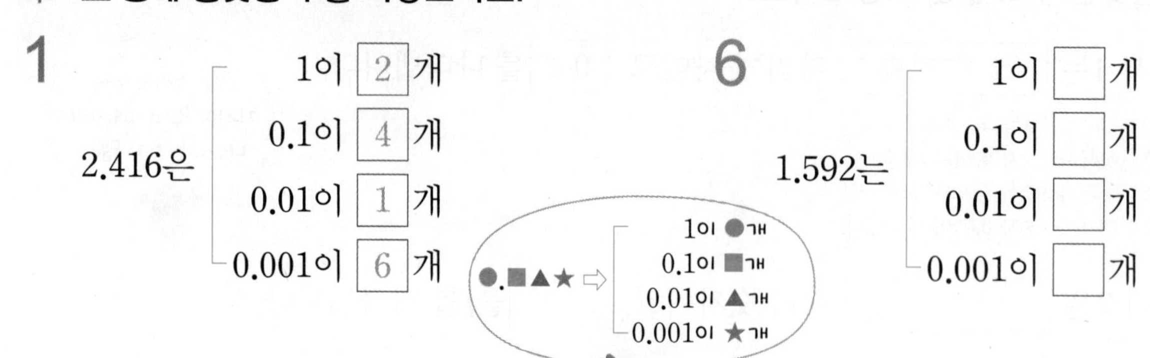

1 2.416은
- 1이 [2]개
- 0.1이 [4]개
- 0.01이 [1]개
- 0.001이 [6]개

6 1.592는
- 1이 □개
- 0.1이 □개
- 0.01이 □개
- 0.001이 □개

2 3.258은
- 1이 □개
- 0.1이 □개
- 0.01이 □개
- 0.001이 □개

7 5.847은
- 1이 □개
- 0.1이 □개
- 0.01이 □개
- 0.001이 □개

3 4.729는
- 1이 □개
- 0.1이 □개
- 0.01이 □개
- 0.001이 □개

8 7.603은
- 1이 □개
- 0.1이 □개
- 0.001이 □개

4 6.035는
- 1이 □개
- 0.01이 □개
- 0.001이 □개

9 10.381은
- 10이 □개
- 0.1이 □개
- 0.01이 □개
- 0.001이 □개

5 8.174는
- 1이 □개
- 0.1이 □개
- 0.01이 □개
- 0.001이 □개

10 42.069는
- 10이 □개
- 1이 □개
- 0.01이 □개
- 0.001이 □개

10 수직선에 소수 세 자리 수 나타내기

공부한 날 월 일

□ 안에 알맞은 소수를 써넣으시오.

1
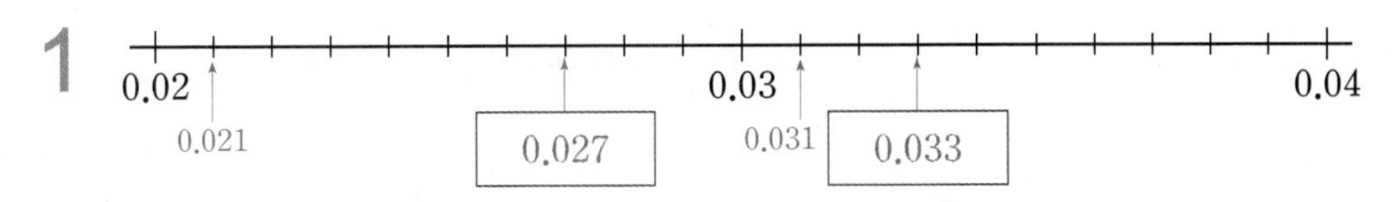

2
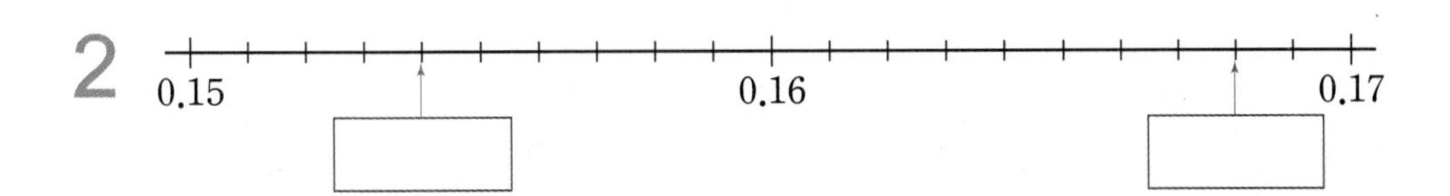

3
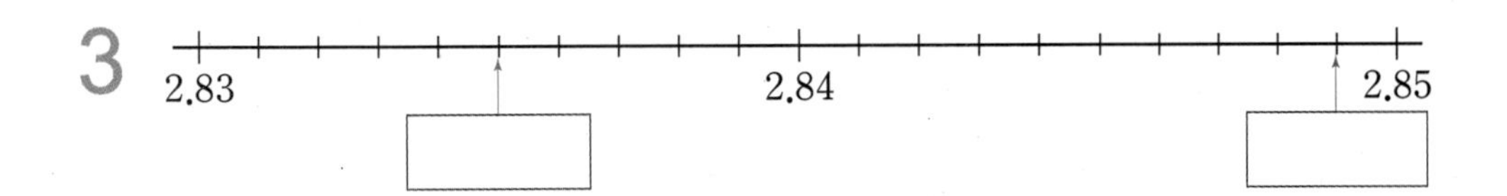

4
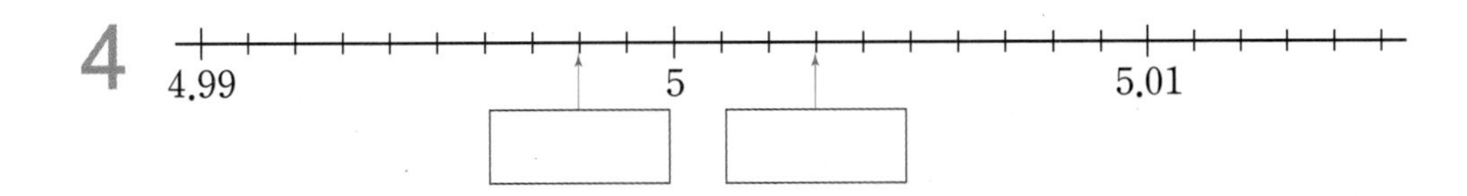

5
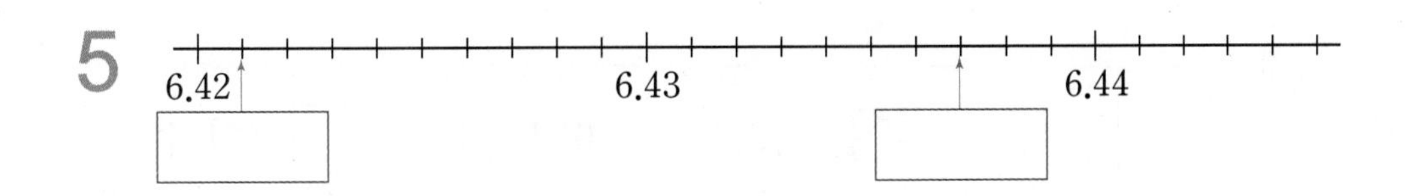

6
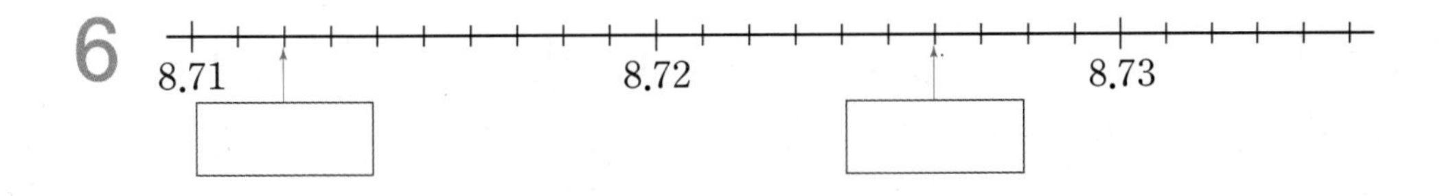

3 소수의 덧셈과 뺄셈

11 0.001이 몇 개인 수 알아보기

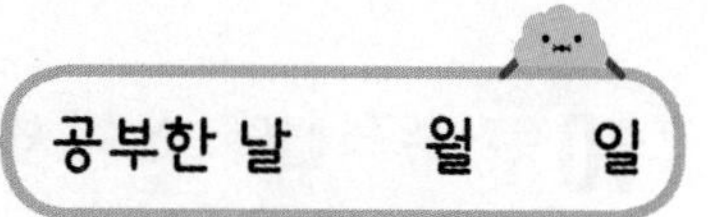

✹ □ 안에 알맞은 수를 써넣으시오.

1 0.001이 4개인 수 ⇨ [0.004] (또는 $\frac{4}{1000}$)

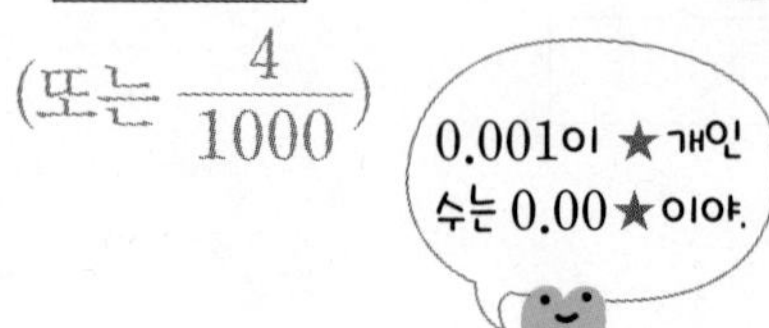

2 0.001이 9개인 수 ⇨ □

3 0.001이 26개인 수 ⇨ □

4 0.001이 73개인 수 ⇨ □

5 0.001이 582개인 수 ⇨ □

6 0.001이 647개인 수 ⇨ □

7 0.001이 1805개인 수 ⇨ □

8 0.005 ⇨ 0.001이 [5]개인 수

9 0.008 ⇨ 0.001이 □개인 수

10 0.032 ⇨ 0.001이 □개인 수

11 0.067 ⇨ 0.001이 □개인 수

12 0.459 ⇨ 0.001이 □개인 수

13 2.703 ⇨ 0.001이 □개인 수

14 7.941 ⇨ 0.001이 □개인 수

12 1, 0.1, 0.01, 0.001이 몇 개인 수 알아보기

공부한 날 월 일

□ 안에 알맞은 소수를 써넣으시오.

1
1이 3개
0.1이 5개
0.01이 2개
0.001이 6개
인 수 ⇨ 3.526

3+0.5+0.02+0.006=3.526

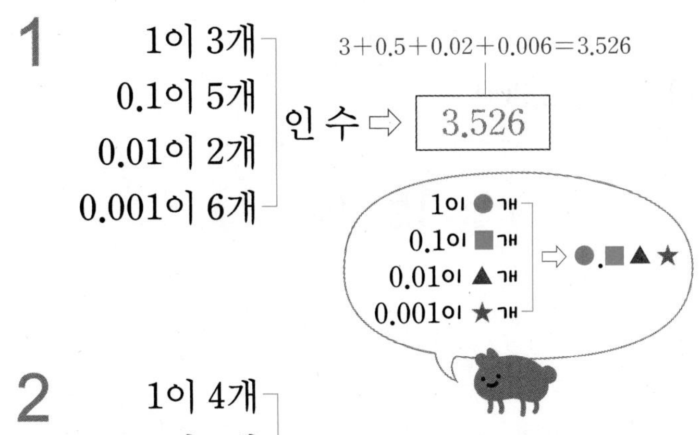

2
1이 4개
0.1이 6개
0.01이 3개
0.001이 5개
인 수 ⇨ □

3
1이 5개
0.1이 2개
0.001이 8개
인 수 ⇨ □

4
10이 3개
0.1이 1개
0.01이 4개
0.001이 2개
인 수 ⇨ □

5
10이 6개
1이 7개
0.01이 9개
0.001이 4개
인 수 ⇨ □

6
1이 2개
0.1이 4개
0.01이 6개
0.001이 1개
인 수 ⇨ □

7
10이 7개
1이 2개
0.01이 5개
0.001이 3개
인 수 ⇨ □

8
1이 9개
$\frac{1}{100}$이 5개
$\frac{1}{1000}$이 8개
인 수 ⇨ □

9
10이 2개
1이 6개
$\frac{1}{10}$이 3개
$\frac{1}{1000}$이 7개
인 수 ⇨ □

10
10이 8개
1이 5개
$\frac{1}{100}$이 1개
$\frac{1}{1000}$이 9개
인 수 ⇨ □

3 소수의 덧셈과 뺄셈

13 소수에서 생략할 수 있는 0 알아보기

공부한 날 월 일

✸ 소수에서 생략할 수 있는 0을 찾아 보기 와 같이 나타내어 보시오.

보기

0.1~~0~~ 1.05~~0~~ 2.3~~00~~

소수에서 오른쪽 끝자리에 있는 0은 생략하여 나타낼 수 있어.

1 0.4~~0~~

2 0.06

3 5.30

4 0.090

5 6.005

6 11.200

7 32.04

8 0.008

9 9.60

10 15.320

11 0.041

12 3.904

13 7.010

14 20.50

15 0.52

16 0.700

17 10.080

18 34.107

19 40.050

20 8.900

21 100.2

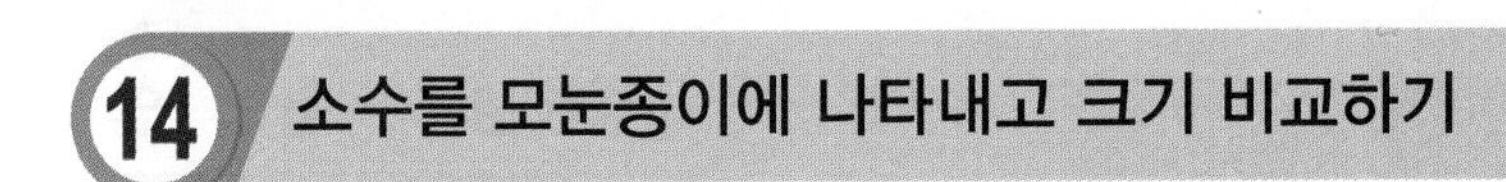

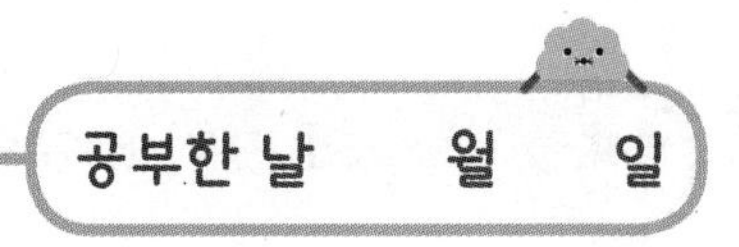

모눈종이 전체의 크기가 1이라고 할 때, 모눈종이에 두 소수를 나타내고 크기를 비교해 보시오.

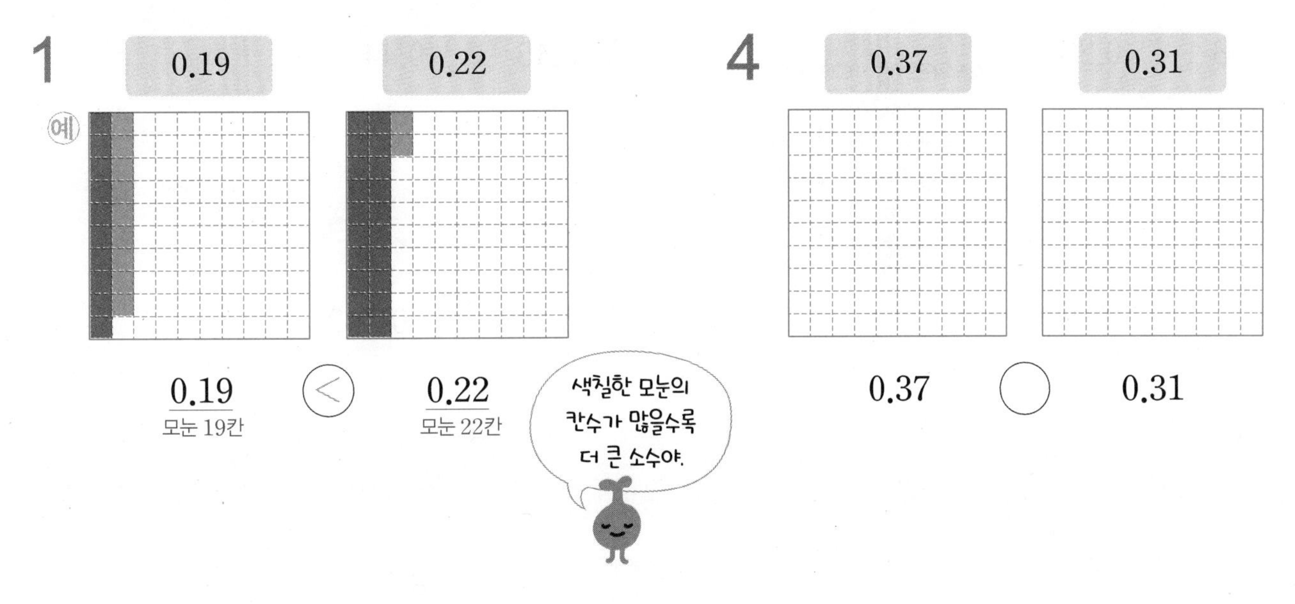

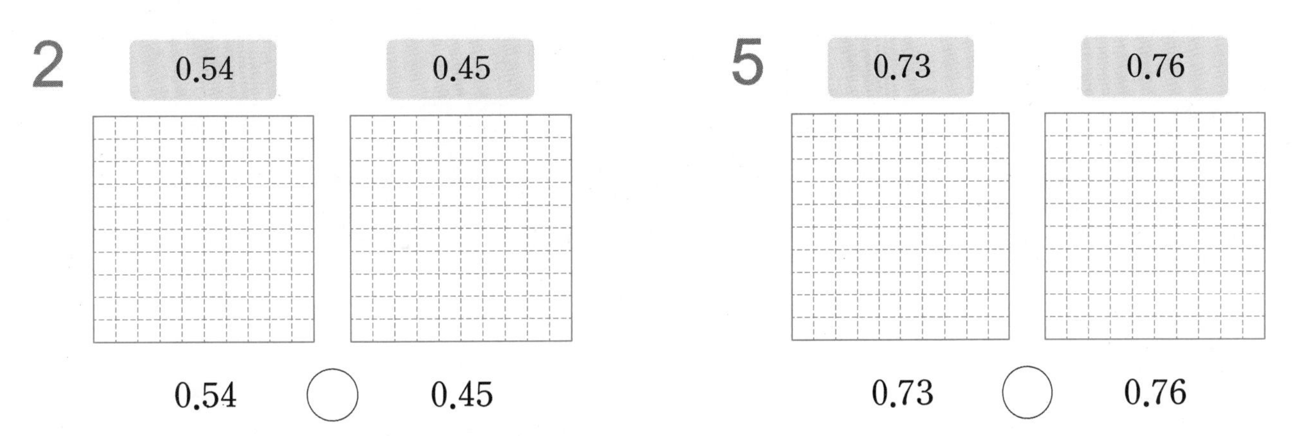

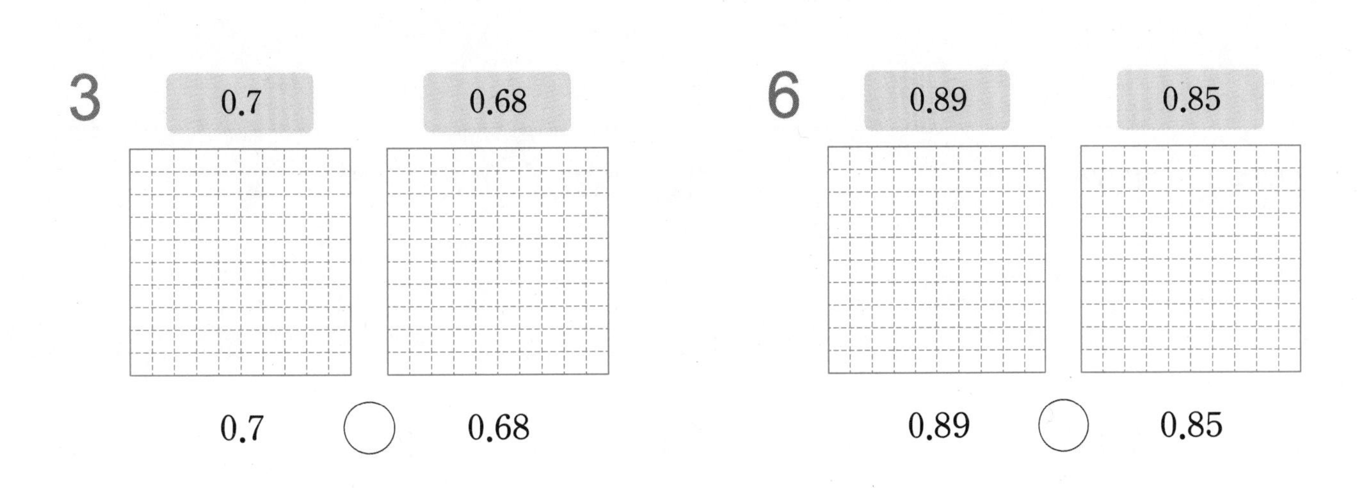

3 소수의 덧셈과 뺄셈

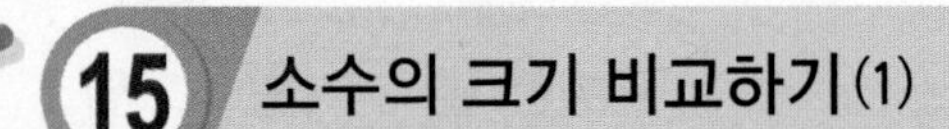

15 소수의 크기 비교하기(1)

공부한 날 월 일

✸ 두 수의 크기를 비교하여 ○ 안에 >, =, <를 알맞게 써넣으시오.

1 0.18 (<) 0.25

1<2

소수의 크기를 비교할 때는 자연수, 소수 첫째 자리 수, 소수 둘째 자리 수, 소수 셋째 자리 수의 순으로 크기를 비교해.

2 3.15 ○ 2.89

3 0.373 ○ 0.411

4 4.56 ○ 3.92

5 5.83 ○ 5.68

6 2.574 ○ 2.579

7 8.725 ○ 7.983

8 0.45 ○ 0.44

9 0.166 ○ 0.162

10 8.51 ○ 8.57

11 5.026 ○ 2.499

12 6.154 ○ 6.183

13 7.27 ○ 7.31

14 9.815 ○ 9.904

16 소수의 크기 비교하기 (2)

공부한 날 월 일

✸ 두 수의 크기를 비교하여 ○ 안에 $>$, $=$, $<$를 알맞게 써넣으시오.

1 0.27 ($<$) 0.3

$2<3$

자릿수가 다른 소수도
자연수부터 차례로 비교해.
이때, 소수 끝자리에 0을
붙여 비교할 수도 있어.

8 0.563 ○ 0.56

2 1.64 ○ 1.7

9 2.4 ○ 1.92

3 0.39 ○ 0.388

10 5.369 ○ 5.34

4 1.407 ○ 1.4

11 4.77 ○ 3.815

5 6.6 ○ 6.59

12 8.543 ○ 8.81

6 2.01 ○ 2.1

13 12.1 ○ 1.978

7 7.68 ○ 7.673

14 9.357 ○ 9.35

17 소수 사이의 관계 알아보기(1)

공부한 날 월 일

✱ 빈칸에 알맞은 수를 써넣으시오.

수를 10배 하면 소수점을 기준으로 수가 왼쪽으로 한 자리씩, $\frac{1}{10}$이면 소수점을 기준으로 수가 오른쪽으로 한 자리씩 이동해.

1
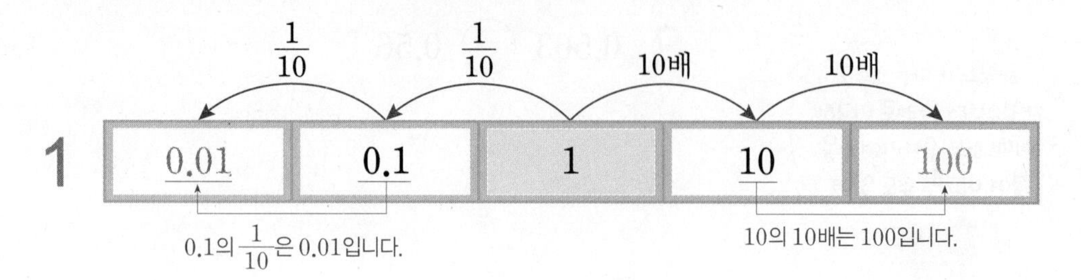

2
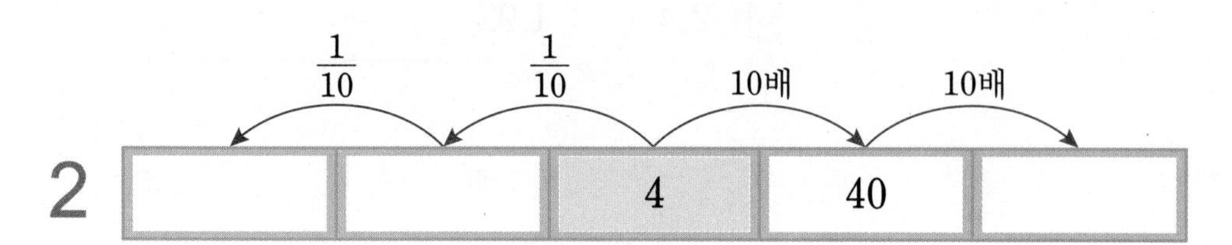

3
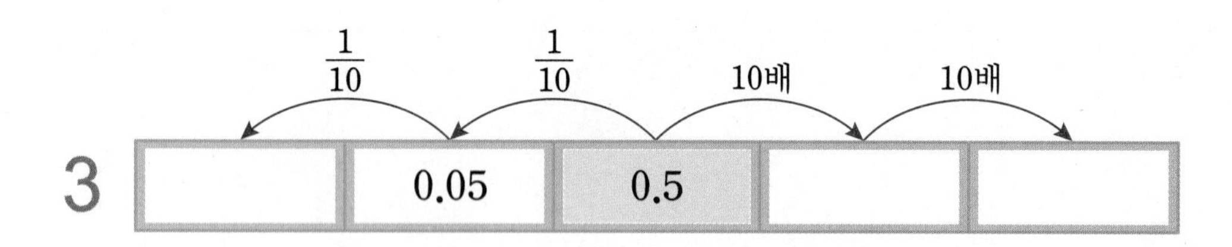

4
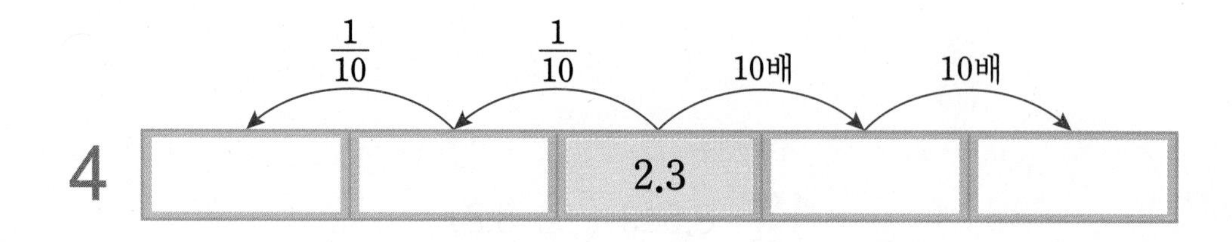

5
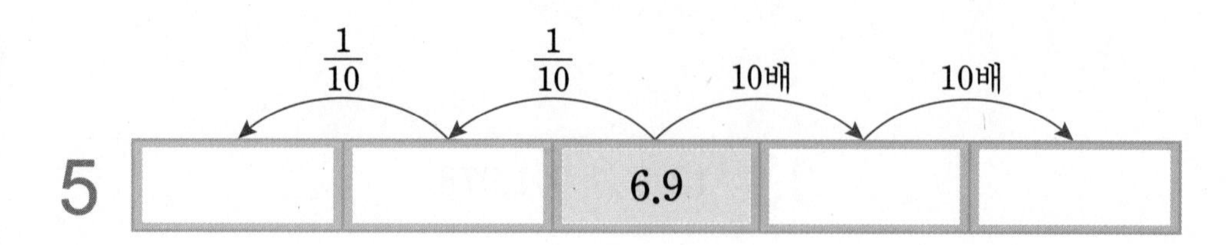

6
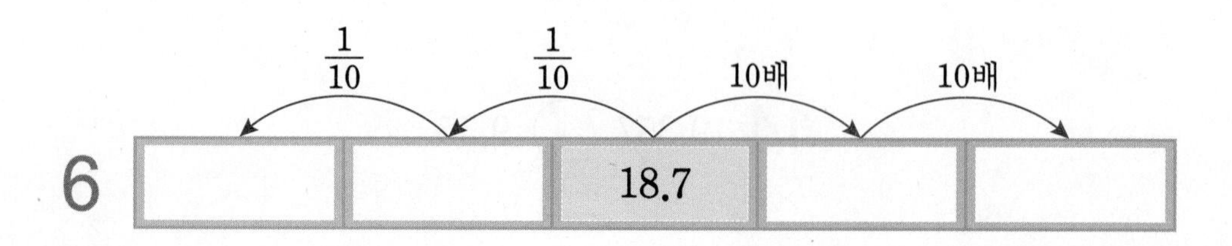

공부한 날 월 일

✹ 빈칸에 알맞은 수를 써넣으시오.

수를 10배 하면 소수점을 기준으로 수가 왼쪽으로 한 자리씩, $\frac{1}{10}$이면 소수점을 기준으로 수가 오른쪽으로 한 자리씩 이동해.

1
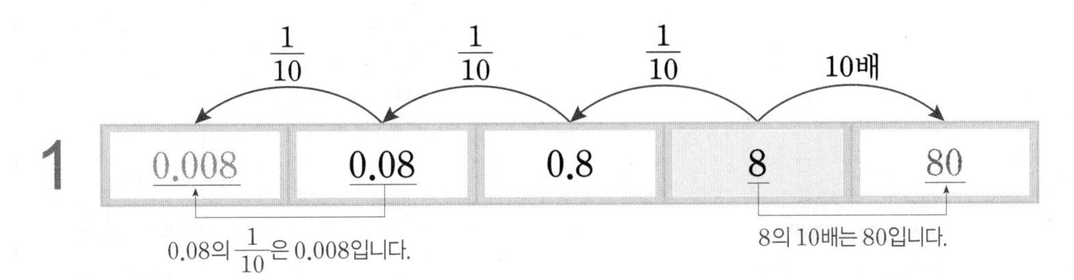

2
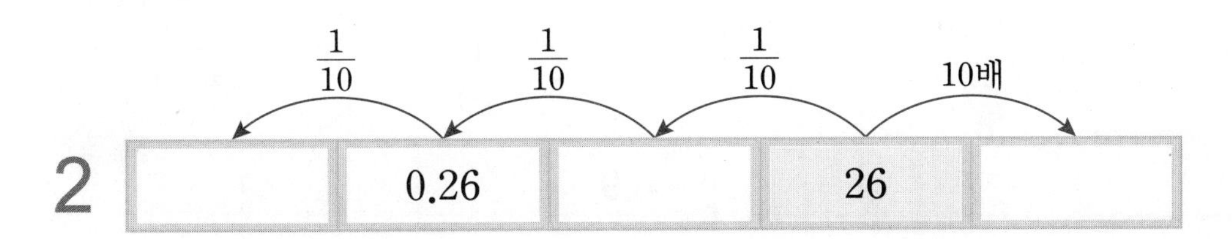

3
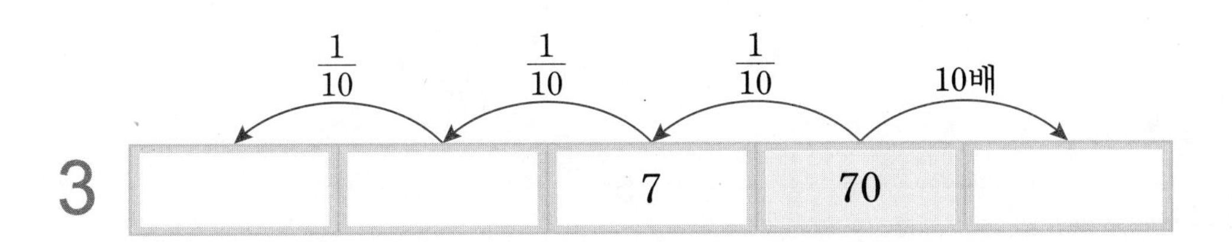

4
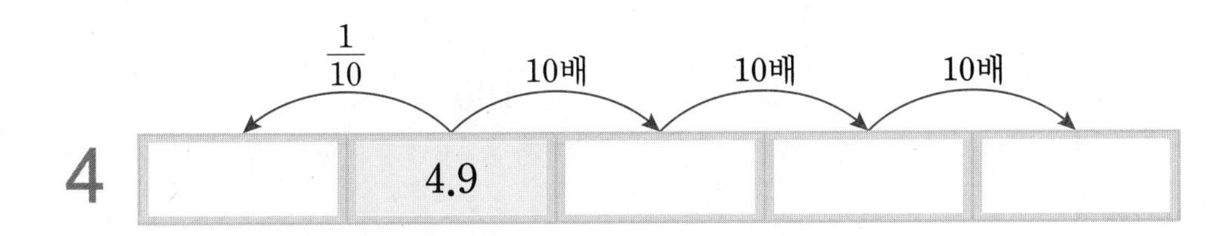

5
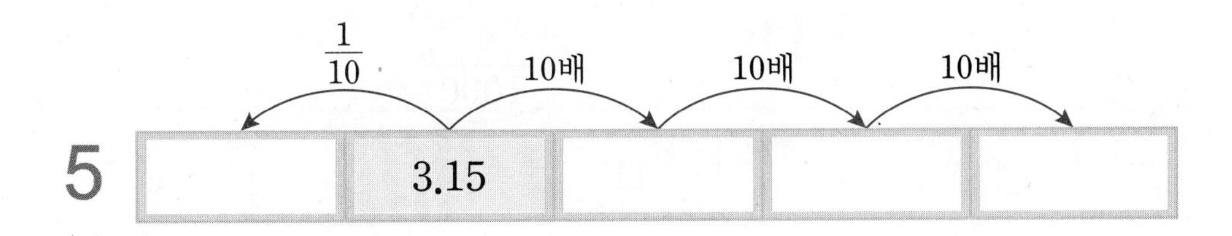

6
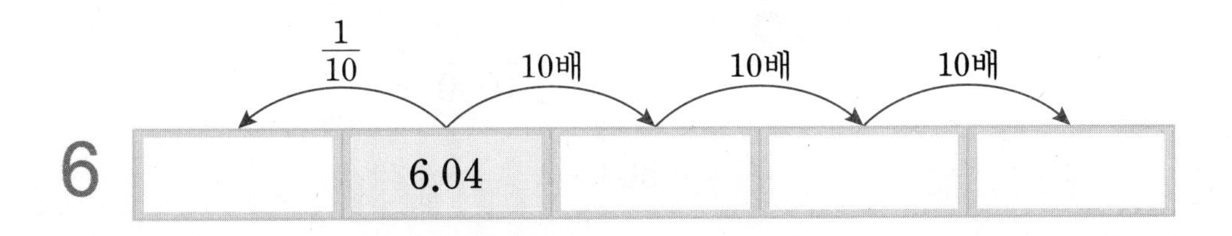

3 소수의 덧셈과 뺄셈

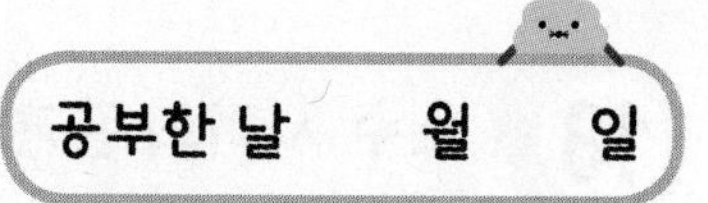

19 소수 사이의 관계 알아보기(3)

✸ 빈칸에 알맞은 수를 써넣으시오.

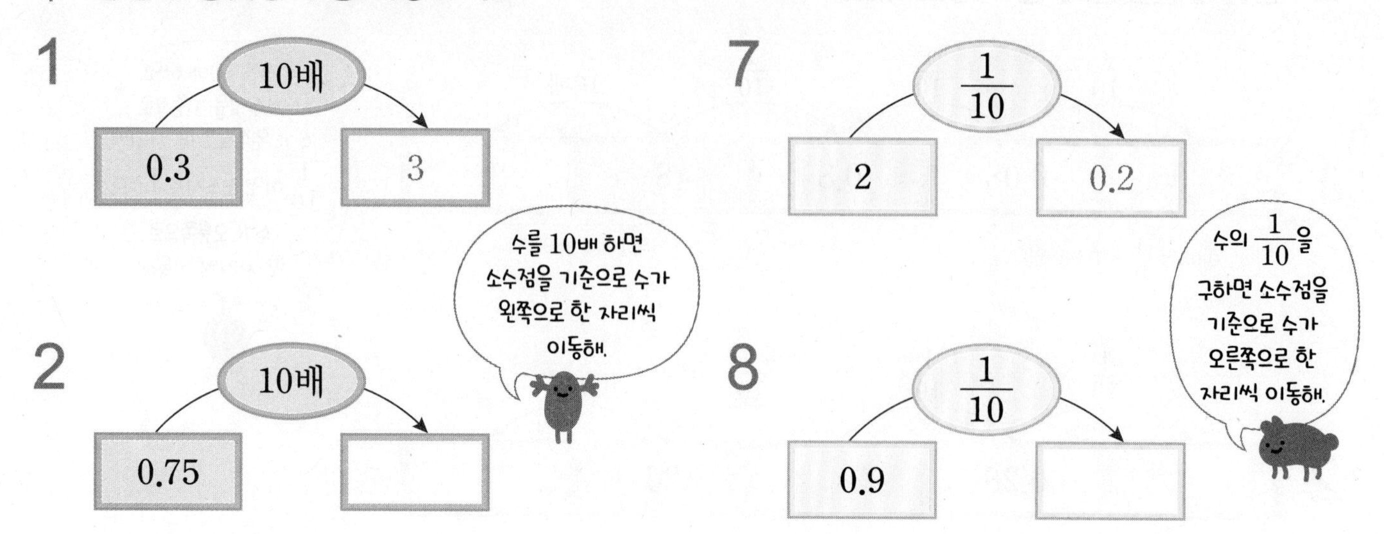

3

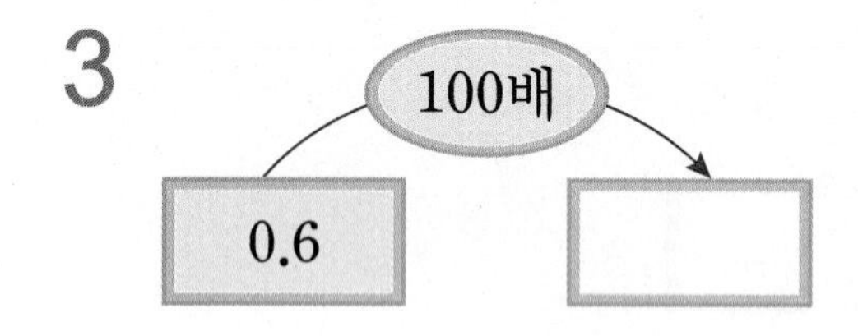

9

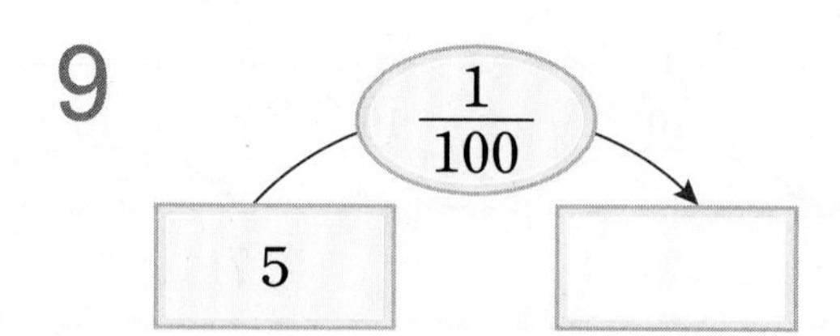

4

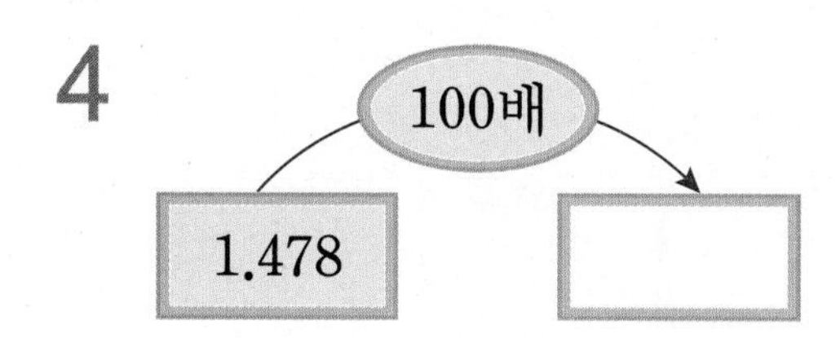

10

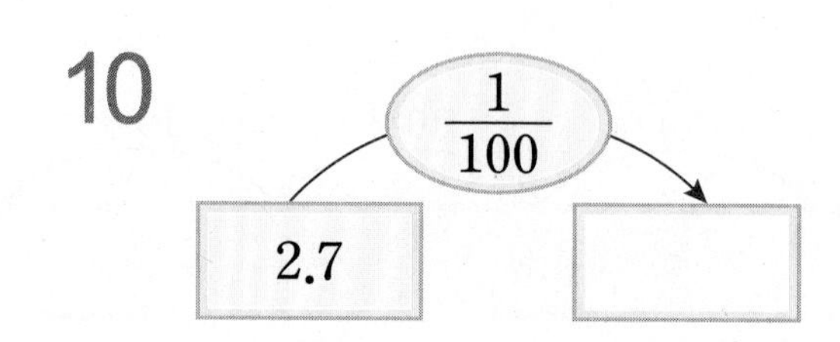

5

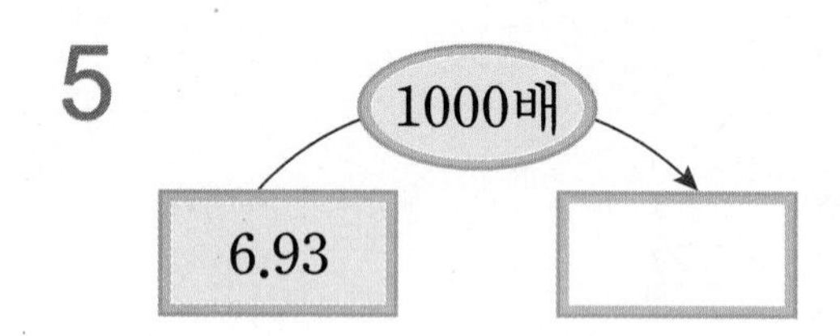

11

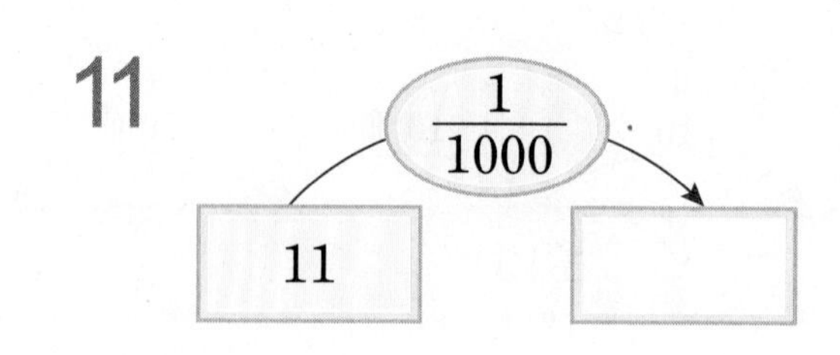

6

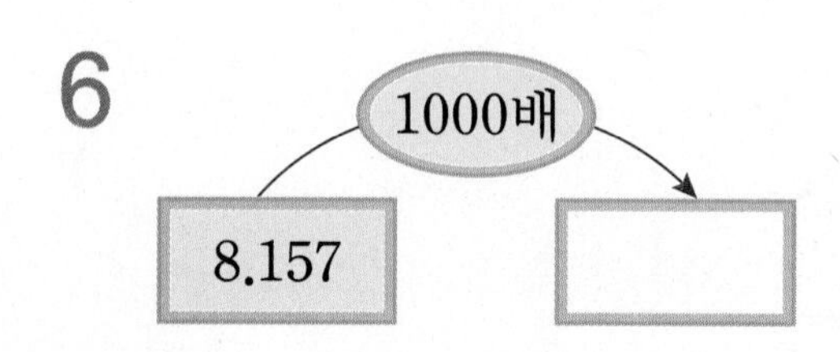

12

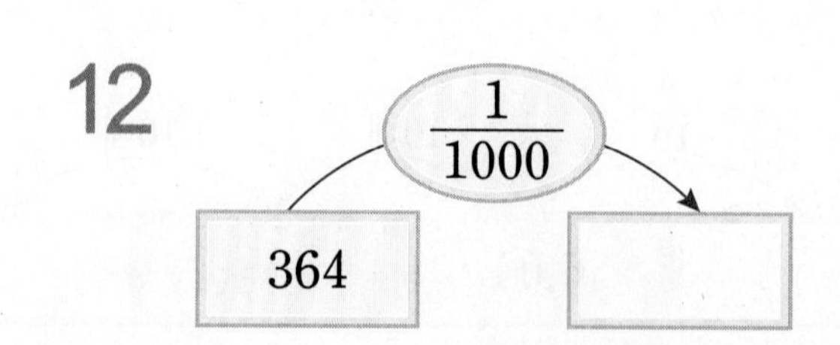

20 소수 사이의 관계 알아보기 (4)

공부한 날 월 일

□ 안에 알맞은 수를 써넣으시오.

1

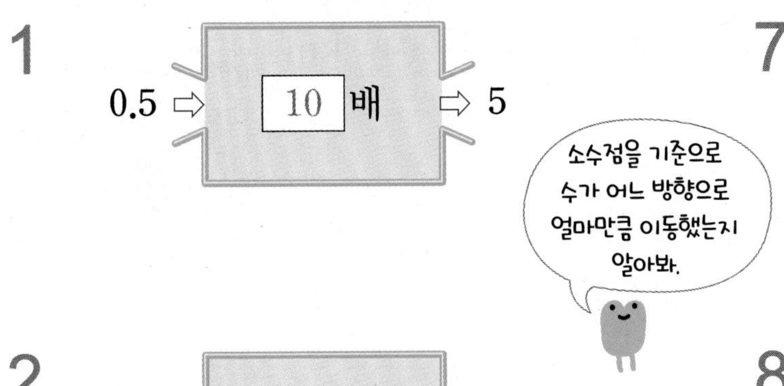

7

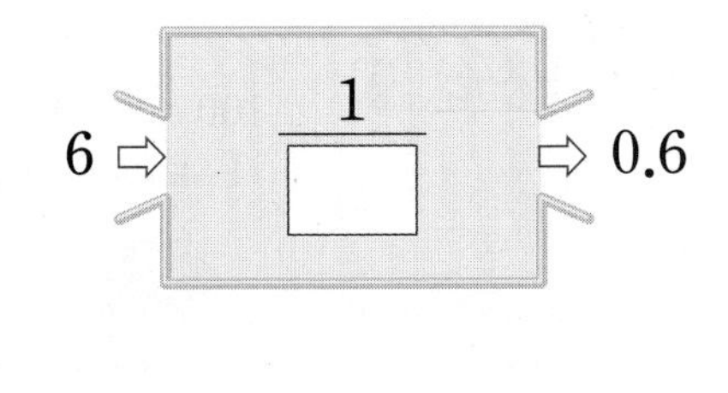

2, 8

3

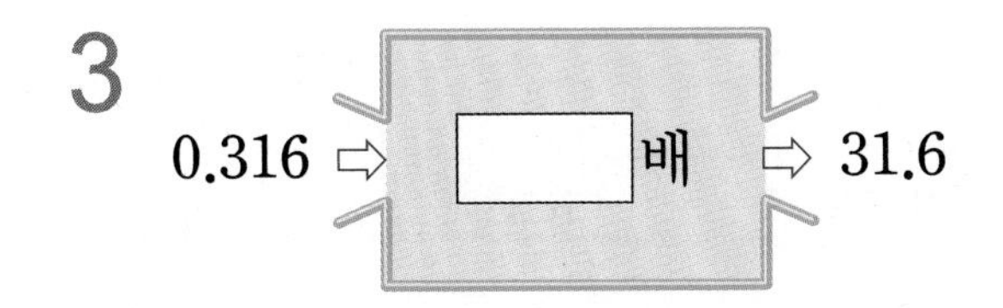

9

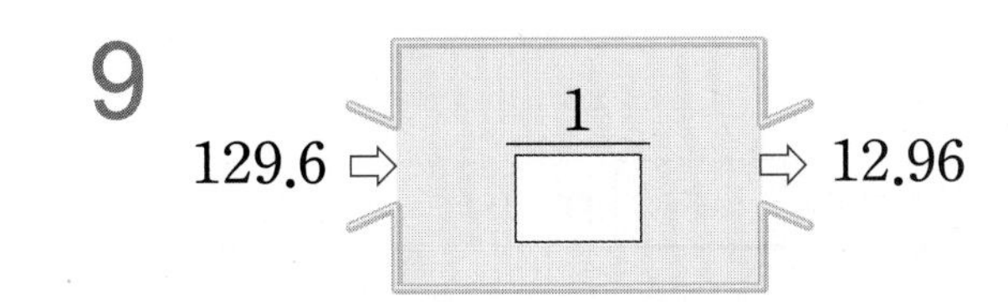

4

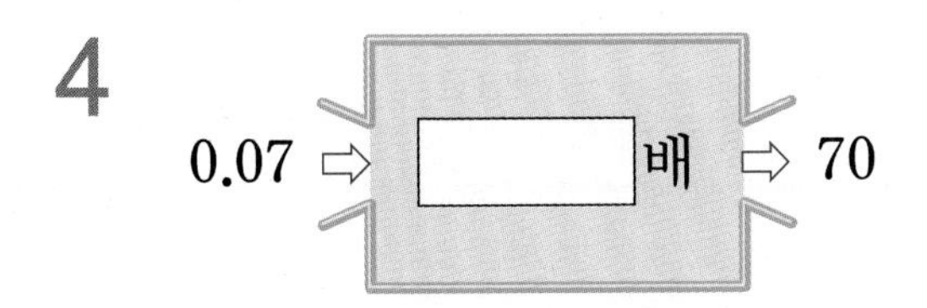

10

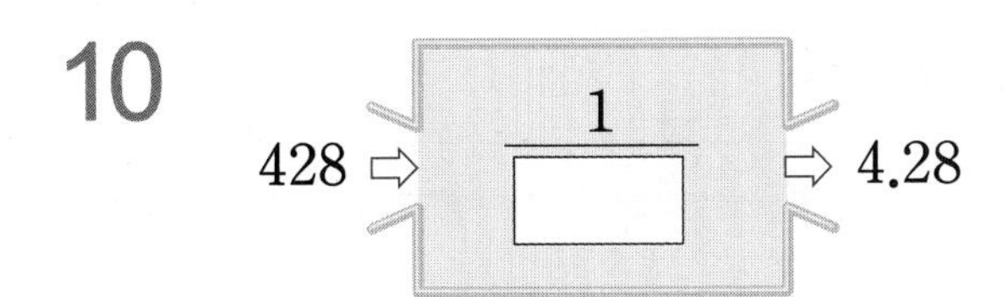

5

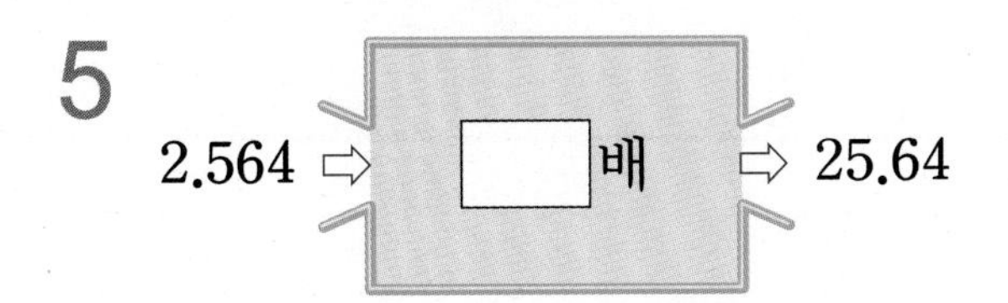

11

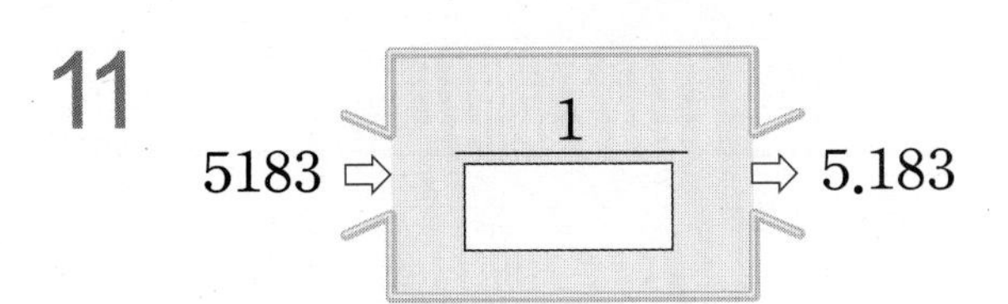

6

4.809 ⇨ □배 ⇨ 4809

12

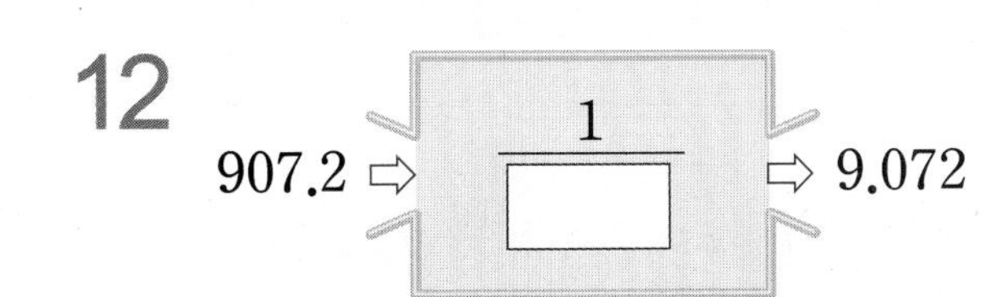

3 소수의 덧셈과 뺄셈

21 단위 사이의 관계 알아보기(1)

✸ □ 안에 알맞은 소수를 써넣으시오.

1 3 cm= [0.03] m

2 9 cm= □ m

3 16 cm= □ m

4 73 cm= □ m

5 296 cm= □ m

6 402 cm= □ m

7 638 cm= □ m

8 1047 cm= □ m

9 4 m= [0.004] km

10 8 m= □ km

11 25 m= □ km

12 67 m= □ km

13 139 m= □ km

14 581 m= □ km

15 3215 m= □ km

16 7906 m= □ km

공부한 날 월 일

☀ □ 안에 알맞은 소수를 써넣으시오.

1 2 mL= 0.002 L

1000 mL=1 L이므로
1 mL=0.001 L야.

2 7 mL=□ L

3 34 mL=□ L

4 86 mL=□ L

5 145 mL=□ L

6 618 mL=□ L

7 4509 mL=□ L

8 9273 mL=□ L

9 5 g= 0.005 kg

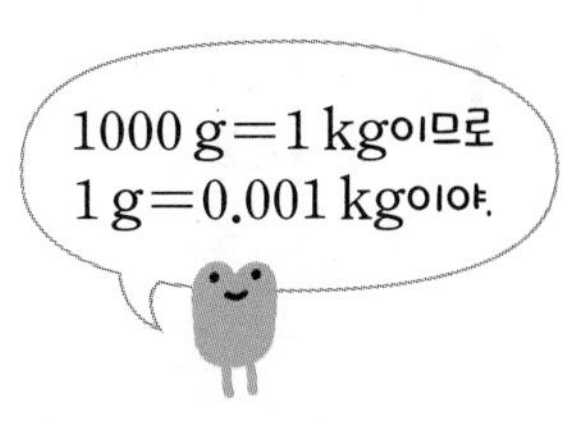

10 6 g=□ kg

11 48 g=□ kg

12 93 g=□ kg

13 231 g=□ kg

14 724 g=□ kg

15 3179 g=□ kg

16 8062 g=□ kg

23 받아올림이 없는 소수 한 자리 수의 덧셈(1)

공부한 날 월 일

✹ 계산을 하시오.

1
$$\begin{array}{r} 0.2 \\ +\ 0.2 \\ \hline 0.4 \end{array}$$
2+2=4

6
$$\begin{array}{r} 0.1 \\ +\ 1.5 \\ \hline \end{array}$$

11
$$\begin{array}{r} 1.2 \\ +\ 1.6 \\ \hline \end{array}$$

2
$$\begin{array}{r} 0.4 \\ +\ 0.3 \\ \hline \end{array}$$

7
$$\begin{array}{r} 3.7 \\ +\ 0.2 \\ \hline \end{array}$$

12
$$\begin{array}{r} 2.1 \\ +\ 3.8 \\ \hline \end{array}$$

3
$$\begin{array}{r} 0.1 \\ +\ 0.6 \\ \hline \end{array}$$

8
$$\begin{array}{r} 5.3 \\ +\ 0.4 \\ \hline \end{array}$$

13
$$\begin{array}{r} 1.4 \\ +\ 5.5 \\ \hline \end{array}$$

4
$$\begin{array}{r} 0.3 \\ +\ 0.2 \\ \hline \end{array}$$

9
$$\begin{array}{r} 0.5 \\ +\ 6.2 \\ \hline \end{array}$$

14
$$\begin{array}{r} 4.3 \\ +\ 4.3 \\ \hline \end{array}$$

5
$$\begin{array}{r} 0.4 \\ +\ 0.5 \\ \hline \end{array}$$

10
$$\begin{array}{r} 7.6 \\ +\ 0.3 \\ \hline \end{array}$$

15
$$\begin{array}{r} 6.5 \\ +\ 2.2 \\ \hline \end{array}$$

24 받아올림이 없는 소수 한 자리 수의 덧셈(2)

공부한 날 월 일

✹ 계산을 하시오.

1 $0.1+0.4=0.5$ ($1+4=5$)

소수점을 기준으로 같은 자리 수끼리 더해.

2 $0.3+0.3$

3 $0.2+0.1$

4 $0.4+0.2$

5 $0.1+0.7$

6 $0.2+0.5$

7 $0.6+0.3$

8 $1.5+0.4$

9 $0.5+3.1$

10 $2.4+0.2$

11 $0.1+5.3$

12 $4.3+0.4$

13 $6.2+0.6$

14 $0.1+8.7$

15 $1.3+5.4$

16 $3.6+1.2$

17 $2.2+2.7$

18 $4.1+2.8$

19 $5.3+3.2$

20 $6.4+1.4$

21 $1.2+7.6$

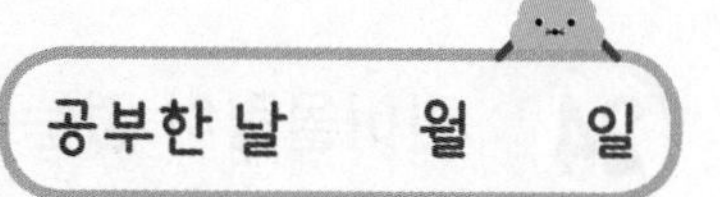

계산을 하시오.

1
$$\begin{array}{r} \scriptstyle{1} \\ 0.3 \\ +\,0.9 \\ \hline 1.2 \end{array}$$

① 소수 첫째 자리에서 받아올림한 수

3+9=12

소수 첫째 자리 수끼리의 합이 10이거나 10보다 크면 일의 자리로 받아올림해.

6
$$\begin{array}{r} 0.5 \\ +\,1.8 \\ \hline \end{array}$$

11
$$\begin{array}{r} 1.7 \\ +\,1.6 \\ \hline \end{array}$$

2
$$\begin{array}{r} 0.5 \\ +\,0.7 \\ \hline \end{array}$$

7
$$\begin{array}{r} 2.6 \\ +\,0.9 \\ \hline \end{array}$$

12
$$\begin{array}{r} 3.9 \\ +\,2.1 \\ \hline \end{array}$$

3
$$\begin{array}{r} 0.8 \\ +\,0.2 \\ \hline \end{array}$$

8
$$\begin{array}{r} 0.7 \\ +\,3.4 \\ \hline \end{array}$$

13
$$\begin{array}{r} 4.8 \\ +\,3.6 \\ \hline \end{array}$$

4
$$\begin{array}{r} 0.6 \\ +\,0.5 \\ \hline \end{array}$$

9
$$\begin{array}{r} 5.8 \\ +\,0.4 \\ \hline \end{array}$$

14
$$\begin{array}{r} 7.3 \\ +\,1.8 \\ \hline \end{array}$$

5
$$\begin{array}{r} 0.9 \\ +\,0.4 \\ \hline \end{array}$$

10
$$\begin{array}{r} 0.6 \\ +\,8.6 \\ \hline \end{array}$$

15
$$\begin{array}{r} 5.2 \\ +\,4.9 \\ \hline \end{array}$$

26 받아올림이 있는 소수 한 자리 수의 덧셈(2)

공부한 날 월 일

계산을 하시오.

1 $0.5+0.6=1.1$

$$\begin{array}{r} {}^{1}\\ 0.5 \\ +\,0.6 \\ \hline 1.1 \end{array}$$

소수 첫째 자리에서 받아올림이 있음에 주의해.

2 $0.3+0.8$

3 $0.7+0.7$

4 $0.9+0.2$

5 $0.8+0.4$

6 $0.7+0.3$

7 $0.6+0.9$

8 $0.4+1.7$

9 $2.8+0.5$

10 $0.6+3.4$

11 $5.9+0.7$

12 $0.2+6.8$

13 $4.3+0.9$

14 $9.8+0.8$

15 $1.2+1.9$

16 $2.6+5.8$

17 $3.5+3.7$

18 $4.7+2.3$

19 $5.4+1.8$

20 $6.9+4.6$

21 $8.7+1.5$

27 받아내림이 없는 소수 한 자리 수의 뺄셈(1)

✱ 계산을 하시오.

1 $\begin{array}{r} 0.3 \\ -\ 0.1 \\ \hline 0.2 \end{array}$

3−1=2

2 $\begin{array}{r} 0.6 \\ -\ 0.2 \\ \hline \end{array}$

3 $\begin{array}{r} 0.8 \\ -\ 0.4 \\ \hline \end{array}$

4 $\begin{array}{r} 0.7 \\ -\ 0.6 \\ \hline \end{array}$

5 $\begin{array}{r} 0.9 \\ -\ 0.5 \\ \hline \end{array}$

6 $\begin{array}{r} 1.5 \\ -\ 0.4 \\ \hline \end{array}$

7 $\begin{array}{r} 2.9 \\ -\ 0.7 \\ \hline \end{array}$

8 $\begin{array}{r} 3.6 \\ -\ 0.3 \\ \hline \end{array}$

9 $\begin{array}{r} 5.8 \\ -\ 0.6 \\ \hline \end{array}$

10 $\begin{array}{r} 7.7 \\ -\ 0.2 \\ \hline \end{array}$

11 $\begin{array}{r} 2.7 \\ -\ 1.1 \\ \hline \end{array}$

12 $\begin{array}{r} 3.8 \\ -\ 2.3 \\ \hline \end{array}$

13 $\begin{array}{r} 5.6 \\ -\ 3.1 \\ \hline \end{array}$

14 $\begin{array}{r} 6.5 \\ -\ 1.2 \\ \hline \end{array}$

15 $\begin{array}{r} 8.9 \\ -\ 4.3 \\ \hline \end{array}$

28 받아내림이 없는 소수 한 자리 수의 뺄셈 (2)

공부한 날 월 일

✱ 계산을 하시오.

1 $0.4-0.1=0.3$

$4-1=3$

소수점을 기준으로 같은 자리 수끼리 빼.

2 $0.3-0.2$

3 $0.5-0.3$

4 $0.7-0.4$

5 $0.6-0.5$

6 $0.8-0.2$

7 $0.9-0.3$

8 $1.3-0.1$

9 $2.7-0.2$

10 $3.9-0.8$

11 $5.6-0.4$

12 $6.8-0.6$

13 $7.2-0.1$

14 $8.9-0.7$

15 $3.8-1.2$

16 $4.4-3.4$

17 $5.9-3.7$

18 $6.7-2.5$

19 $7.8-5.6$

20 $8.6-4.3$

21 $9.5-2.1$

✵ 계산을 하시오.

1 $\begin{array}{r} \scriptstyle 0\ 10 \\ \not{1}.3 \\ -\,0.5 \\ \hline 0.8 \end{array}$

$10+3-5=8$

2 $\begin{array}{r} 2.1 \\ -\,0.2 \\ \hline \end{array}$

3 $\begin{array}{r} 3.4 \\ -\,0.9 \\ \hline \end{array}$

4 $\begin{array}{r} 5.2 \\ -\,0.4 \\ \hline \end{array}$

5 $\begin{array}{r} 6.6 \\ -\,0.8 \\ \hline \end{array}$

6 $\begin{array}{r} 7.5 \\ -\,0.6 \\ \hline \end{array}$

7 $\begin{array}{r} 8.7 \\ -\,0.9 \\ \hline \end{array}$

8 $\begin{array}{r} 2.6 \\ -\,1.7 \\ \hline \end{array}$

9 $\begin{array}{r} 3.3 \\ -\,2.4 \\ \hline \end{array}$

10 $\begin{array}{r} 4.8 \\ -\,1.9 \\ \hline \end{array}$

11 $\begin{array}{r} 5.3 \\ -\,2.8 \\ \hline \end{array}$

12 $\begin{array}{r} 6.5 \\ -\,3.9 \\ \hline \end{array}$

13 $\begin{array}{r} 7.1 \\ -\,2.6 \\ \hline \end{array}$

14 $\begin{array}{r} 8.4 \\ -\,4.7 \\ \hline \end{array}$

15 $\begin{array}{r} 9.2 \\ -\,7.5 \\ \hline \end{array}$

30 받아내림이 있는 소수 한 자리 수의 뺄셈 (2)

공부한 날 월 일

✸ 계산을 하시오.

1 $1.4-0.6=0.8$

$$\begin{array}{r} {}^{0\ 10} \\ \not{1}.4 \\ -\ 0.6 \\ \hline 0.8 \end{array}$$

2 $2.3-0.5$

3 $4.6-0.9$

4 $3.5-0.7$

5 $6.7-0.8$

6 $7.1-0.6$

7 $8.2-0.3$

8 $5.4-0.5$

9 $6.2-0.7$

10 $9.3-0.4$

11 $2.8-1.9$

12 $3.4-2.5$

13 $5.6-4.8$

14 $6.3-1.7$

15 $3.1-1.5$

16 $4.5-2.7$

17 $5.4-1.6$

18 $6.1-4.3$

19 $7.2-3.6$

20 $8.3-6.4$

21 $9.1-5.2$

31 받아올림이 없는 소수 두 자리 수의 덧셈(1)

공부한 날 월 일

✹ 계산을 하시오.

1
$$\begin{array}{r} 0.32 \\ +\,0.16 \\ \hline 0.48 \end{array}$$
3+1=4, 2+6=8

소수 둘째 자리, 소수 첫째 자리, 일의 자리 수끼리 각각 더해.

2
$$\begin{array}{r} 0.55 \\ +\,0.21 \\ \hline \end{array}$$

3
$$\begin{array}{r} 0.13 \\ +\,0.44 \\ \hline \end{array}$$

4
$$\begin{array}{r} 0.42 \\ +\,0.25 \\ \hline \end{array}$$

5
$$\begin{array}{r} 0.68 \\ +\,0.31 \\ \hline \end{array}$$

6
$$\begin{array}{r} 0.14 \\ +\,1.54 \\ \hline \end{array}$$

7
$$\begin{array}{r} 2.73 \\ +\,0.05 \\ \hline \end{array}$$

8
$$\begin{array}{r} 0.26 \\ +\,3.41 \\ \hline \end{array}$$

9
$$\begin{array}{r} 5.01 \\ +\,0.92 \\ \hline \end{array}$$

10
$$\begin{array}{r} 0.61 \\ +\,7.17 \\ \hline \end{array}$$

11
$$\begin{array}{r} 1.22 \\ +\,2.43 \\ \hline \end{array}$$

12
$$\begin{array}{r} 3.51 \\ +\,1.38 \\ \hline \end{array}$$

13
$$\begin{array}{r} 2.04 \\ +\,4.83 \\ \hline \end{array}$$

14
$$\begin{array}{r} 3.15 \\ +\,6.02 \\ \hline \end{array}$$

15
$$\begin{array}{r} 5.23 \\ +\,4.76 \\ \hline \end{array}$$

공부한 날 월 일

✸ 계산을 하시오.

1 $0.51+0.08=0.59$

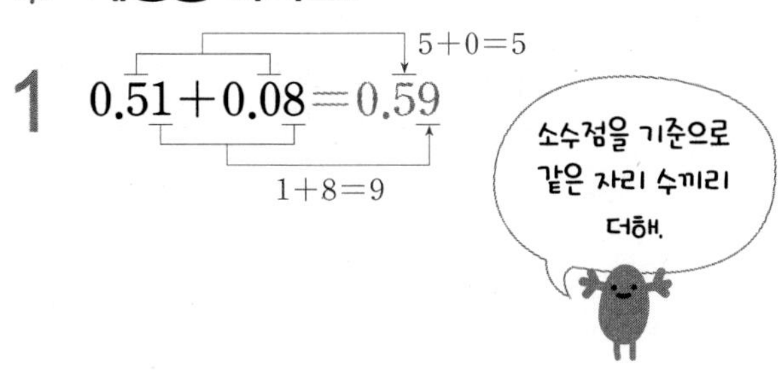

2 $0.14+0.62$

3 $0.43+0.33$

4 $0.64+0.21$

5 $0.37+0.52$

6 $0.04+1.93$

7 $2.77+0.11$

8 $0.26+4.62$

9 $8.08+0.41$

10 $2.32+1.06$

11 $3.45+2.44$

12 $1.71+5.16$

13 $6.22+2.53$

14 $4.84+4.05$

33 받아올림이 있는 소수 두 자리 수의 덧셈(1)

✸ 계산을 하시오.

1
$$\begin{array}{r} \overset{①}{0.28} \\ +\,0.45 \\ \hline 0.73 \end{array}$$

① 소수 둘째 자리에서 받아올림한 수

각 자리 수끼리의 합이 10이거나 10보다 크면 바로 윗자리로 받아올림해.

2
$$\begin{array}{r} 0.16 \\ +\,0.78 \\ \hline \end{array}$$

3
$$\begin{array}{r} 0.42 \\ +\,0.83 \\ \hline \end{array}$$

4
$$\begin{array}{r} 0.57 \\ +\,0.65 \\ \hline \end{array}$$

5
$$\begin{array}{r} 0.43 \\ +\,0.98 \\ \hline \end{array}$$

6
$$\begin{array}{r} 1.64 \\ +\,0.17 \\ \hline \end{array}$$

7
$$\begin{array}{r} 3.58 \\ +\,0.29 \\ \hline \end{array}$$

8
$$\begin{array}{r} 0.97 \\ +\,5.47 \\ \hline \end{array}$$

9
$$\begin{array}{r} 6.76 \\ +\,0.84 \\ \hline \end{array}$$

10
$$\begin{array}{r} 0.95 \\ +\,7.26 \\ \hline \end{array}$$

11
$$\begin{array}{r} 1.84 \\ +\,1.07 \\ \hline \end{array}$$

12
$$\begin{array}{r} 2.92 \\ +\,3.36 \\ \hline \end{array}$$

13
$$\begin{array}{r} 5.77 \\ +\,1.85 \\ \hline \end{array}$$

14
$$\begin{array}{r} 4.68 \\ +\,2.53 \\ \hline \end{array}$$

15
$$\begin{array}{r} 8.49 \\ +\,6.91 \\ \hline \end{array}$$

34 받아올림이 있는 소수 두 자리 수의 덧셈(2)

공부한 날 월 일

✸ 계산을 하시오.

1 $0.14+0.68=0.82$

$$\begin{array}{r} \scriptstyle 1 \\ 0.14 \\ +0.68 \\ \hline 0.82 \end{array}$$

2 $0.35+0.39$

3 $0.51+0.76$

4 $0.94+0.27$

5 $0.48+0.82$

6 $1.26+0.18$

7 $0.57+3.29$

8 $4.74+0.59$

9 $0.86+5.37$

10 $1.17+2.65$

11 $2.99+5.02$

12 $3.45+3.66$

13 $4.93+2.69$

14 $5.83+6.17$

3 소수의 덧셈과 뺄셈

35 받아내림이 없는 소수 두 자리 수의 뺄셈(1)

✺ **계산을 하시오.**

1
$$\begin{array}{r} 0.56 \\ -\,0.14 \\ \hline 0.42 \end{array}$$
$5-1=4$, $6-4=2$

소수 둘째 자리, 소수 첫째 자리, 일의 자리 수끼리 각각 빼.

2
$$\begin{array}{r} 0.49 \\ -\,0.28 \\ \hline \end{array}$$

3
$$\begin{array}{r} 0.65 \\ -\,0.43 \\ \hline \end{array}$$

4
$$\begin{array}{r} 0.87 \\ -\,0.61 \\ \hline \end{array}$$

5
$$\begin{array}{r} 0.94 \\ -\,0.32 \\ \hline \end{array}$$

6
$$\begin{array}{r} 2.19 \\ -\,0.13 \\ \hline \end{array}$$

7
$$\begin{array}{r} 3.95 \\ -\,0.71 \\ \hline \end{array}$$

8
$$\begin{array}{r} 5.27 \\ -\,0.06 \\ \hline \end{array}$$

9
$$\begin{array}{r} 6.78 \\ -\,0.53 \\ \hline \end{array}$$

10
$$\begin{array}{r} 8.36 \\ -\,0.24 \\ \hline \end{array}$$

11
$$\begin{array}{r} 3.77 \\ -\,1.15 \\ \hline \end{array}$$

12
$$\begin{array}{r} 4.86 \\ -\,3.61 \\ \hline \end{array}$$

13
$$\begin{array}{r} 6.95 \\ -\,2.72 \\ \hline \end{array}$$

14
$$\begin{array}{r} 7.69 \\ -\,4.37 \\ \hline \end{array}$$

15
$$\begin{array}{r} 9.58 \\ -\,6.15 \\ \hline \end{array}$$

36 받아내림이 없는 소수 두 자리 수의 뺄셈 (2)

공부한 날 월 일

✺ 계산을 하시오.

1 $0.39-0.25=0.14$ (3−2=1, 9−5=4)

2 $0.58-0.41$

3 $0.66-0.34$

4 $0.85-0.52$

5 $0.97-0.16$

6 $1.74-0.63$

7 $3.62-0.31$

8 $6.25-0.23$

9 $8.59-0.38$

10 $3.43-1.21$

11 $4.67-3.54$

12 $6.54-2.32$

13 $7.85-6.75$

14 $9.78-3.17$

37 받아내림이 있는 소수 두 자리 수의 뺄셈(1)

✹ 계산을 하시오.

1
$$\begin{array}{r} \overset{3}{\cancel{4}}\overset{10}{} \\ 0.42 \\ -\ 0.17 \\ \hline 0.25 \end{array}$$

2
$$\begin{array}{r} 0.55 \\ -\ 0.38 \\ \hline \end{array}$$

3
$$\begin{array}{r} 0.64 \\ -\ 0.59 \\ \hline \end{array}$$

4
$$\begin{array}{r} 0.82 \\ -\ 0.45 \\ \hline \end{array}$$

5
$$\begin{array}{r} 0.91 \\ -\ 0.73 \\ \hline \end{array}$$

6
$$\begin{array}{r} 1.23 \\ -\ 0.19 \\ \hline \end{array}$$

7
$$\begin{array}{r} 2.35 \\ -\ 0.82 \\ \hline \end{array}$$

8
$$\begin{array}{r} 4.56 \\ -\ 0.68 \\ \hline \end{array}$$

9
$$\begin{array}{r} 6.13 \\ -\ 0.26 \\ \hline \end{array}$$

10
$$\begin{array}{r} 8.84 \\ -\ 0.95 \\ \hline \end{array}$$

11
$$\begin{array}{r} 3.94 \\ -\ 1.25 \\ \hline \end{array}$$

12
$$\begin{array}{r} 4.21 \\ -\ 1.93 \\ \hline \end{array}$$

13
$$\begin{array}{r} 5.42 \\ -\ 3.58 \\ \hline \end{array}$$

14
$$\begin{array}{r} 7.15 \\ -\ 5.86 \\ \hline \end{array}$$

15
$$\begin{array}{r} 9.04 \\ -\ 6.79 \\ \hline \end{array}$$

38 받아내림이 있는 소수 두 자리 수의 뺄셈 (2)

공부한 날 월 일

✸ 계산을 하시오.

1 $0.31-0.19=0.12$

$$\begin{array}{r} 0.\overset{2}{\cancel{3}}\overset{10}{1} \\ -0.19 \\ \hline 0.12 \end{array}$$

2 $0.45-0.28$

3 $0.52-0.36$

4 $0.66-0.47$

5 $0.73-0.65$

6 $1.92-0.79$

7 $3.82-0.53$

8 $5.71-0.84$

9 $6.35-0.96$

10 $3.28-1.49$

11 $5.34-4.16$

12 $6.72-2.95$

13 $8.13-7.24$

14 $9.26-5.87$

39 자릿수가 다른 소수의 덧셈(1)

공부한 날 월 일

✸ 계산을 하시오.

1
$$\begin{array}{r} 0.31 \\ +\,0.40 \\ \hline 0.71 \end{array}$$

소수 오른쪽 끝자리에 0이 있는 것으로 생각하여 더해.

6
$$\begin{array}{r} 0.69 \\ +\,0.8 \\ \hline \end{array}$$

11
$$\begin{array}{r} 9.74 \\ +\,3.6 \\ \hline \end{array}$$

2
$$\begin{array}{r} 0.7 \\ +\,0.24 \\ \hline \end{array}$$

7
$$\begin{array}{r} 0.5 \\ +\,0.78 \\ \hline \end{array}$$

12
$$\begin{array}{r} 3.85 \\ +\,0.2 \\ \hline \end{array}$$

3
$$\begin{array}{r} 0.62 \\ +\,0.3 \\ \hline \end{array}$$

8
$$\begin{array}{r} 1.43 \\ +\,0.6 \\ \hline \end{array}$$

13
$$\begin{array}{r} 2.41 \\ +\,6.9 \\ \hline \end{array}$$

4
$$\begin{array}{r} 0.2 \\ +\,0.64 \\ \hline \end{array}$$

9
$$\begin{array}{r} 4.2 \\ +\,1.95 \\ \hline \end{array}$$

14
$$\begin{array}{r} 5.62 \\ +\,2.5 \\ \hline \end{array}$$

5
$$\begin{array}{r} 1.19 \\ +\,0.8 \\ \hline \end{array}$$

10
$$\begin{array}{r} 5.2 \\ +\,2.93 \\ \hline \end{array}$$

15
$$\begin{array}{r} 7.3 \\ +\,3.82 \\ \hline \end{array}$$

40 자릿수가 다른 소수의 덧셈 (2)

공부한 날 월 일

✹ 계산을 하시오.

1 $0.5+0.23=0.73$

$$\begin{array}{r} 0.50 \\ +0.23 \\ \hline 0.73 \end{array}$$

소수점의 자리를 맞추어 세로로 쓴 후 소수 오른쪽 끝자리에 0이 있는 것으로 생각하여 더해.

2 $0.8+0.17$

3 $1.48+1.3$

4 $0.4+0.51$

5 $0.54+2.9$

6 $0.79+0.6$

7 $5.6+2.82$

8 $3.74+3.6$

9 $4.3+0.81$

10 $7.24+1.9$

11 $2.58+4.6$

12 $8.8+2.91$

13 $6.95+4.7$

14 $6.4+3.63$

3 소수의 덧셈과 뺄셈

41 자릿수가 다른 소수의 뺄셈(1)

공부한 날 월 일

✺ 계산을 하시오.

1
$$\begin{array}{r} 0.92 \\ -\ 0.40 \\ \hline 0.52 \end{array}$$

소수 오른쪽 끝자리에 0이 있는 것으로 생각하여 빼.

6
$$\begin{array}{r} 7.52 \\ -\ 4.6 \\ \hline \end{array}$$

11
$$\begin{array}{r} 9.01 \\ -\ 5.3 \\ \hline \end{array}$$

2
$$\begin{array}{r} 2.93 \\ -\ 0.7 \\ \hline \end{array}$$

7
$$\begin{array}{r} 0.3 \\ -\ 0.16 \\ \hline \end{array}$$

12
$$\begin{array}{r} 5.4 \\ -\ 3.12 \\ \hline \end{array}$$

3
$$\begin{array}{r} 0.97 \\ -\ 0.3 \\ \hline \end{array}$$

8
$$\begin{array}{r} 0.5 \\ -\ 0.23 \\ \hline \end{array}$$

13
$$\begin{array}{r} 8.2 \\ -\ 6.34 \\ \hline \end{array}$$

4
$$\begin{array}{r} 0.85 \\ -\ 0.2 \\ \hline \end{array}$$

9
$$\begin{array}{r} 4.8 \\ -\ 1.52 \\ \hline \end{array}$$

14
$$\begin{array}{r} 2 \\ -\ 0.88 \\ \hline \end{array}$$

5
$$\begin{array}{r} 6.75 \\ -\ 3.8 \\ \hline \end{array}$$

10
$$\begin{array}{r} 6.46 \\ -\ 2.7 \\ \hline \end{array}$$

15
$$\begin{array}{r} 7 \\ -\ 3.42 \\ \hline \end{array}$$

42 자릿수가 다른 소수의 뺄셈 (2)

공부한 날 월 일

✹ 계산을 하시오.

1 $0.84-0.6=0.24$

$$\begin{array}{r} 0.84 \\ -\,0.60 \\ \hline 0.24 \end{array}$$

소수점의 자리를 맞추어 세로로 쓴 후 소수 오른쪽 끝자리에 0이 있는 것으로 생각하여 빼.

2 $0.2-0.15$

3 $0.57-0.2$

4 $0.84-0.4$

5 $0.7-0.59$

6 $3.9-1.54$

7 $5.1-2.97$

8 $3.61-1.7$

9 $6.26-4.9$

10 $7.15-3.6$

11 $8.2-2.17$

12 $4-1.82$

13 $5.3-1.42$

14 $9-4.25$

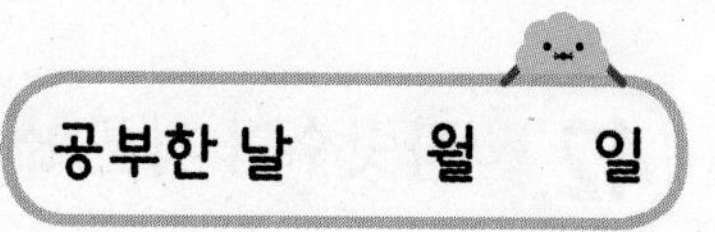

43 소수의 덧셈 연습 (1)

빈칸에 알맞은 수를 써넣으시오.

1

2

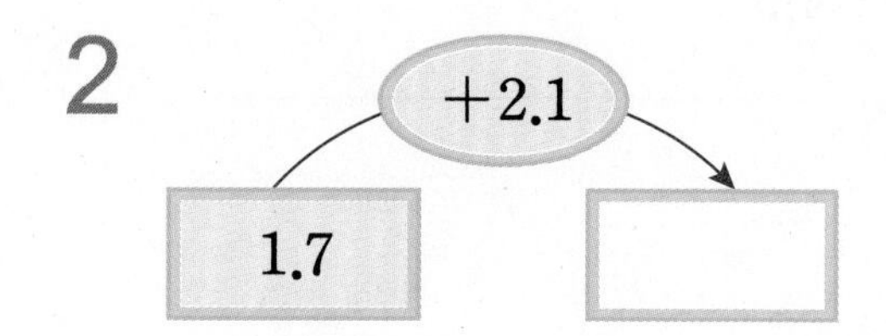

3

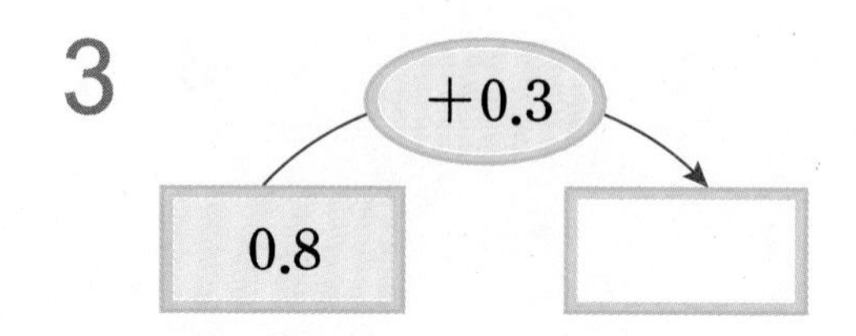

4

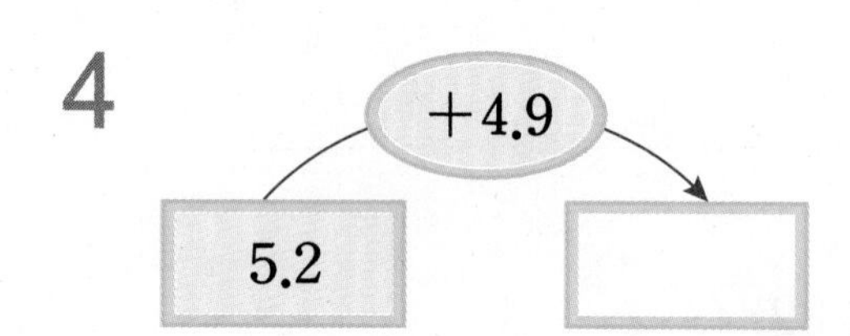

5

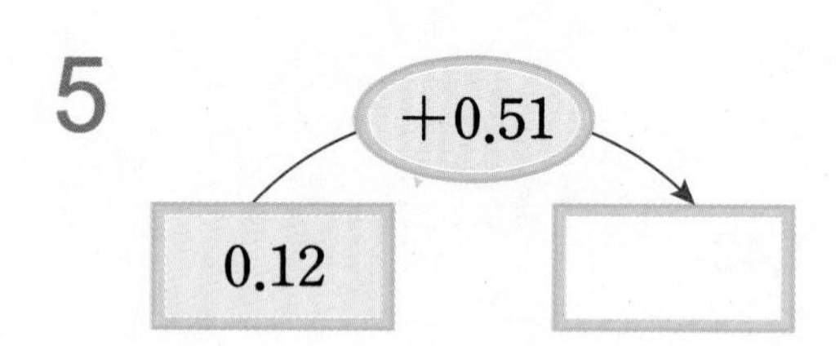

6

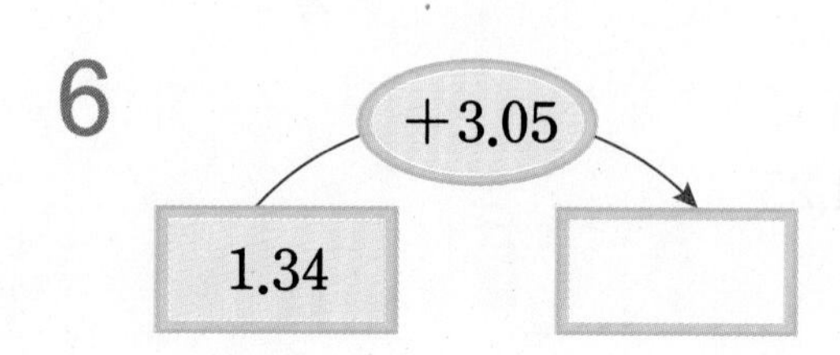

7

+0.98

0.74

8

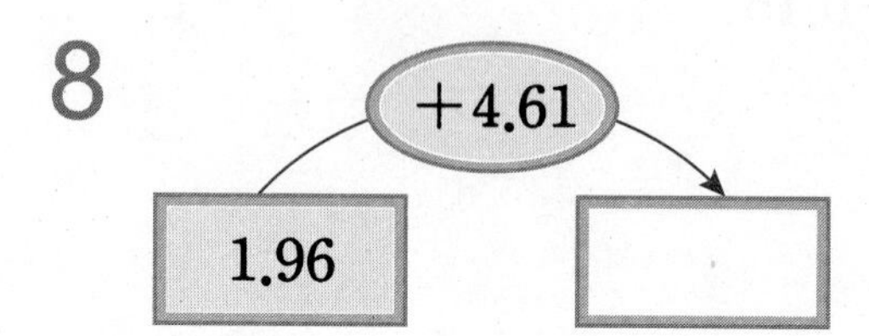

9

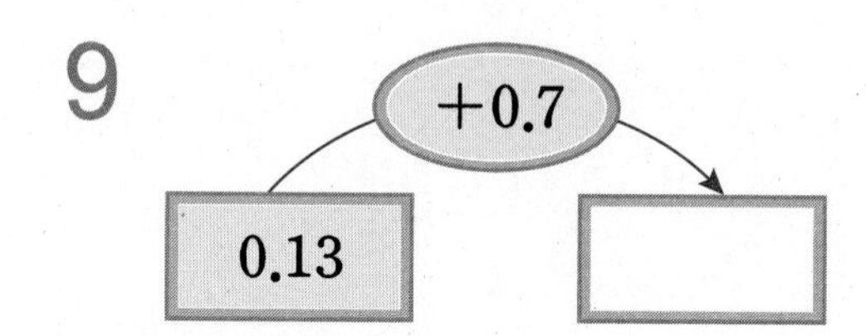

10

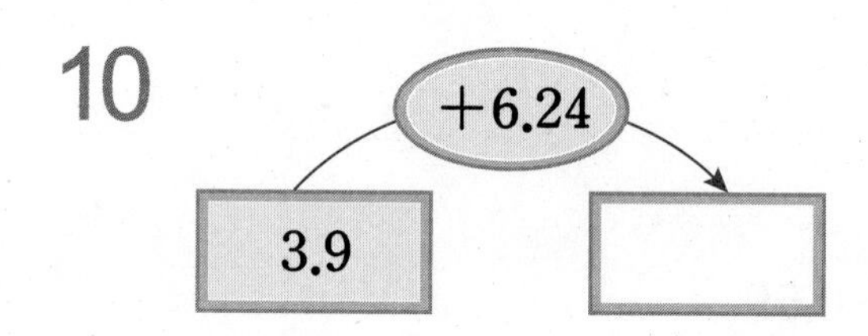

11

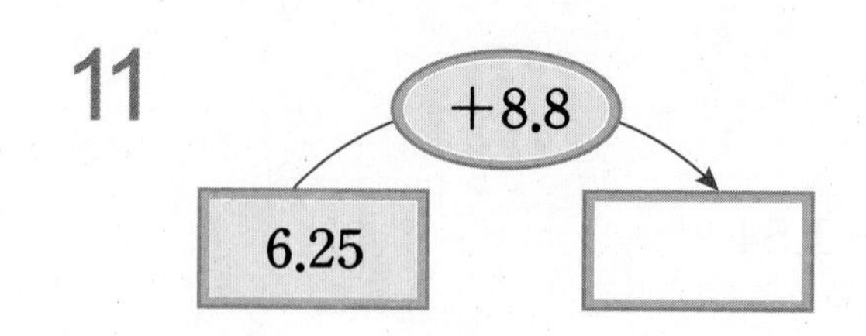

12

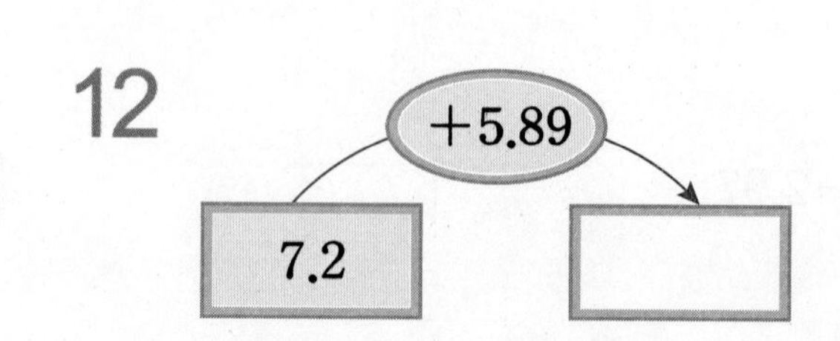

44 소수의 덧셈 연습 (2)

공부한 날 월 일

✸ □ 안에 알맞은 수를 써넣으시오.

1

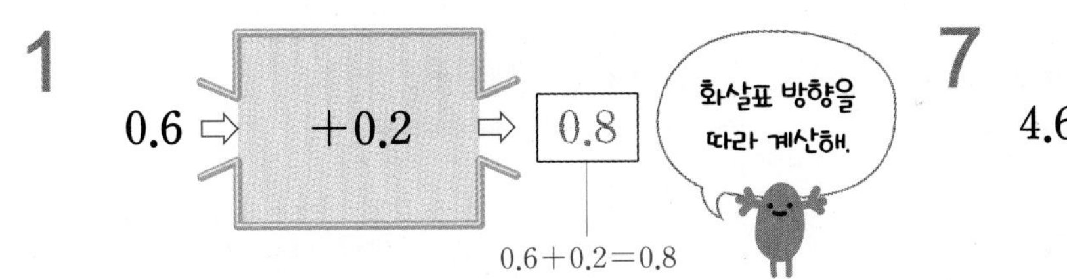

0.6 ⇨ +0.2 ⇨ 0.8

0.6+0.2=0.8

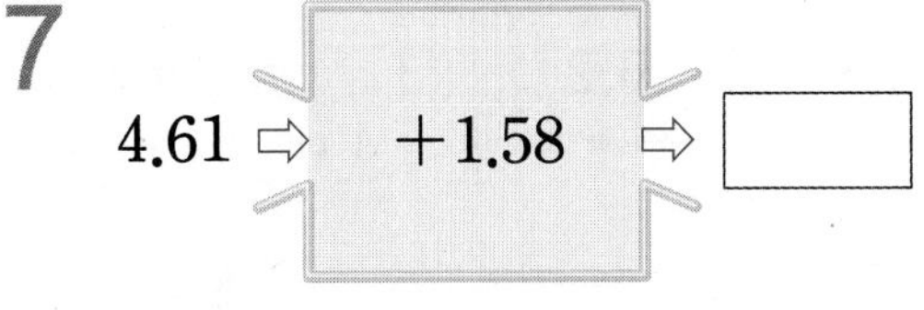

7 4.61 ⇨ +1.58 ⇨ □

2 3.2 ⇨ +1.4 ⇨ □

8 2.76 ⇨ +1.58 ⇨ □

3 0.7 ⇨ +1.5 ⇨ □

9 0.36 ⇨ +0.9 ⇨ □

4 4.9 ⇨ +4.8 ⇨ □

10 5.9 ⇨ +3.72 ⇨ □

5 0.24 ⇨ +0.53 ⇨ □

11 7.21 ⇨ +6.8 ⇨ □

6 1.45 ⇨ +1.07 ⇨ □

12 8.7 ⇨ +9.46 ⇨ □

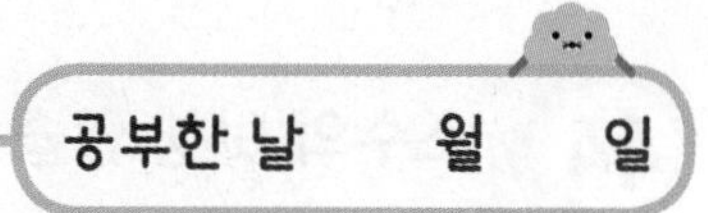

45 소수의 덧셈 연습(3)

✹ 빈칸에 두 수의 합을 써넣으시오.

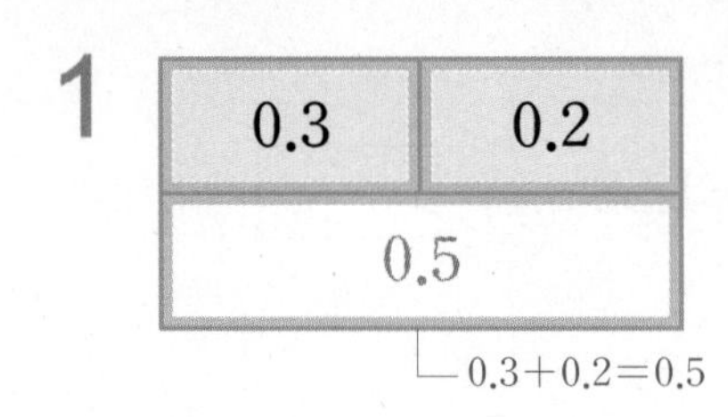

1

0.3	0.2
0.5	

└ 0.3+0.2=0.5

2

3.1	1.5

3

0.7	0.9

4

5.5	3.7

5

0.16	0.52

6

2.05	4.71

7

0.84	0.67

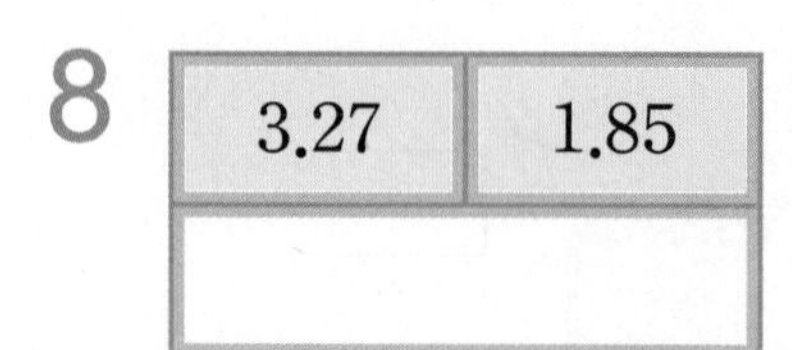

8

3.27	1.85

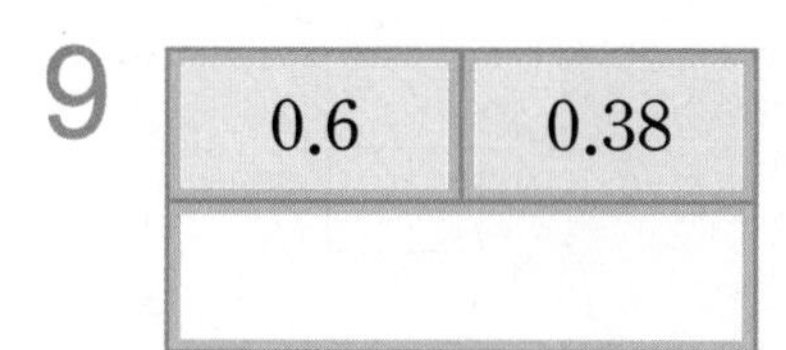

9

0.6	0.38

10

6.12	7.9

11

6.5	2.98

12

4.86	5.4

46 소수의 덧셈 연습 (4)

공부한 날 월 일

✸ 빈칸에 알맞은 수를 써넣으시오.

1

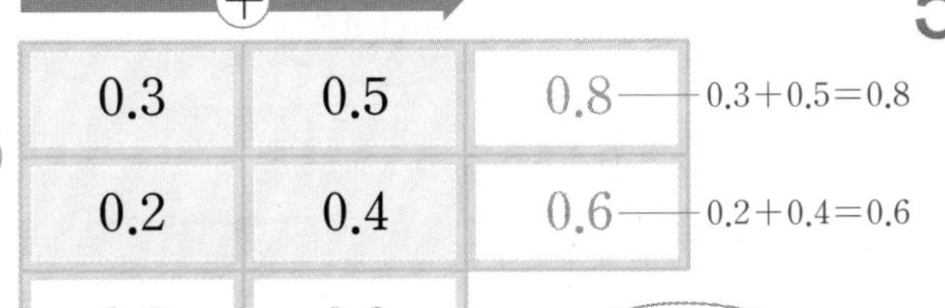

0.3	0.5	0.8
0.2	0.4	0.6
0.5	0.9	

$0.3+0.5=0.8$

$0.2+0.4=0.6$

$0.3+0.2=0.5$

$0.5+0.4=0.9$

화살표 방향을 따라 계산해.

5

2.51	0.04	
0.63	1.87	

2

1.5	0.7	
0.9	3.4	

6

3.72	2.65	
1.99	5.84	

3

2.4	1.9	
7.8	6.2	

7

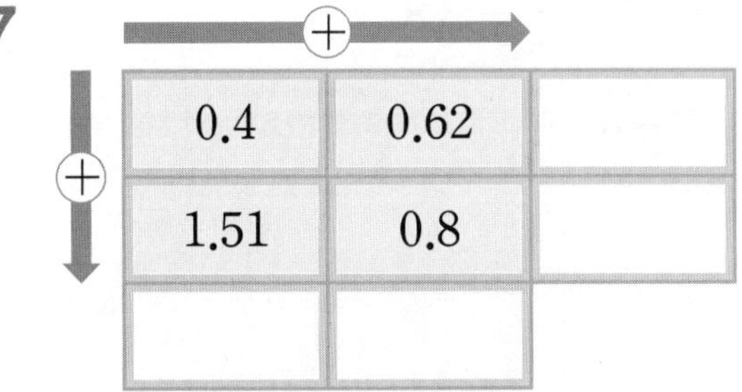

0.4	0.62	
1.51	0.8	

4

0.41	0.17	
0.06	0.32	

8

4.2	2.63	
5.81	1.9	

47 소수의 뺄셈 연습(1)

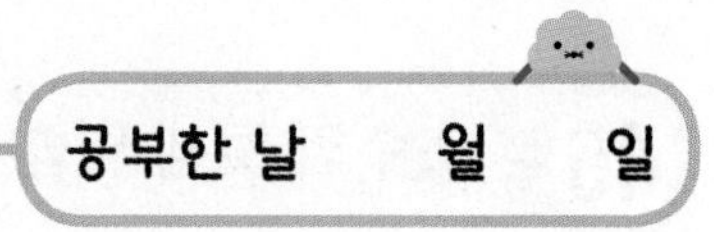

✺ 빈칸에 알맞은 수를 써넣으시오.

공부한 날 월 일

✱ □ 안에 알맞은 수를 써넣으시오.

1

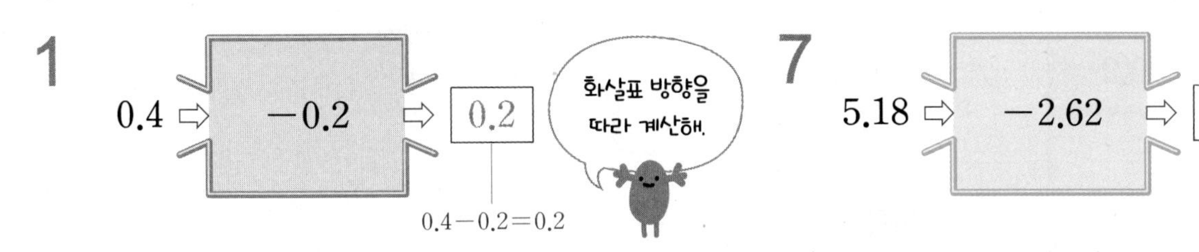

2

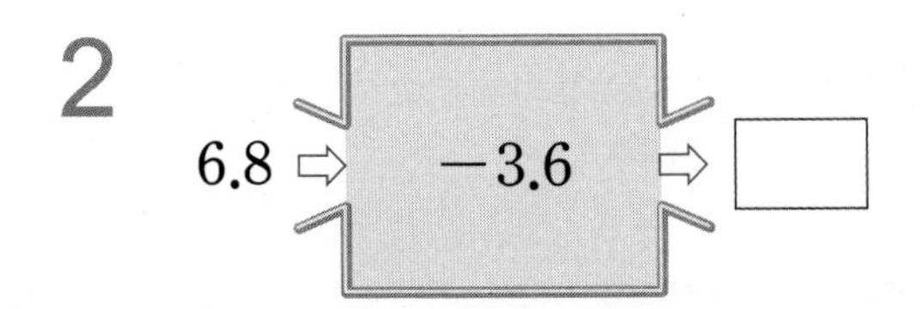

3 8.7 ⇨ -0.9 ⇨ □

4 5.6 ⇨ -1.8 ⇨ □

5 0.76 ⇨ -0.31 ⇨ □

6 2.95 ⇨ -0.38 ⇨ □

7 5.18 ⇨ -2.62 ⇨ □

8 9.52 ⇨ -4.86 ⇨ □

9 2.76 ⇨ -0.5 ⇨ □

10 3.9 ⇨ -1.42 ⇨ □

11 8.24 ⇨ -5.3 ⇨ □

12 6.2 ⇨ -5.78 ⇨ □

49 소수의 뺄셈 연습 (3)

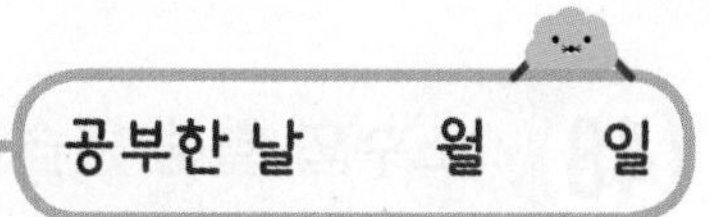

빈칸에 두 수의 차를 써넣으시오.

1
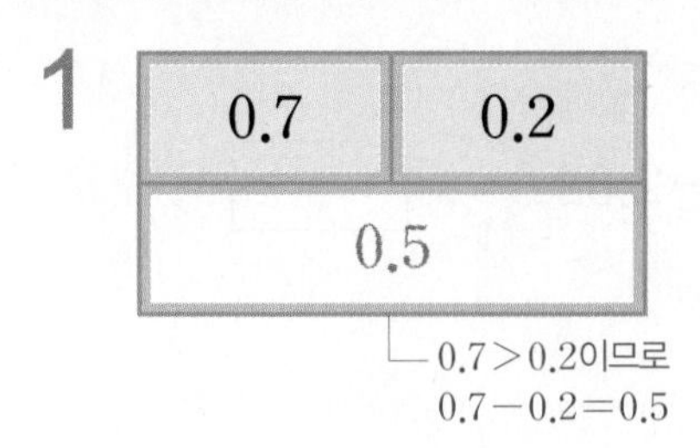

0.7 > 0.2이므로
0.7 − 0.2 = 0.5

7
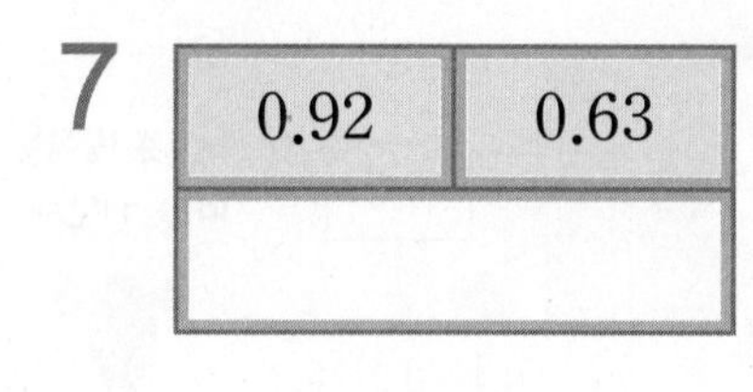

2

1.5	3.6

8

1.57	5.36

3

1.8	0.9

9
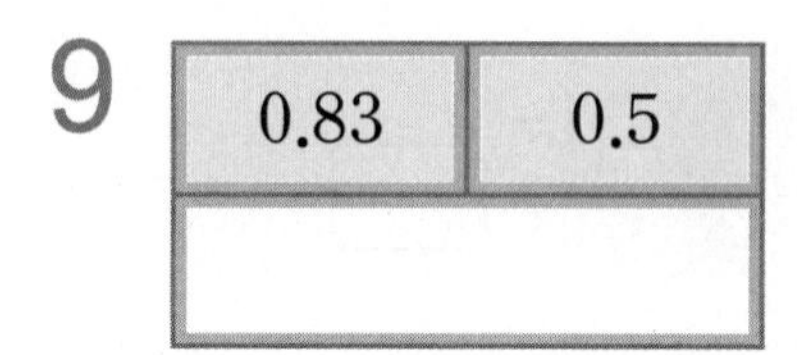

4

5.6	9.4

10

7.2	4.36

5

0.26	0.88

11

8.05	6.2

6

4.65	2.14

12

7.98	10.1

50 소수의 뺄셈 연습(4)

공부한 날 월 일

✹ 빈칸에 알맞은 수를 써넣으시오.

1

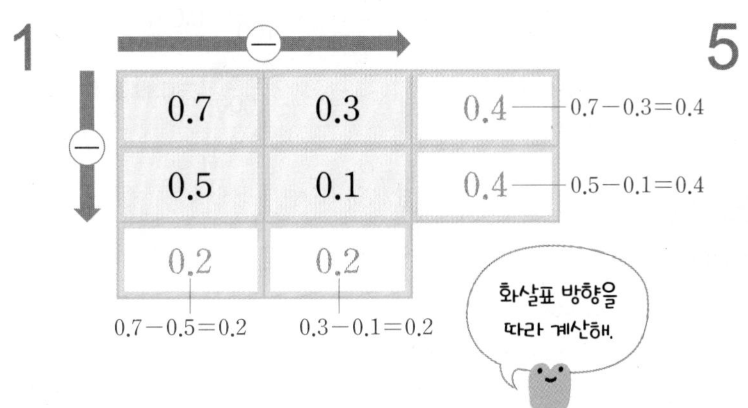

0.7	0.3	0.4
0.5	0.1	0.4
0.2	0.2	

0.7−0.3=0.4
0.5−0.1=0.4
0.7−0.5=0.2
0.3−0.1=0.2

5

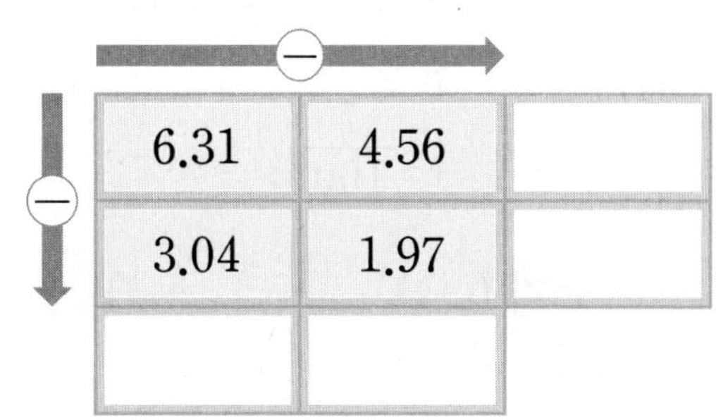

6.31	4.56	
3.04	1.97	

2

7.9	2.4	
3.6	1.2	

6

9.42	7.18	
6.27	4.39	

3

8.1	4.3	
5.4	2.9	

7

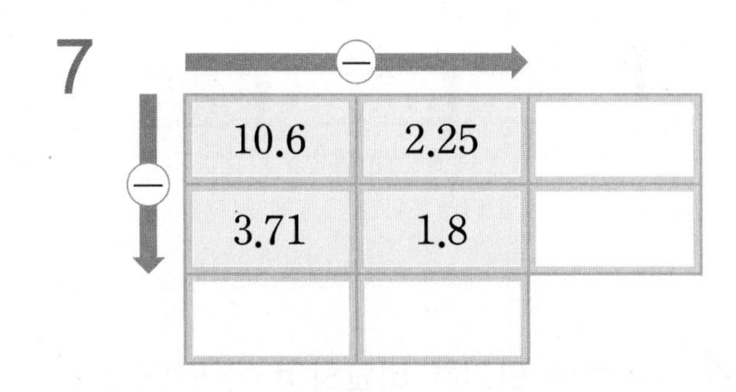

10.6	2.25	
3.71	1.8	

4

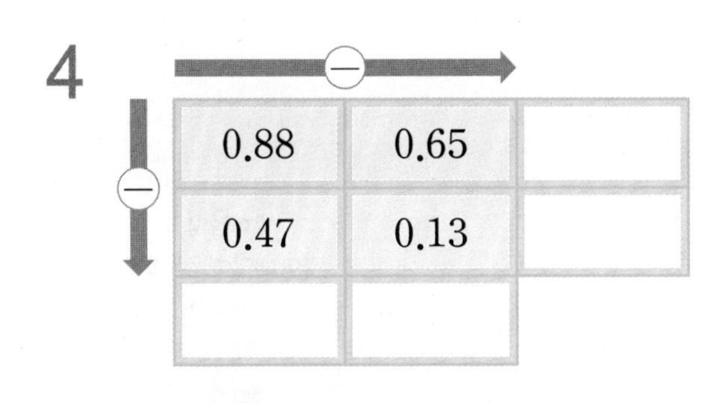

0.88	0.65	
0.47	0.13	

8

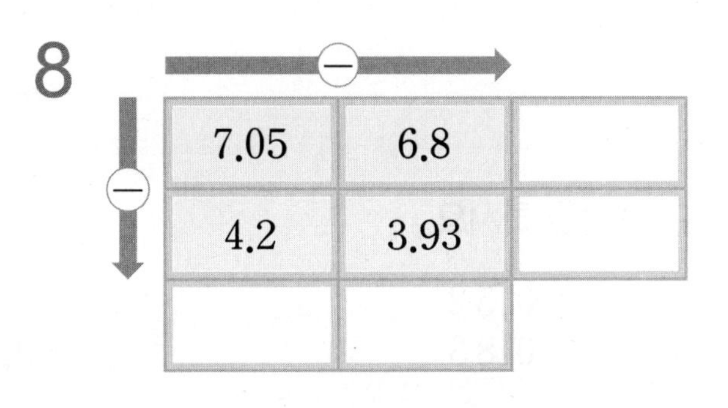

7.05	6.8	
4.2	3.93	

단원평가

3. 소수의 덧셈과 뺄셈

1 분수를 소수로 나타내고 읽어 보시오.

(1) $\frac{7}{100}$ (2) $\frac{169}{1000}$

쓰기 ( ) 쓰기 ( )
읽기 ( ) 읽기 ( )

• $\frac{▲}{100}$=0.0▲
$\frac{■▲●}{1000}$=0.■▲●

2 5가 나타내는 수를 쓰시오.

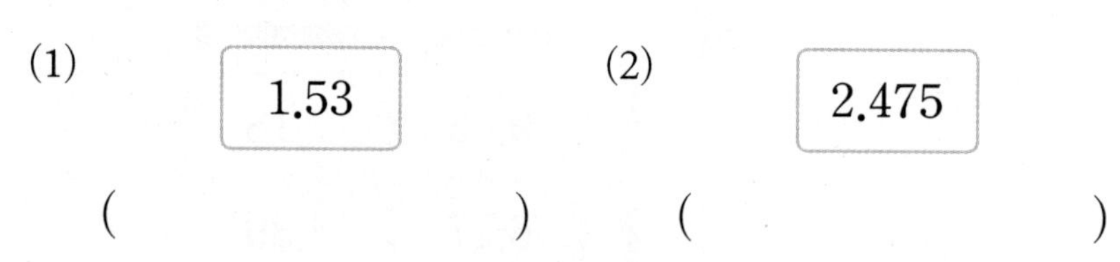

(1) 1.53 (2) 2.475

( ) ( )

• 같은 수라도 어느 자리에 있느냐에 따라 나타내는 수가 다릅니다.

3 빈칸에 알맞은 수를 써넣으시오.

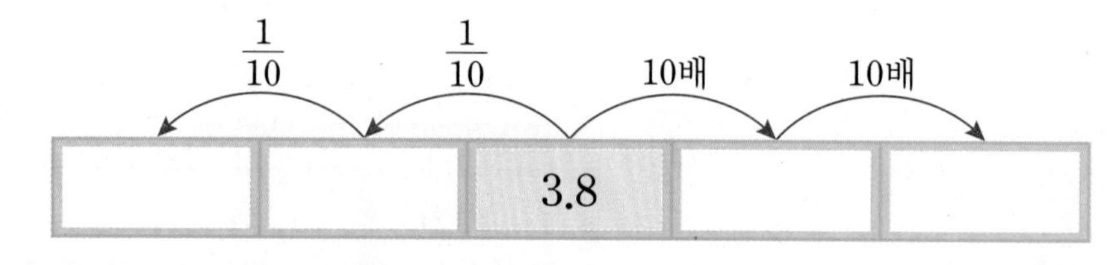

• 소수를 10배 하면 소수점을 기준으로 수가 왼쪽으로 한 자리씩 이동합니다.

• 소수의 $\frac{1}{10}$을 구하면 소수점을 기준으로 수가 오른쪽으로 한 자리씩 이동합니다.

4 두 수의 크기를 비교하여 ○ 안에 >, =, <를 알맞게 써넣으시오.

(1) 0.28 ○ 0.31 (2) 4.79 ○ 4.6

• 소수는 자연수, 소수 첫째 자리 수, 소수 둘째 자리 수, 소수 셋째 자리 수의 순으로 크기를 비교합니다.

5 계산을 하시오.

(1) $\begin{array}{r} 0.52 \\ +\,0.83 \\ \hline \end{array}$ (2) $\begin{array}{r} 0.74 \\ -\,0.15 \\ \hline \end{array}$

6 계산에서 잘못된 곳을 찾아 바르게 계산하시오.

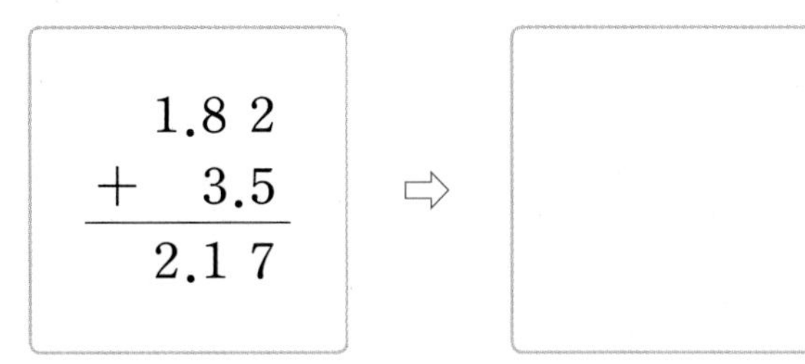

• 소수점을 맞추어 더했는지 확인합니다.

7 빈칸에 알맞은 수를 써넣으시오.

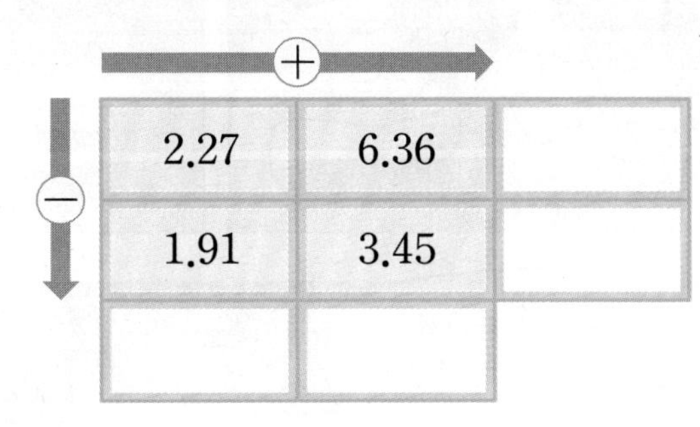

8 준기는 물을 오전에 0.3 L 마셨고 오후에 0.8 L 마셨습니다. 준기가 하루 동안 마신 물은 모두 몇 L입니까?

식 .... 답 ....

• 오전에 마신 물의 양과 오후에 마신 물의 양을 더합니다.

9 어느 날 서울과 부산에 내린 눈의 양을 나타낸 것입니다. 서울에는 부산보다 눈이 몇 cm 더 많이 내렸습니까?

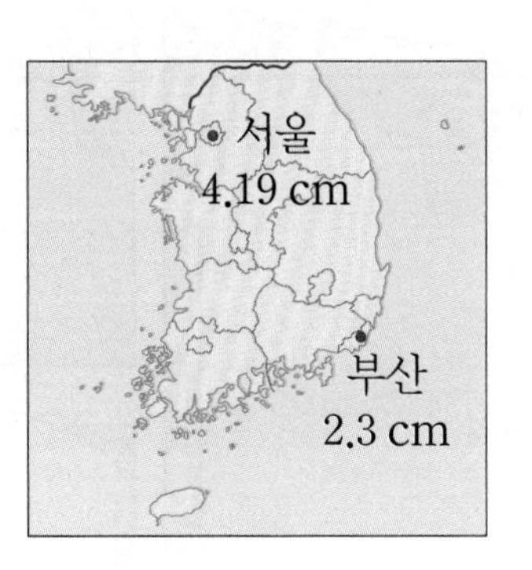

(   )

• 서울에 내린 눈의 양에서 부산에 내린 눈의 양을 뺍니다.

QR 코드를 찍어 보세요.
문제 생성기 새로운 문제를 계속 풀 수 있어요.

4 사각형

제4화 우영이가 푸고 남은 라면은?

이미 배운 내용	이번에 배울 내용	앞으로 배울 내용
[4-2 삼각형] • 이등변삼각형 알아보기 • 정삼각형 알아보기 • 예각삼각형 알아보기 • 둔각삼각형 알아보기	• 수직, 평행 알아보기 • 평행선 사이의 거리 알아보기 • 사다리꼴, 평행사변형, 마름모 알아보기 • 여러 가지 사각형	[4-2 다각형] • 다각형 알아보기 • 정다각형 알아보기 • 대각선 알아보기 • 여러 가지 모양 만들기

배운 것 확인하기

1 이등변삼각형 알아보기

✸ 이등변삼각형이면 ○표, 아니면 ×표 하시오.

1

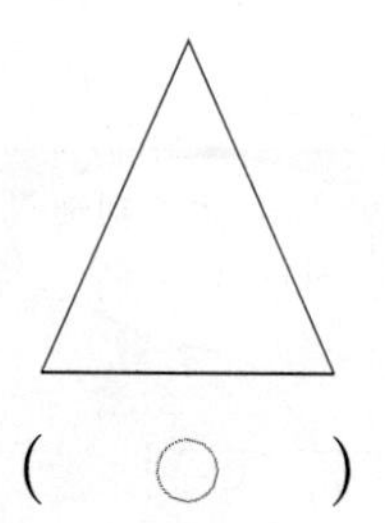

(○)

두 변의 길이가
같은 삼각형을
이등변삼각형이라고 해

2

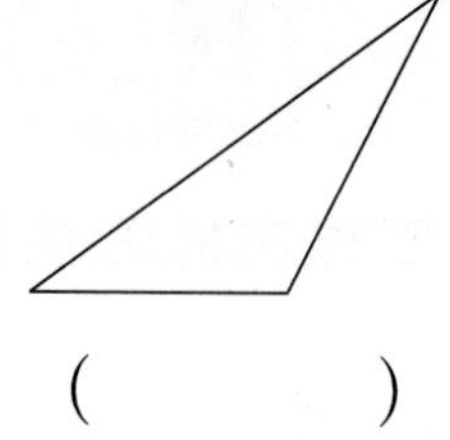

(　　　)

3

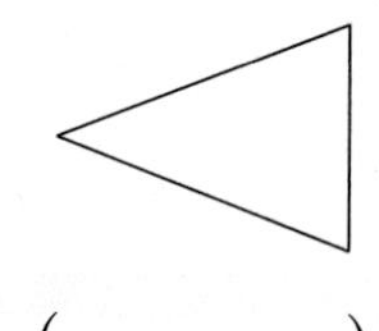

(　　　)

4

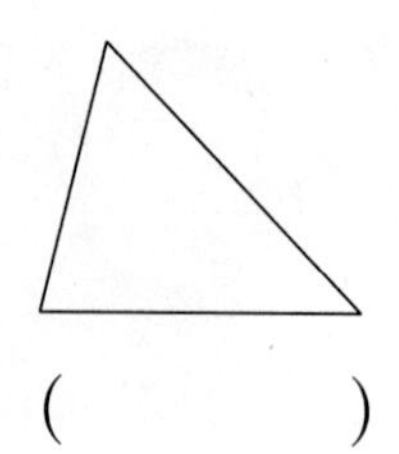

(　　　)

5

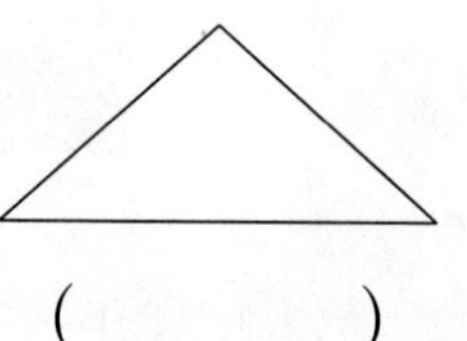

(　　　)

2 정삼각형 알아보기

✸ 정삼각형이면 ○표, 아니면 ×표 하시오.

1

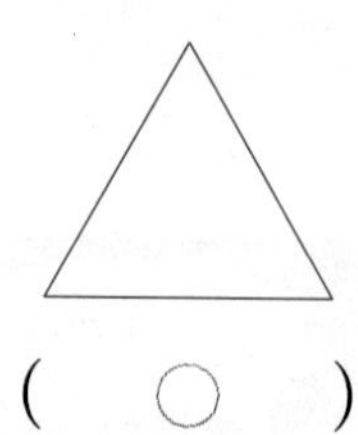

(○)

2

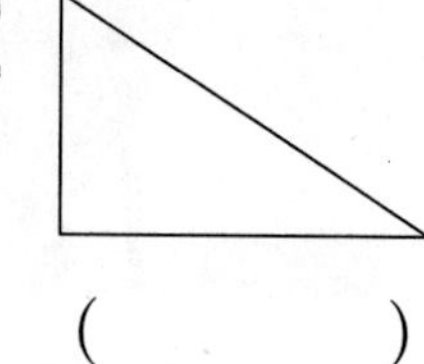

(　　　)

3

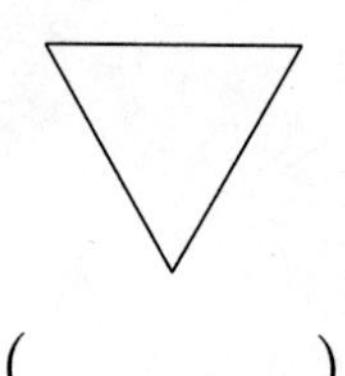

(　　　)

4

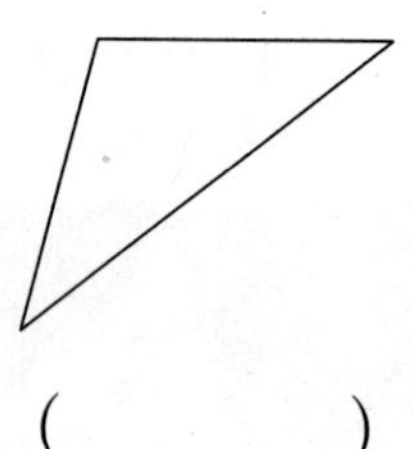

(　　　)

5

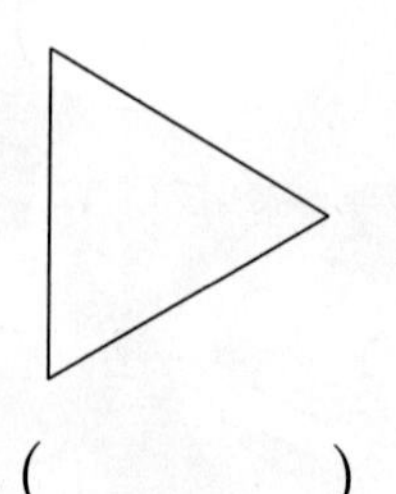

(　　　)

3 예각삼각형 알아보기

✱ 예각삼각형이면 ○표, 아니면 ×표 하시오.

1
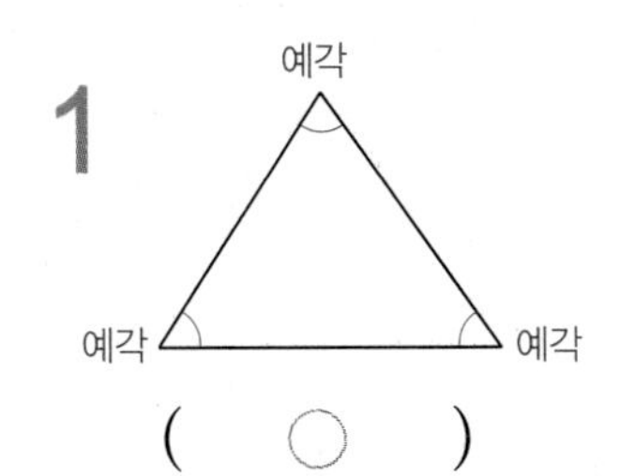

(○)

2
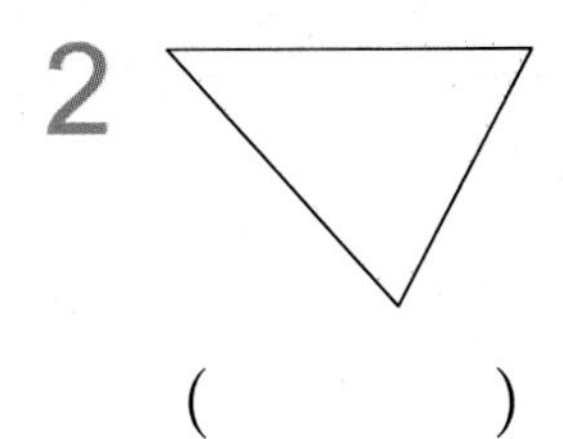

(   )

3
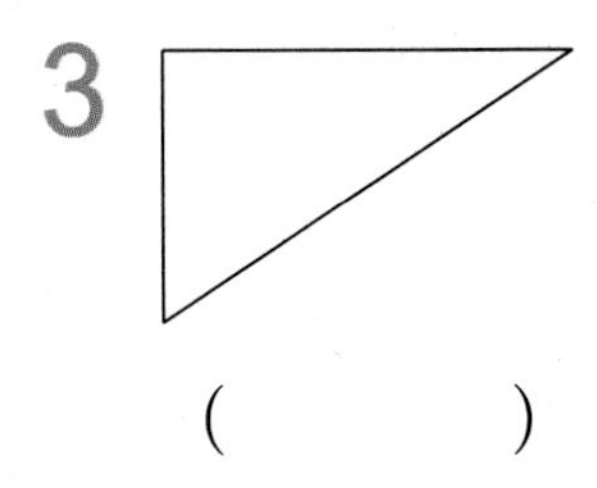

(   )

4
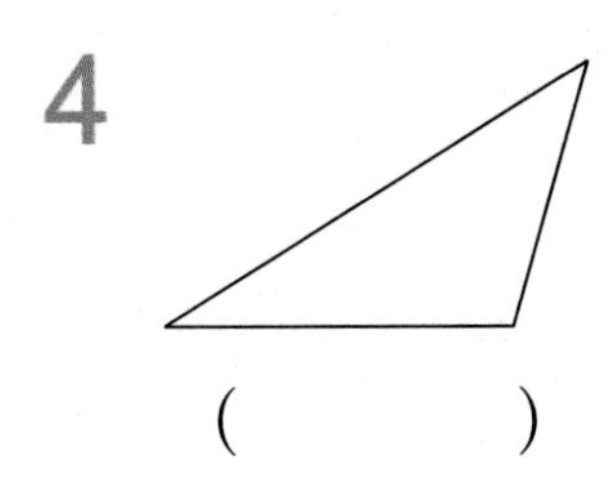

(   )

5
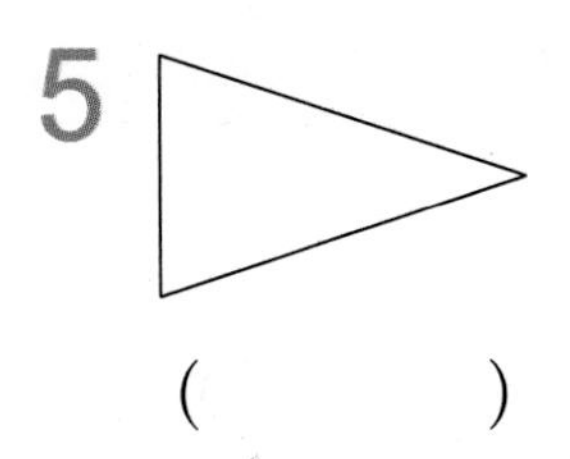

(   )

4 둔각삼각형 알아보기

✱ 둔각삼각형이면 ○표, 아니면 ×표 하시오.

1
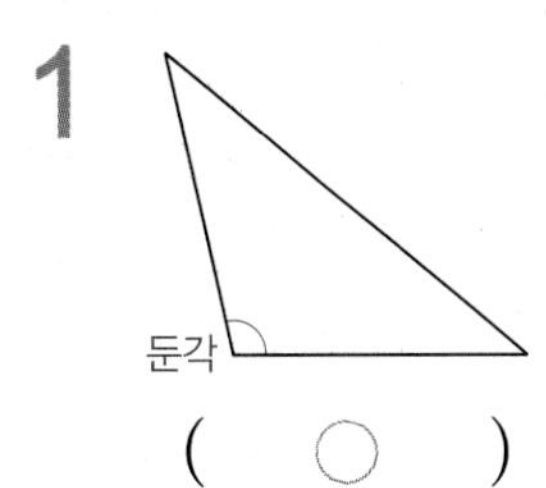

(○)

2
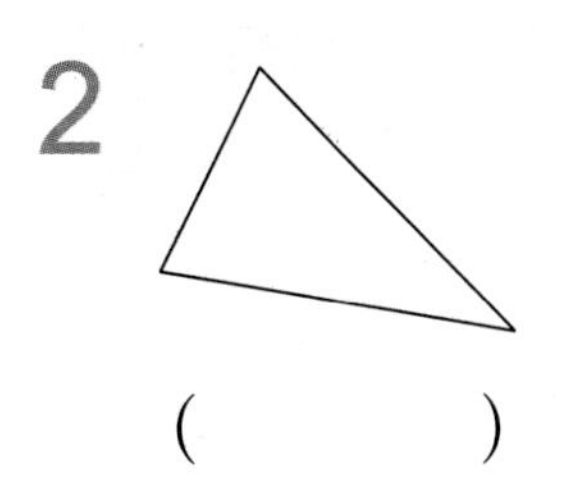

(   )

3
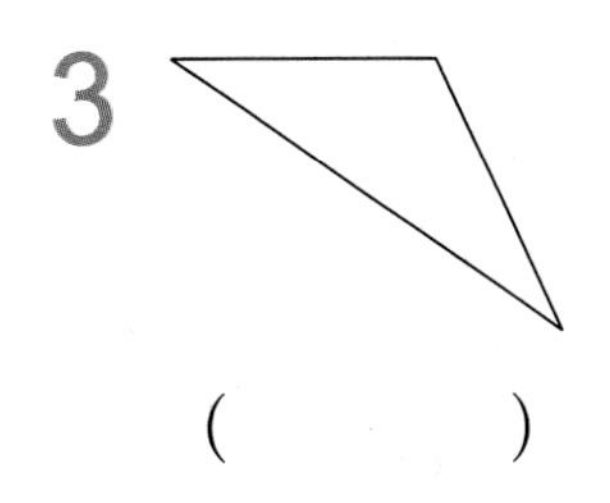

(   )

4
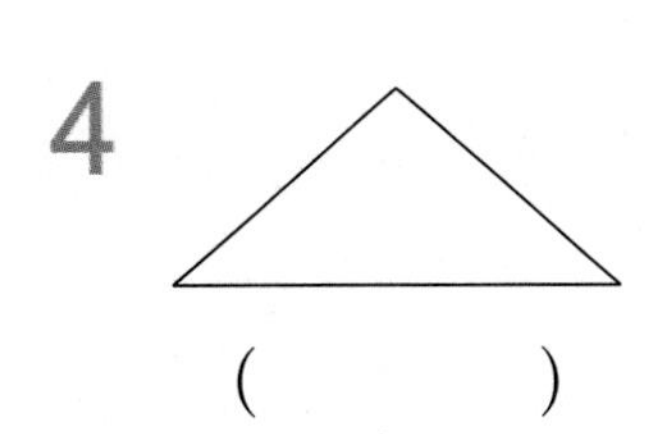

(   )

5
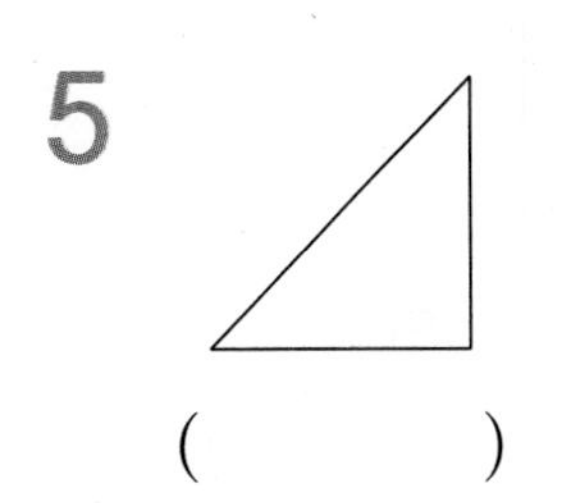

(   )

1 수직인 직선 찾기

✸ 서로 수직인 직선을 모두 찾아 쓰시오.

1

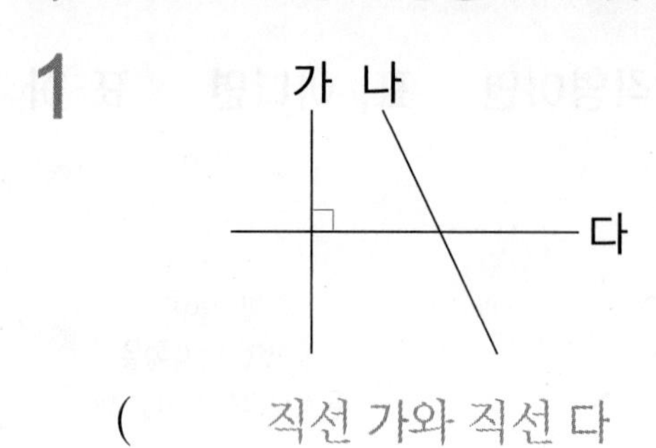

(직선 가와 직선 다)

두 직선이 만나서 이루는 각이 직각일 때, 두 직선은 서로 수직이야.

2

가 나 다

( )

3

가 나 다 라

( )

4

가 나 다 라

( )

5

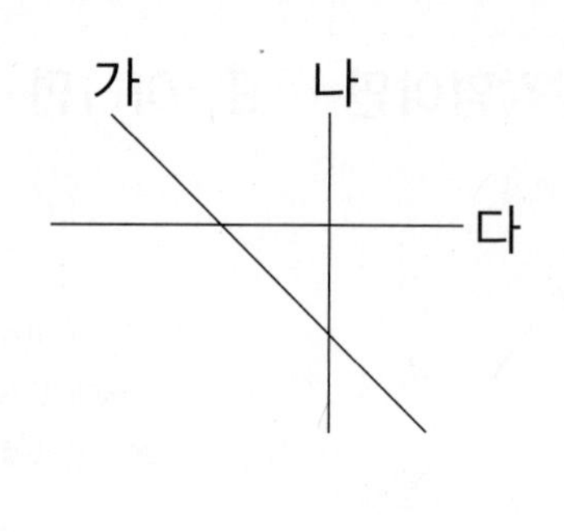

( )

6

가 나 다

( )

7

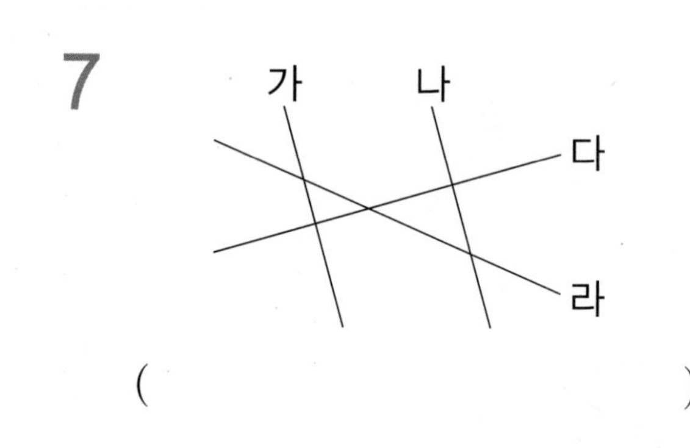

( )

8

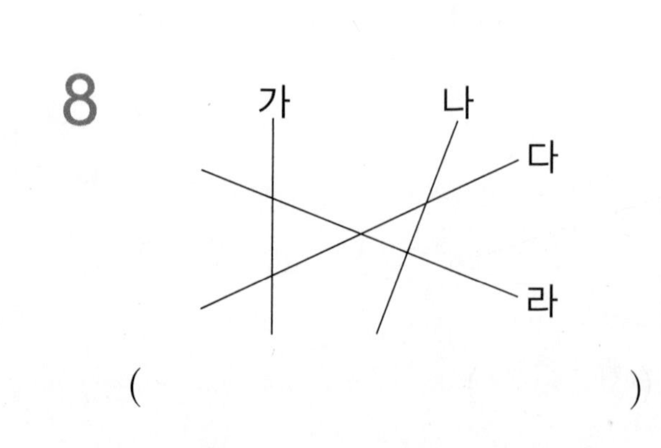

( )

2 수선 긋기(1)

공부한 날 월 일

삼각자를 사용하여 주어진 직선에 대한 수선을 그어 보시오.

1

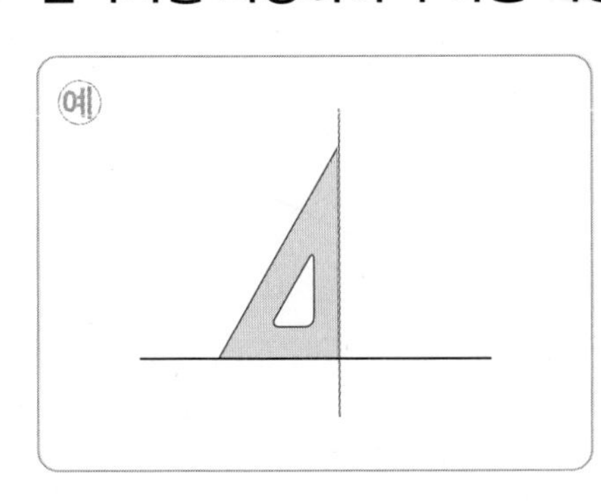

5

2

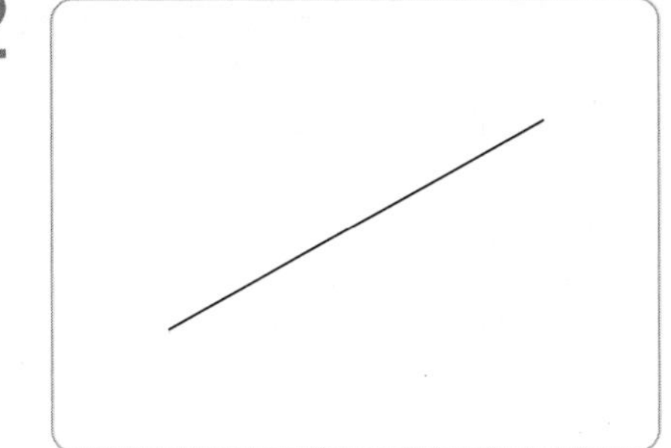

6

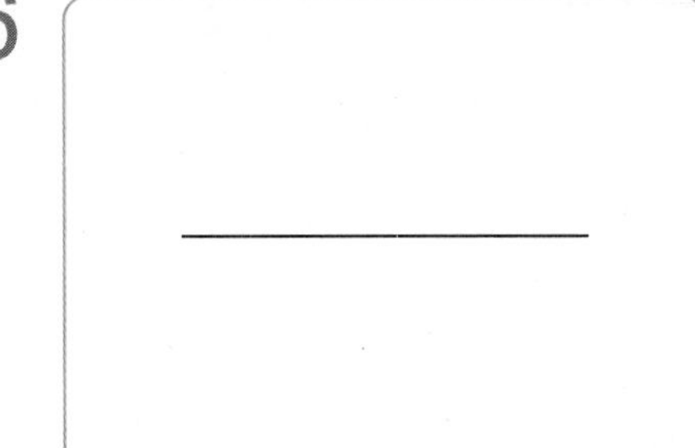

3

7

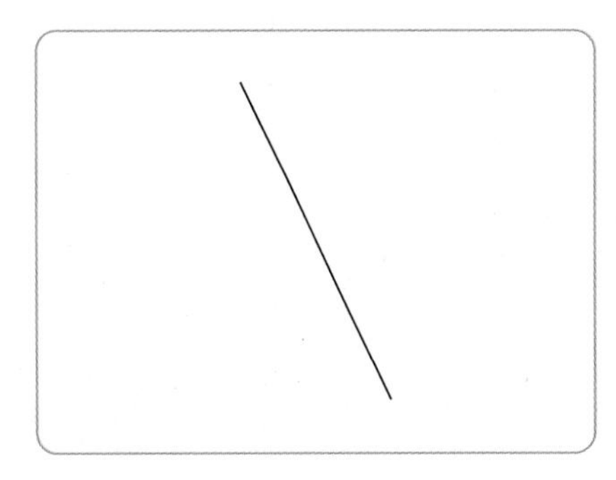

4

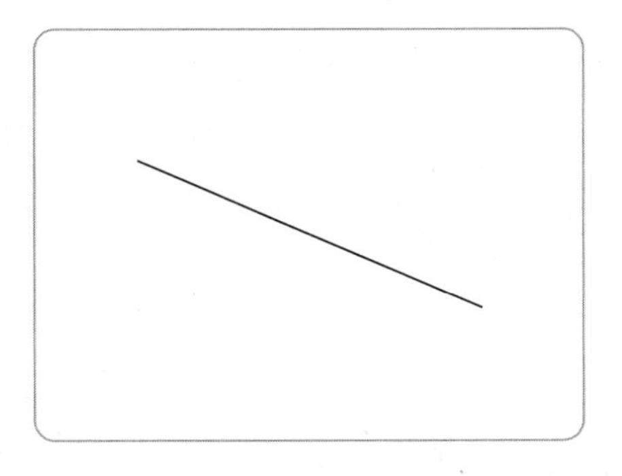

8

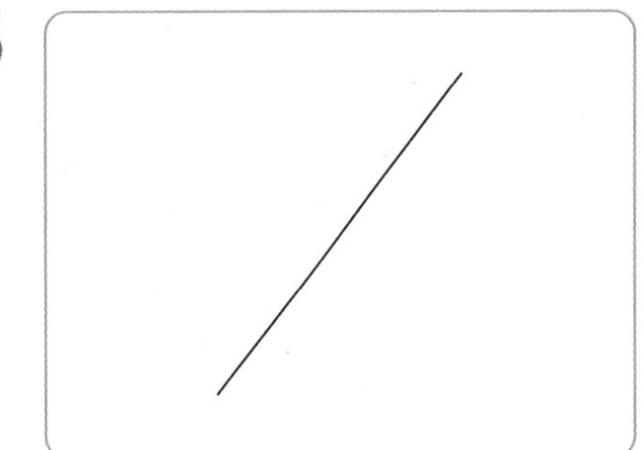

각도기를 사용하여 주어진 직선에 대한 수선을 그어 보시오.

1
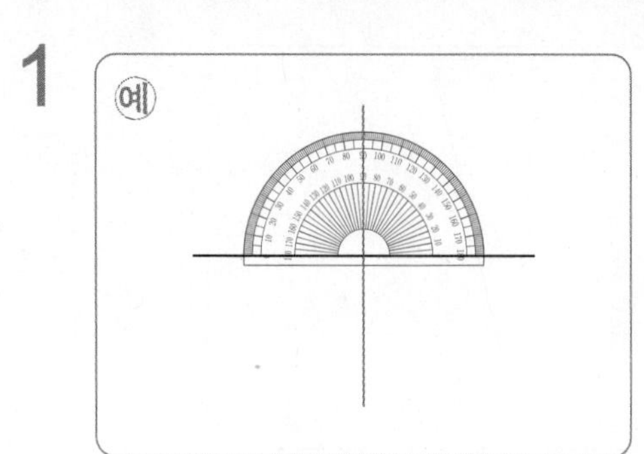

5
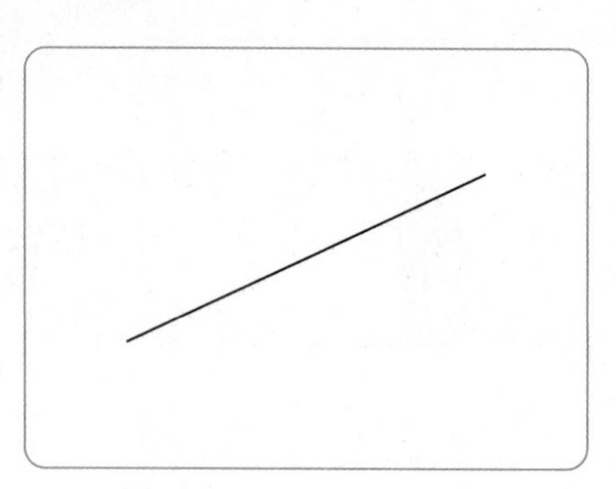

2
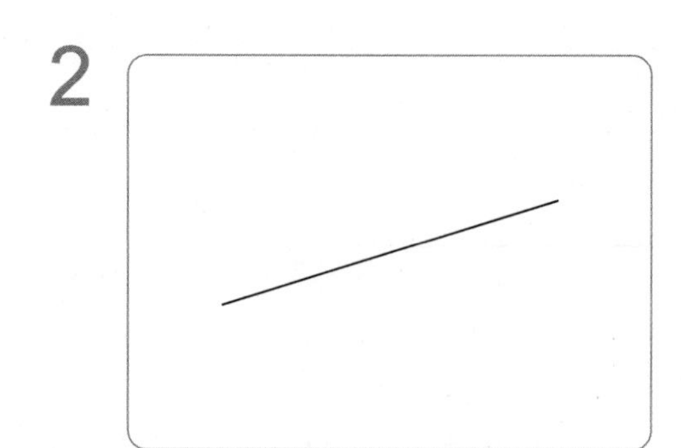

6

3
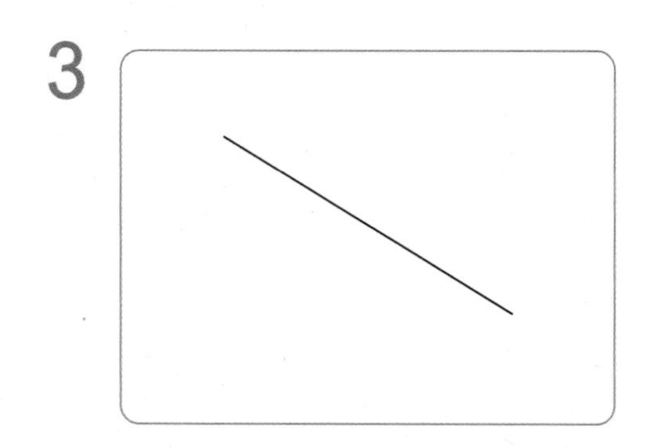

7
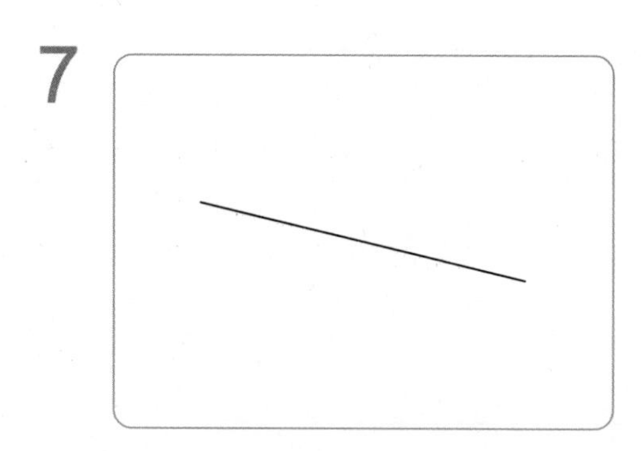

4
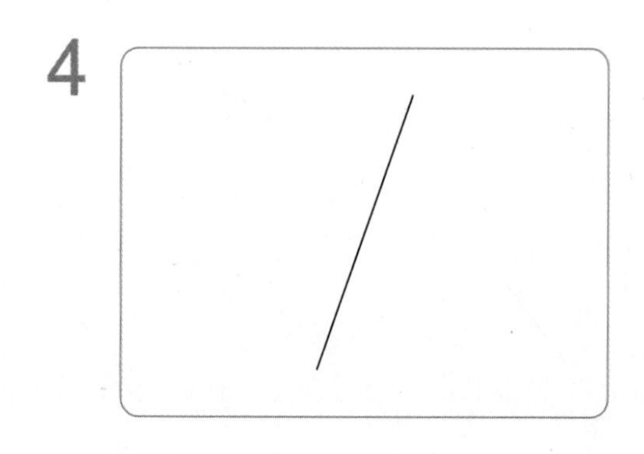

8
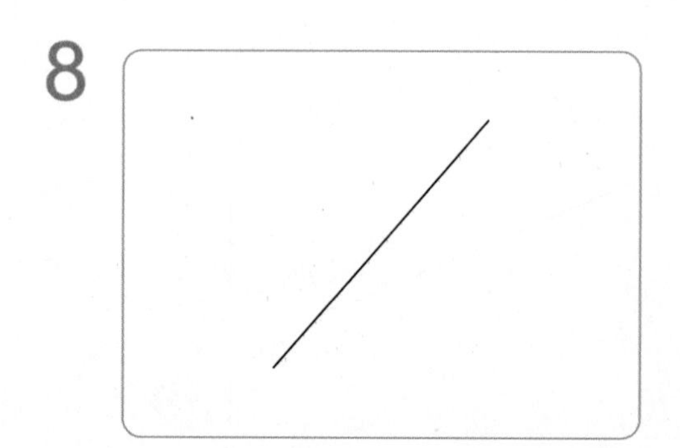

4 평행한 직선 찾기

공부한 날 월 일

✸ 서로 평행한 직선을 모두 찾아 쓰시오.

1

가 나 다 라 마 바 사 아

한 직선에 수직인 두 직선처럼 서로 만나지 않는 두 직선은 평행해.

(직선 가와 직선 나, 직선 사와 직선 아)

두 직선에 공통인 수선을 그을 수 있으므로 두 직선은 평행합니다.

2

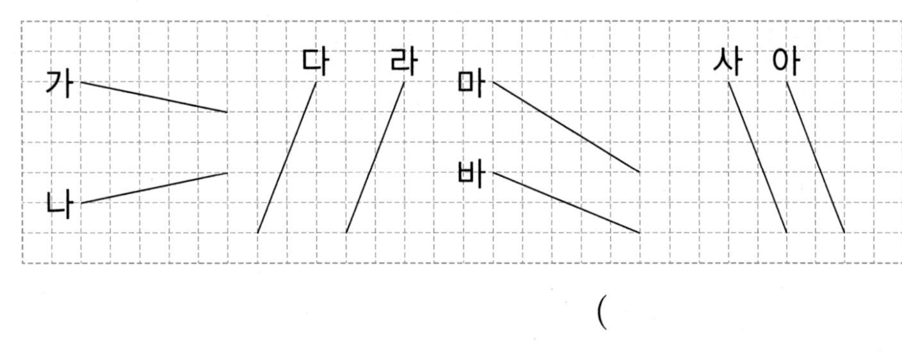

( )

3

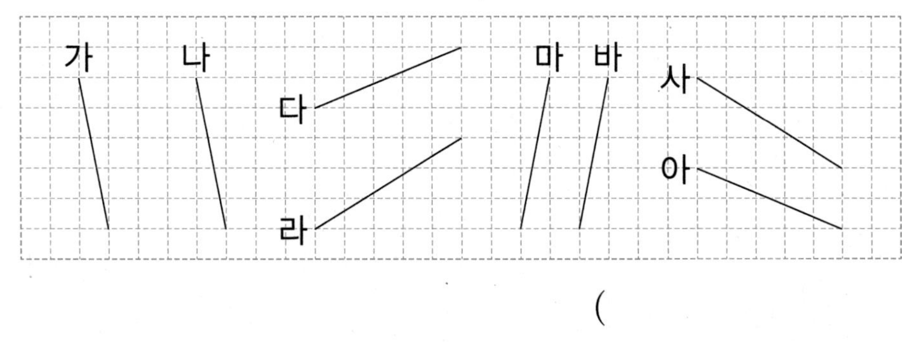

( )

4

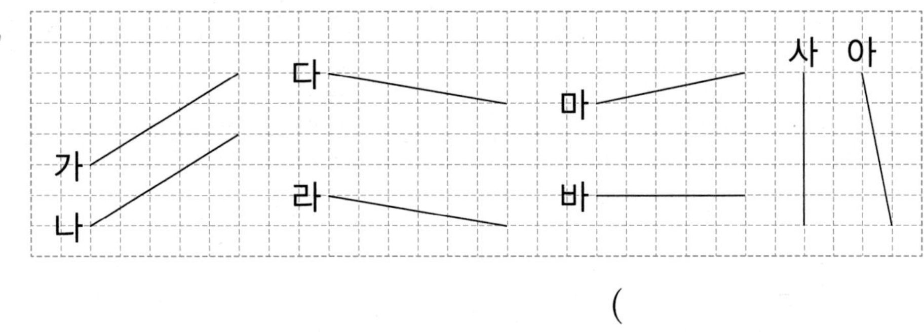

( )

✸ 삼각자를 사용하여 주어진 직선과 평행한 직선을 그어 보시오.

1

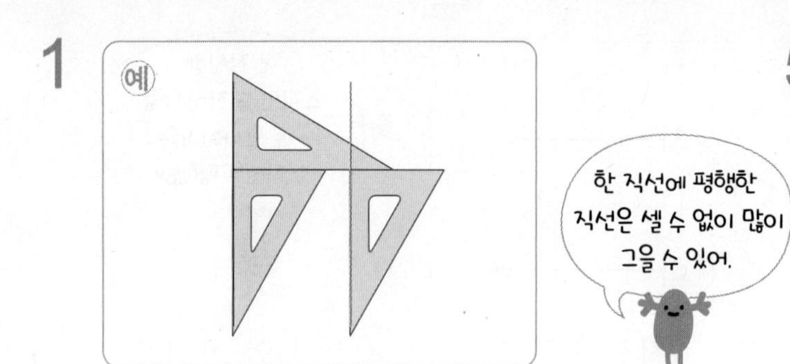

5

2

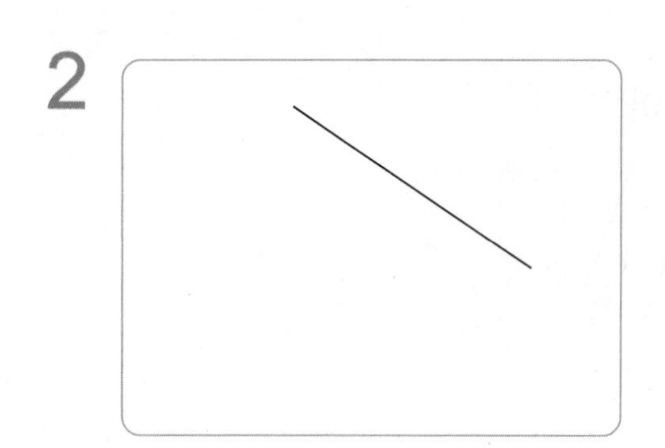

6

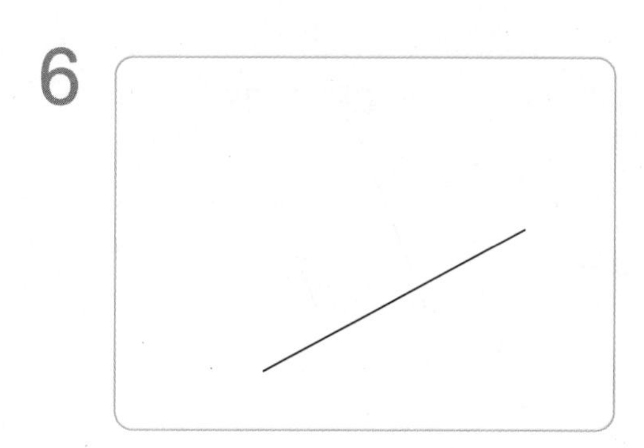

3

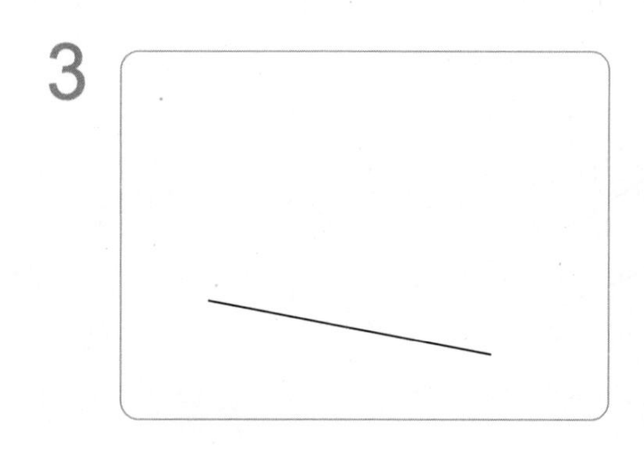

7

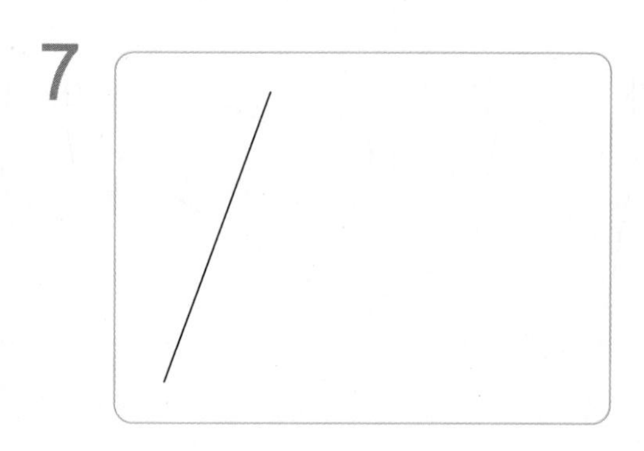

4

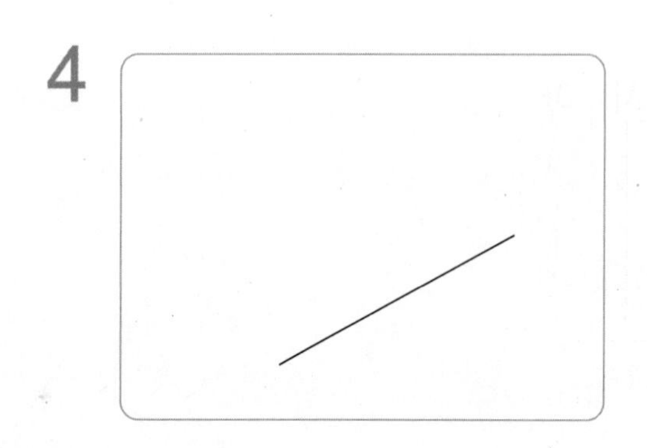

8

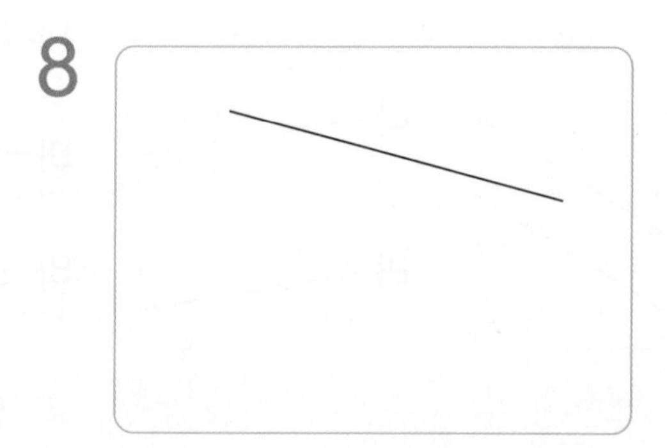

6 한 점을 지나는 평행선 긋기

삼각자를 사용하여 점 ㄱ을 지나고 직선 가와 평행한 직선을 그어 보시오.

1

가

ㄱ

한 점을 지나고
한 직선에 평행한
직선은 1개밖에
그을 수 없어.

2

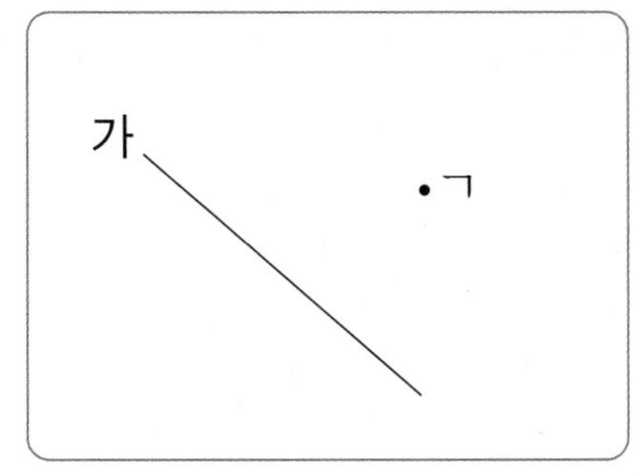

3

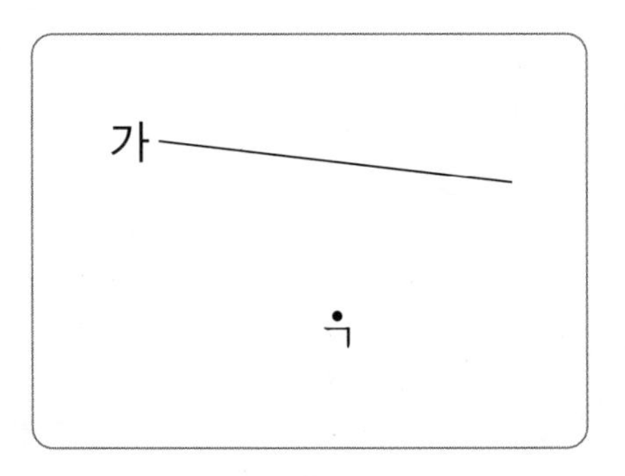

4

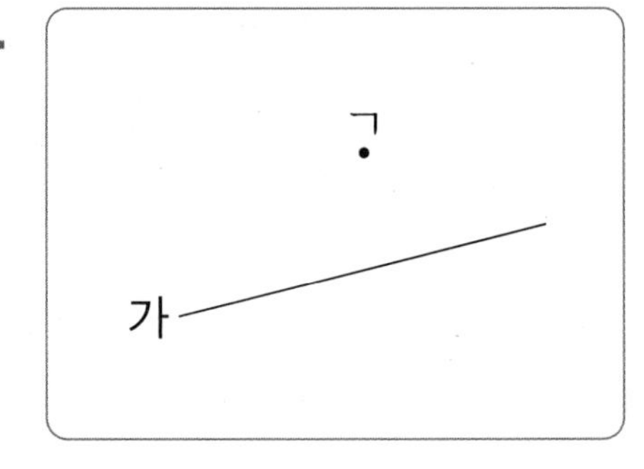

5

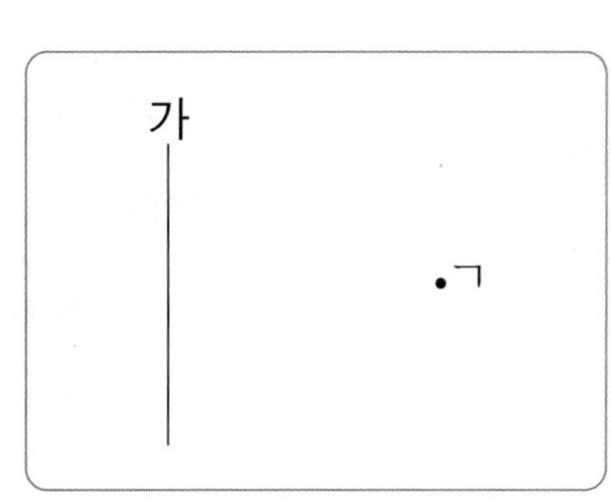

6

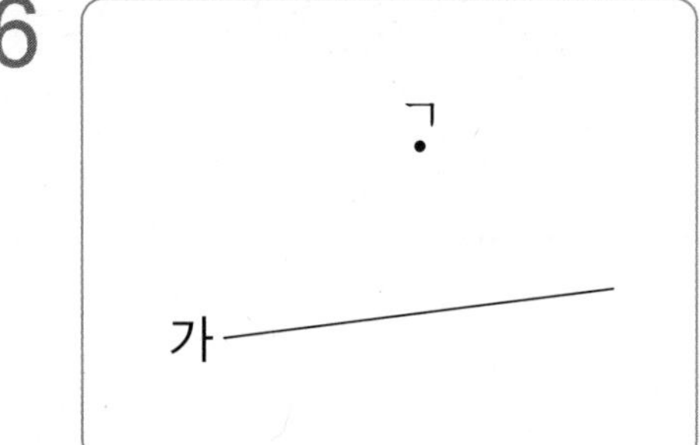

7

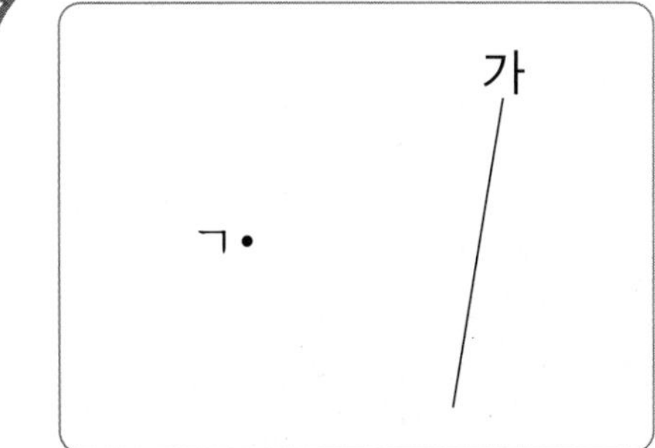

8

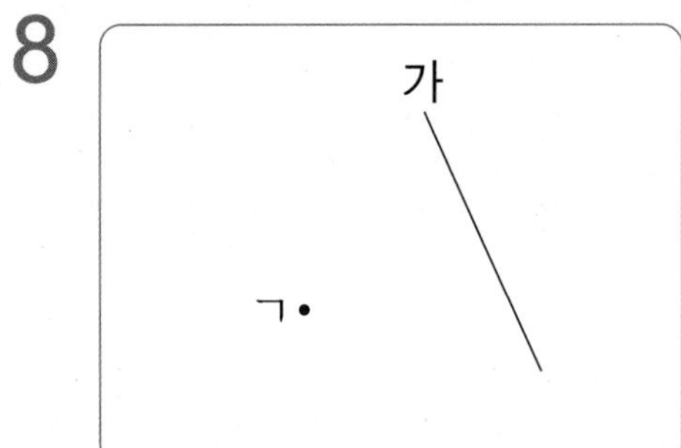

4 사각형

7 평행선 사이의 거리 알아보기

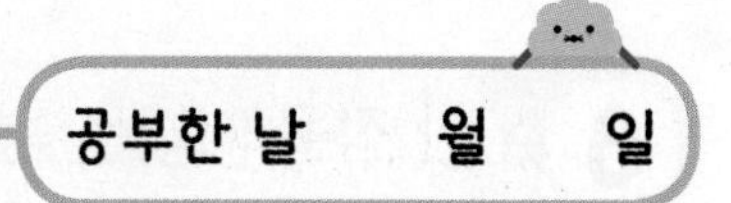

✸ **평행선 사이의 거리를 재어 보시오.**

1 (1 cm)

5 (　　　　)

2 (　　　　)

6 (　　　　)

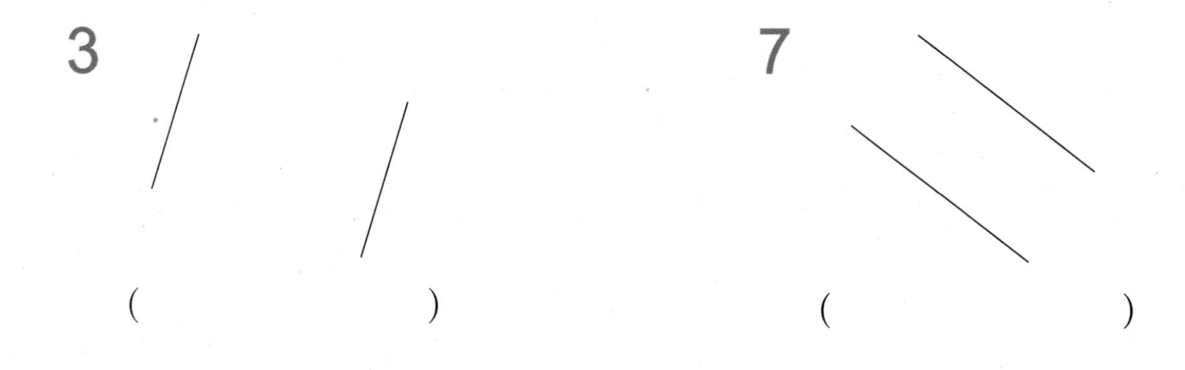

3 (　　　　)

7 (　　　　)

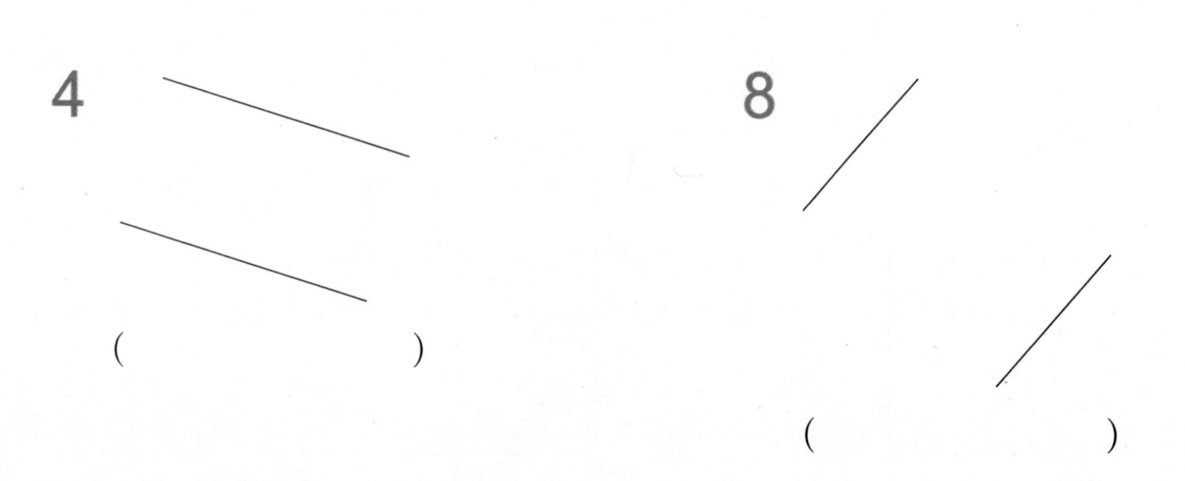

4 (　　　　)

8 (　　　　)

8 거리가 주어진 평행선 긋기

공부한 날 월 일

✹ 평행선 사이의 거리가 다음과 같이 되도록 주어진 직선과 평행한 직선을 그어 보시오.

1

5

2

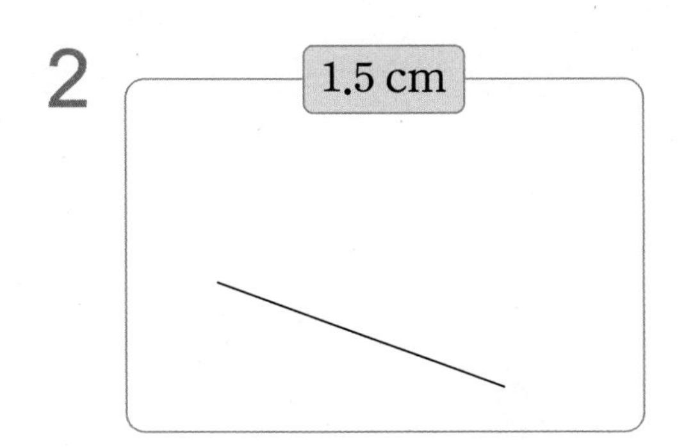

3

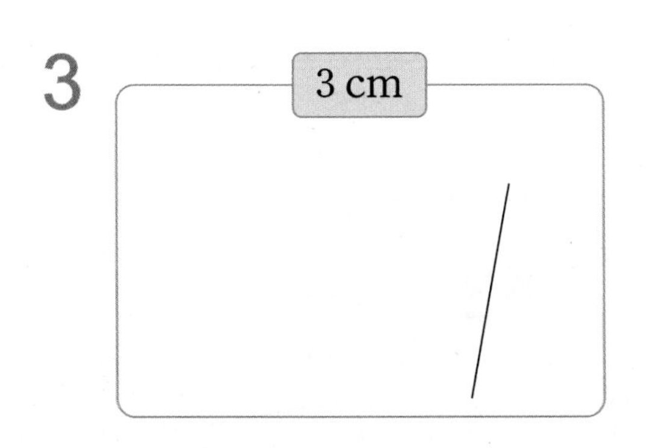

4

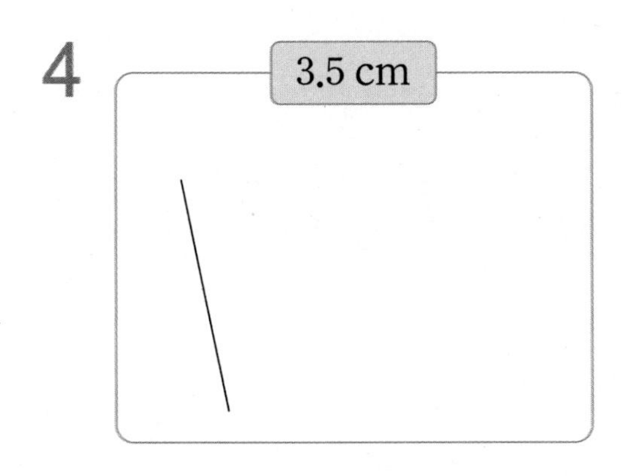

6

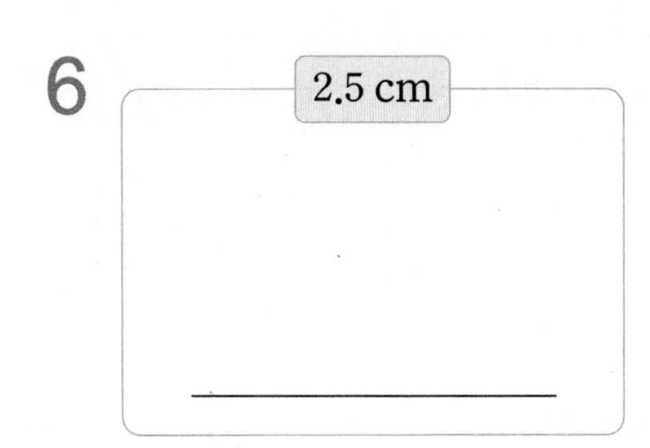

7

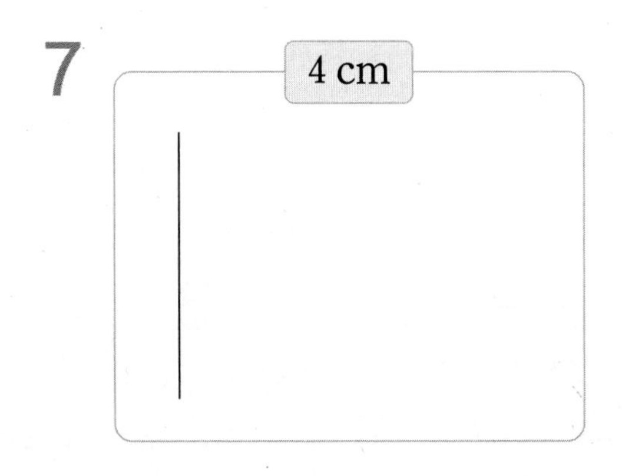

8

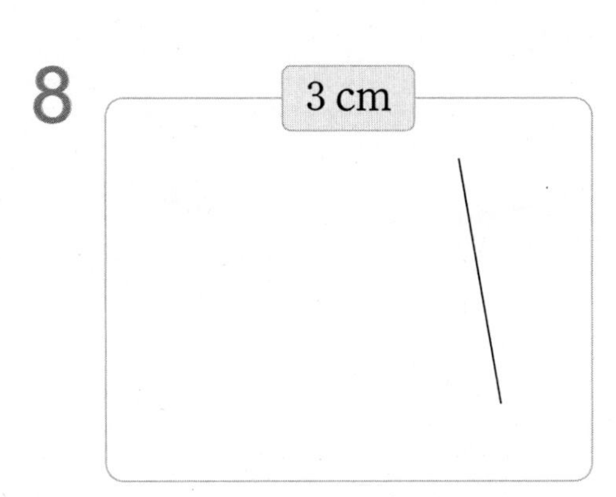

9 사다리꼴 알아보기

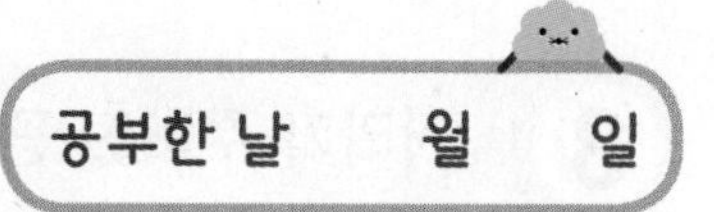

✷ 사다리꼴이면 ○표, 아니면 ×표 하시오.

1

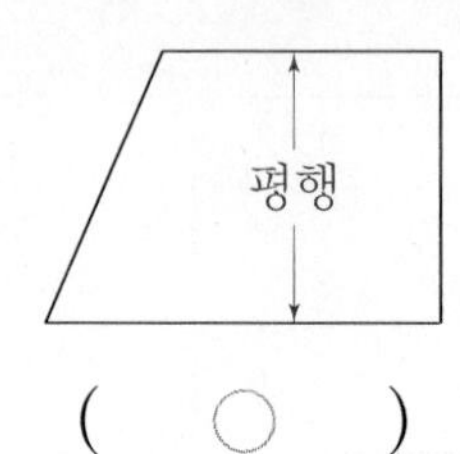

(○)

2

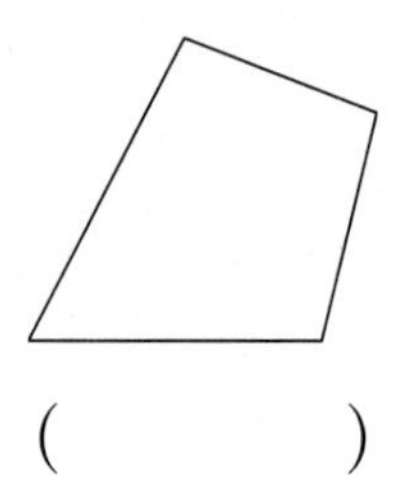

( )

3

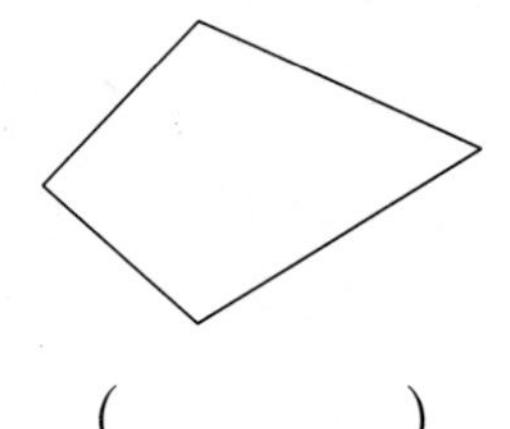

( )

4

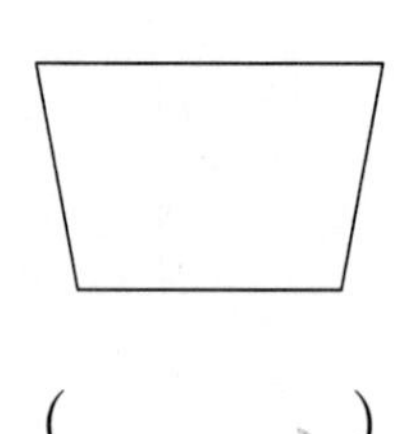

( )

5

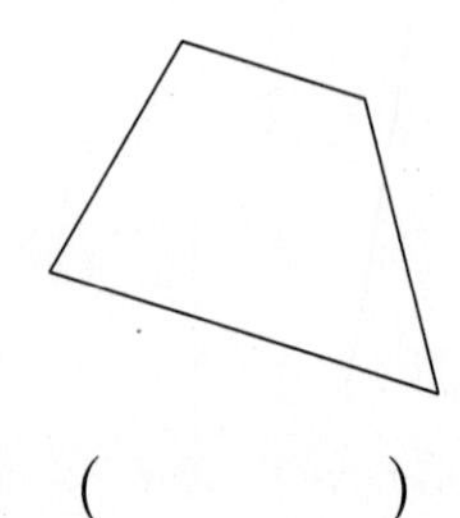

( )

6

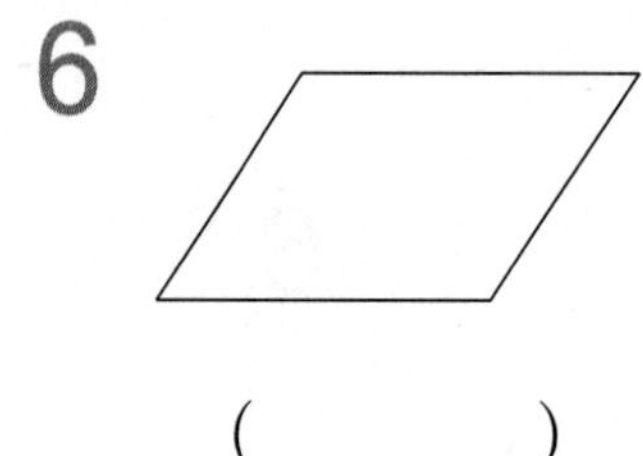

( )

7

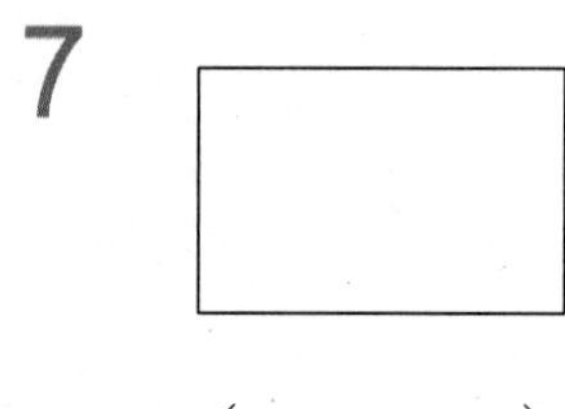

( )

8

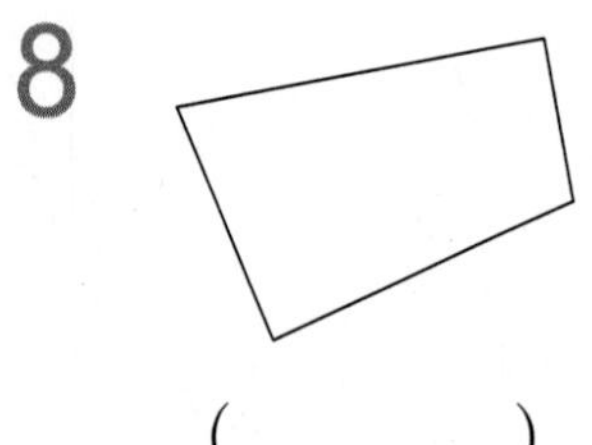

( )

9

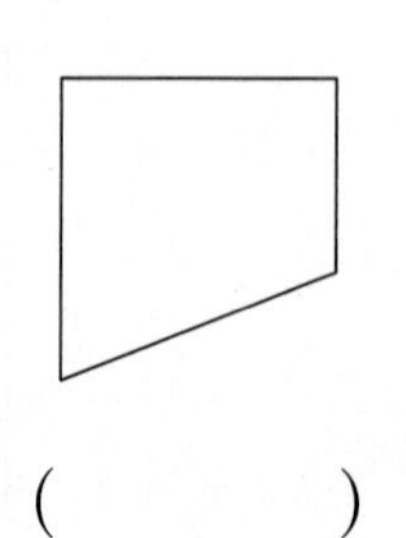

( )

10

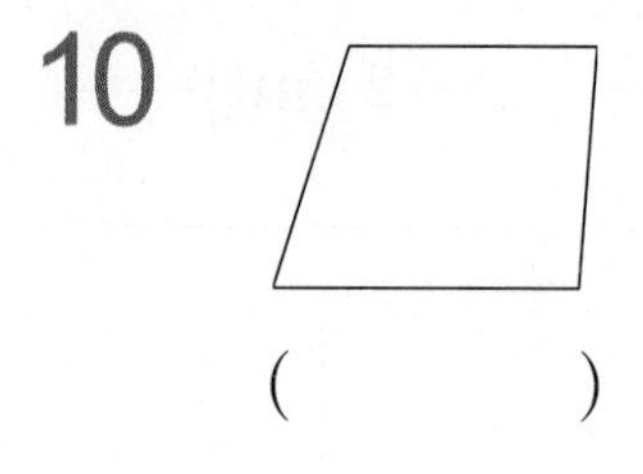

( )

11

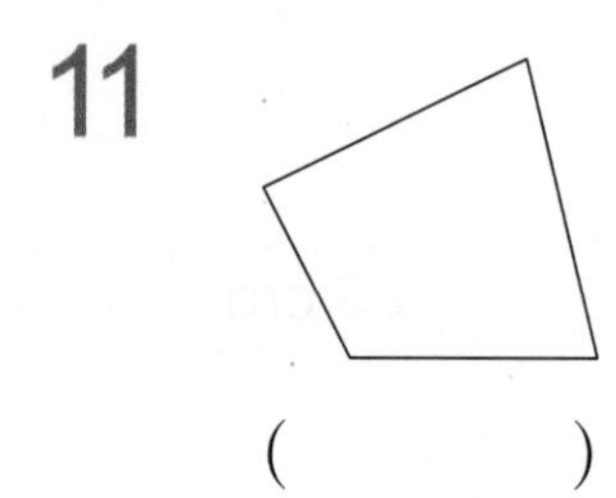

( )

12

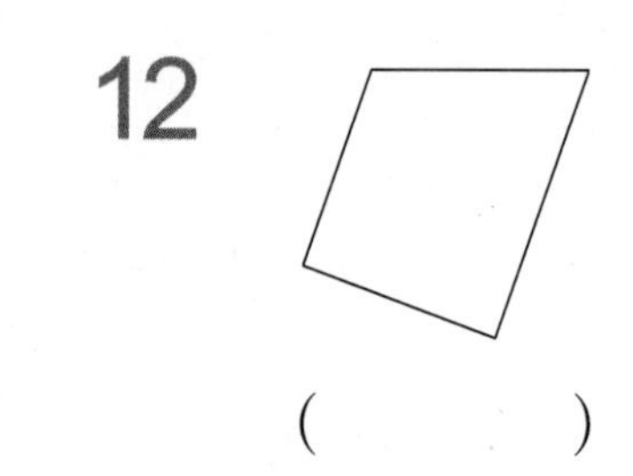

( )

13

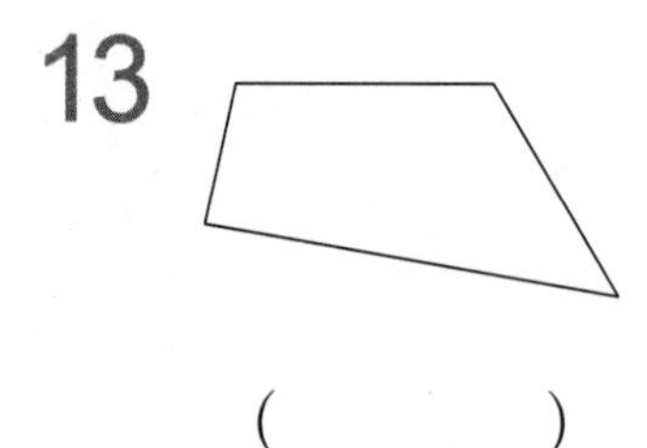

( )

14

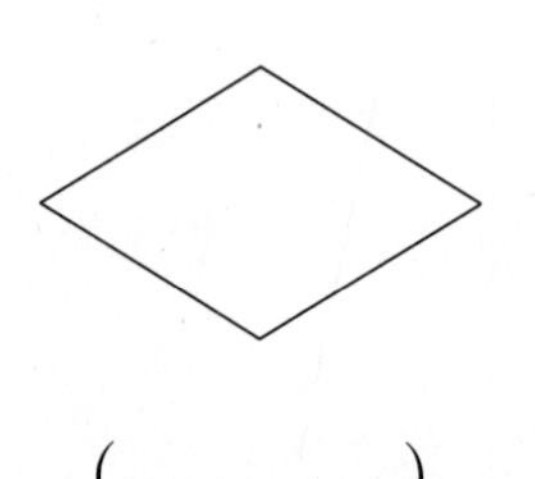

( )

10 주어진 선분을 이용하여 사다리꼴 그리기

공부한 날 월 일

사다리꼴을 완성해 보시오.

1

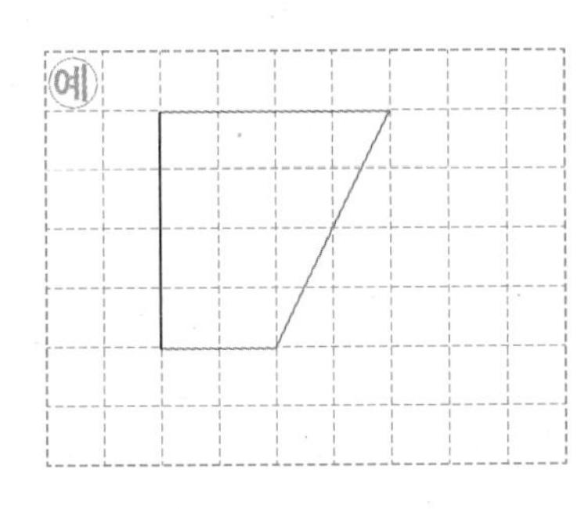

평행한 변이
한 쌍이나 두 쌍 있는
사각형을 그려 봐.

2

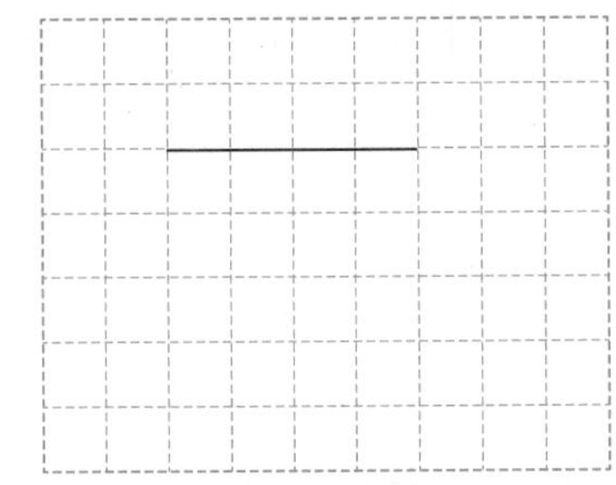

3

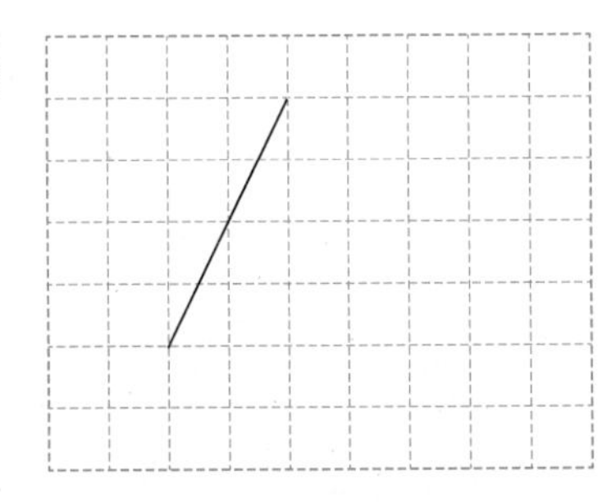

4

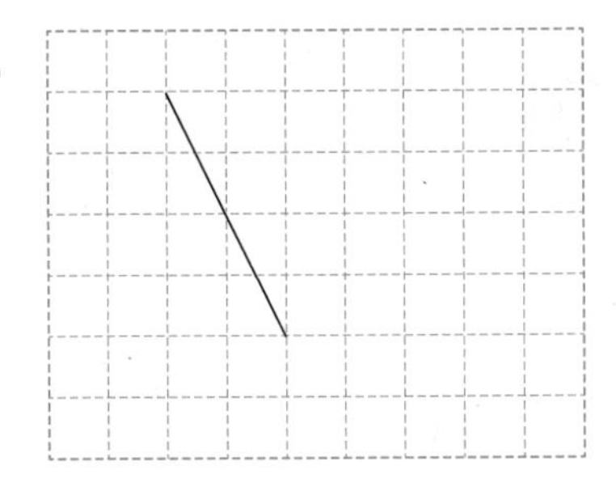

5

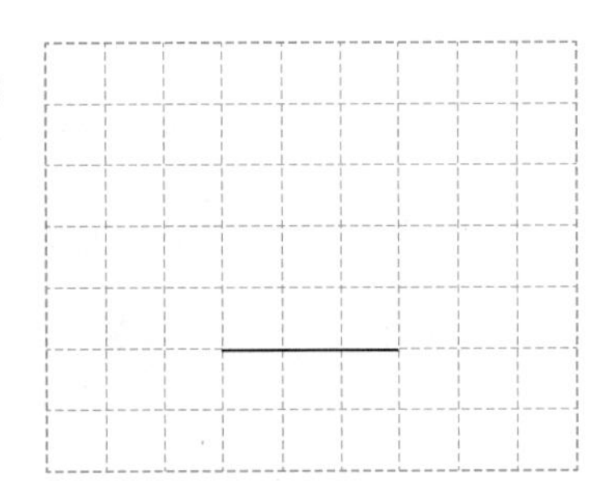

6

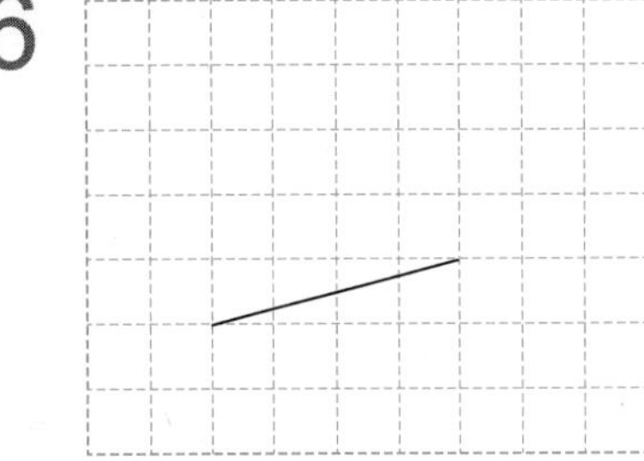

7

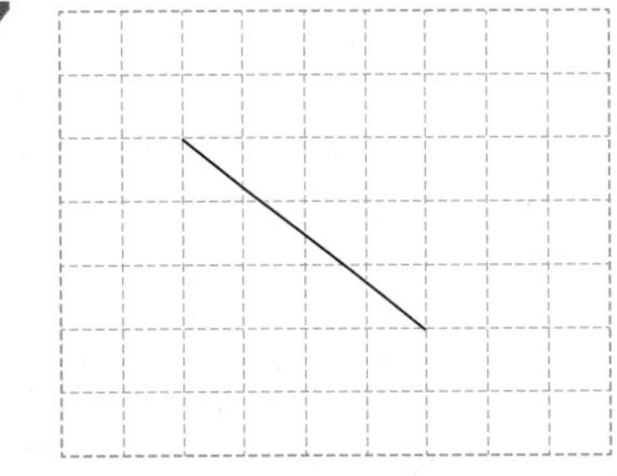

8

11 평행사변형 알아보기

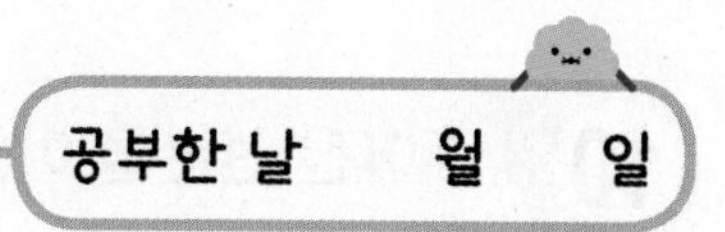

공부한 날 월 일

✱ 평행사변형이면 ○표, 아니면 ×표 하시오.

1
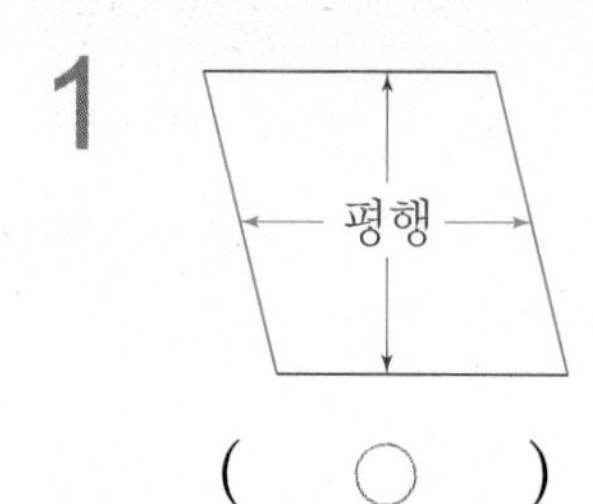

(○)

2
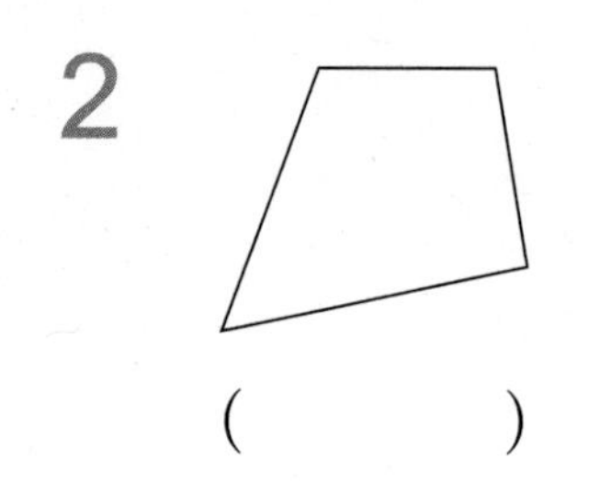

( )

3
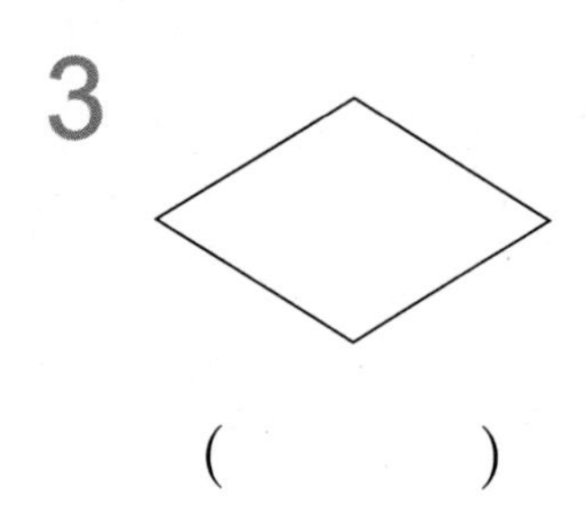

( )

4
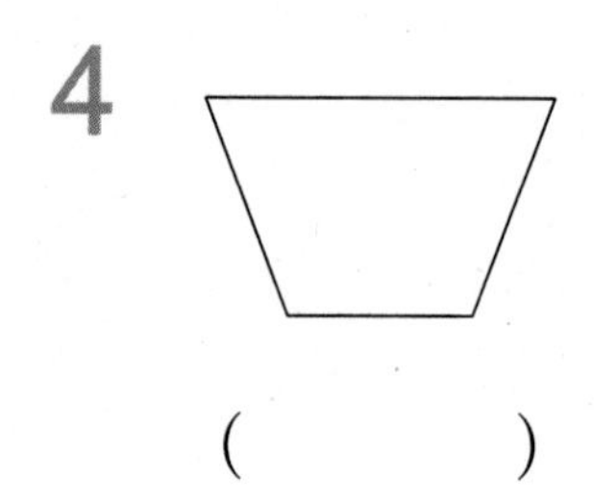

( )

5

( )

6
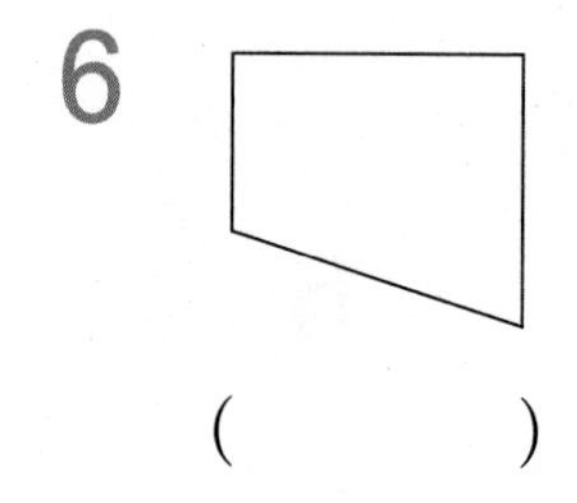

( )

7
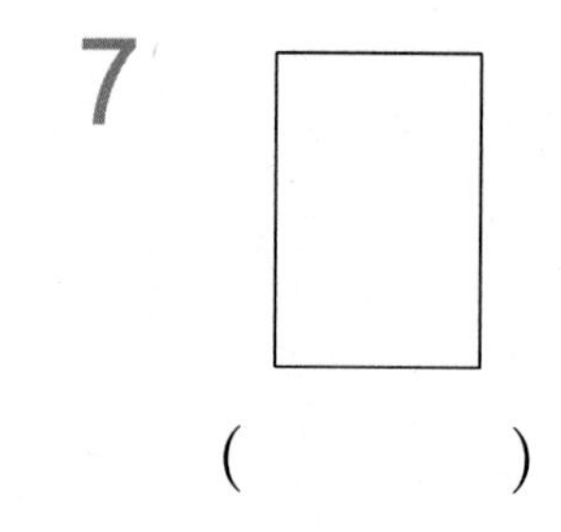

( )

8
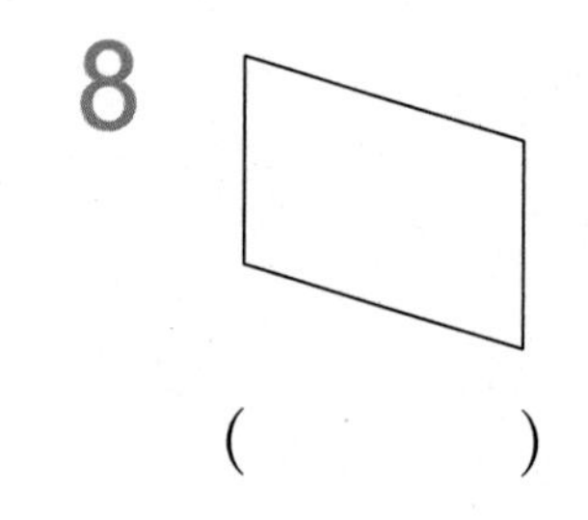

( )

9
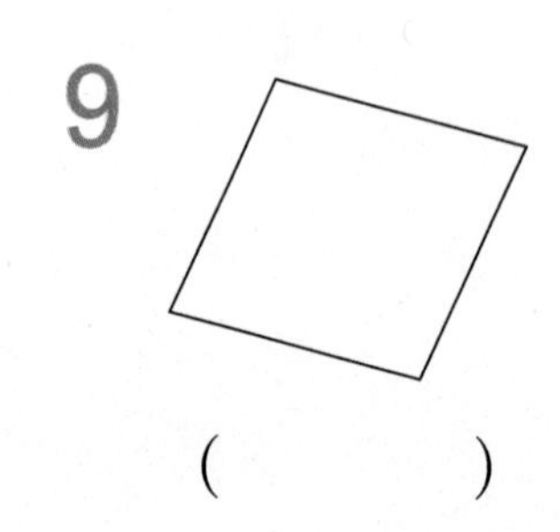

( )

10
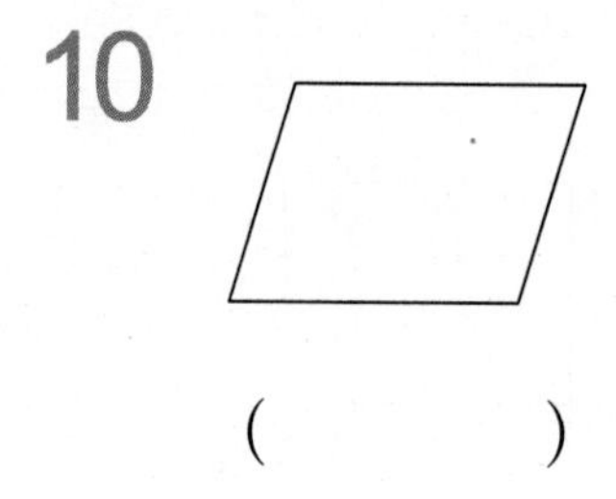

( )

11
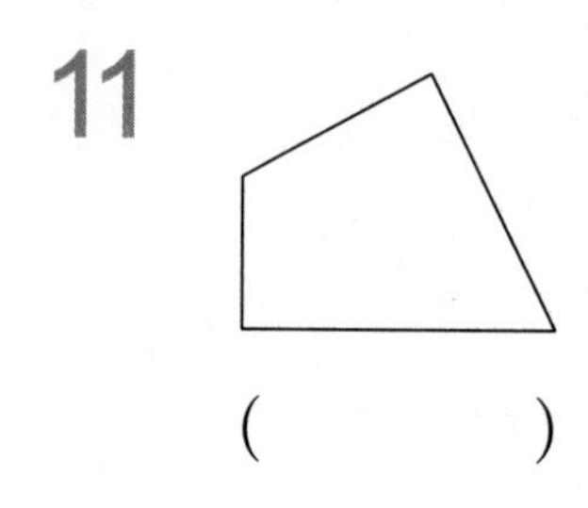

( )

12
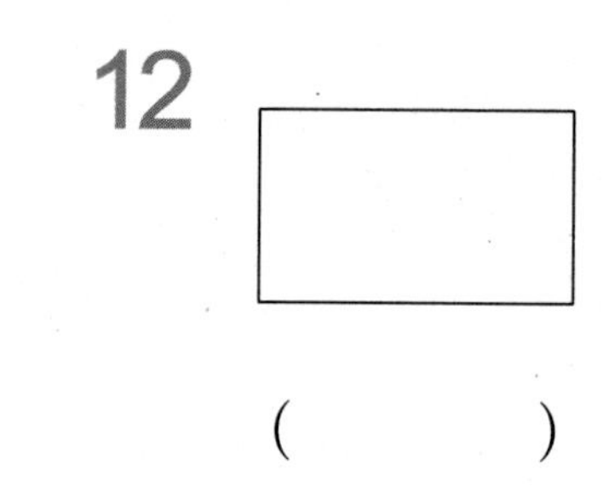

( )

13
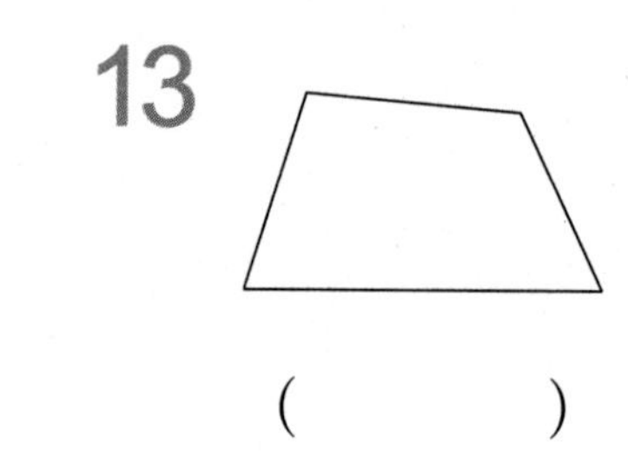

( )

14
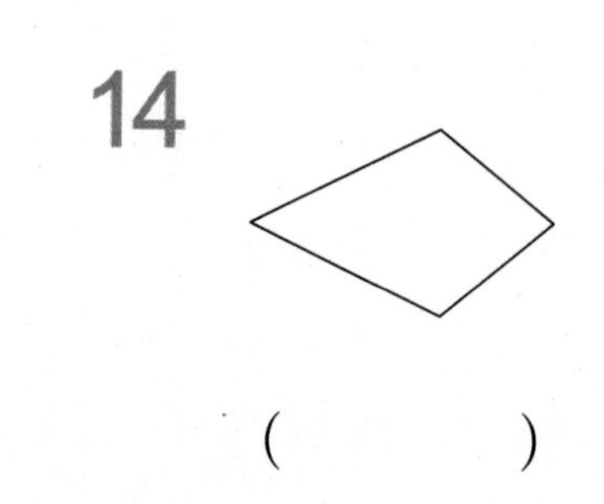

( )

12 주어진 선분을 이용하여 평행사변형 그리기

공부한 날 월 일

평행사변형을 완성해 보시오.

1

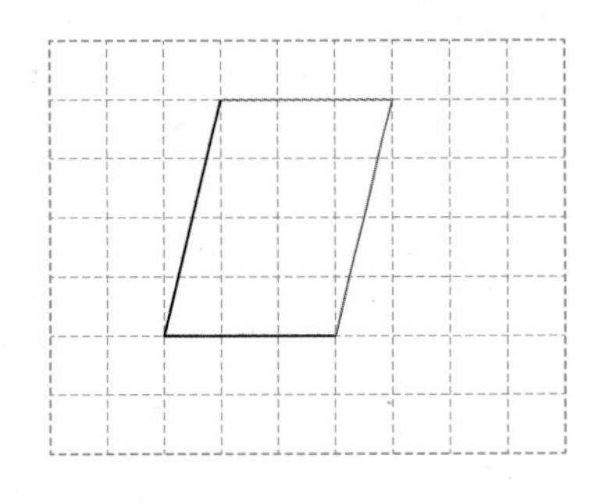

마주 보는 두 쌍의 변이 서로 평행한 사각형을 그려 봐.

2

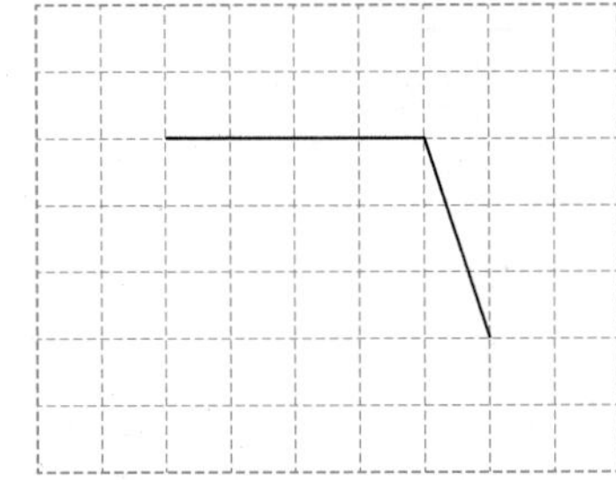

3

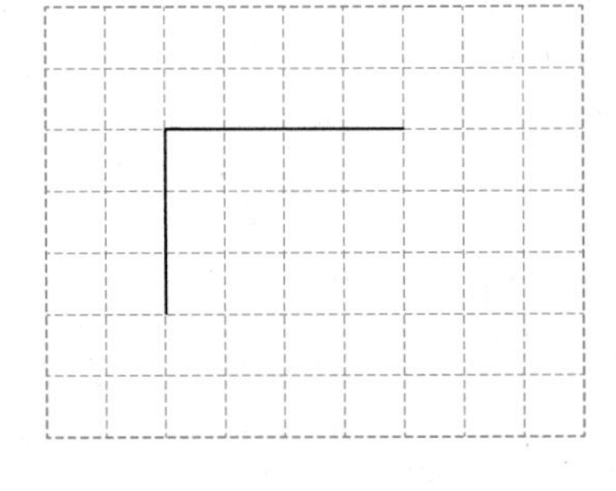

4

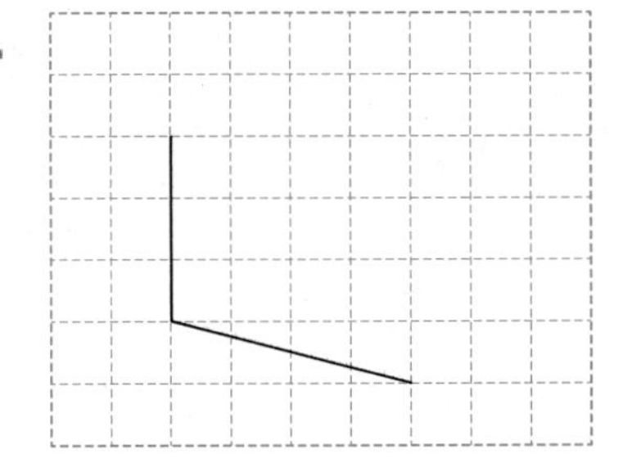

5

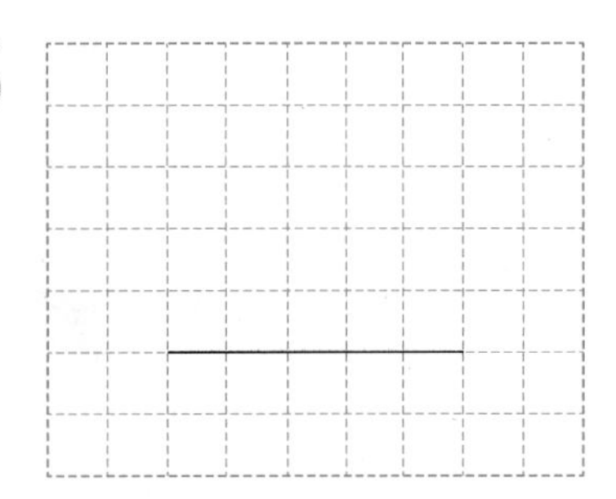

6

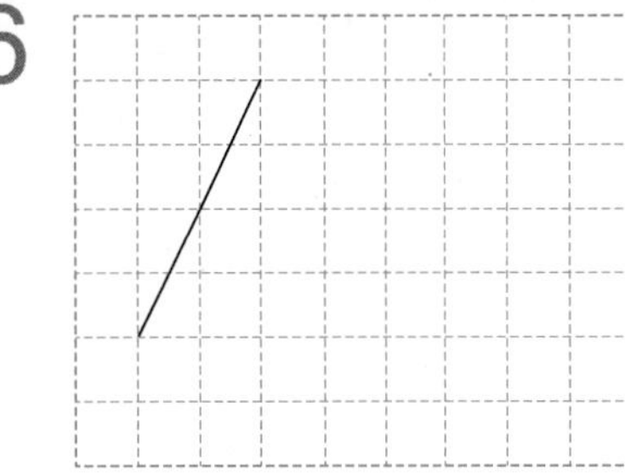

7

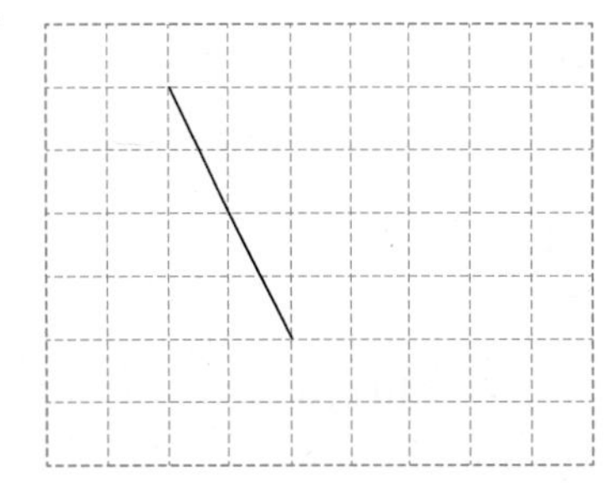

8

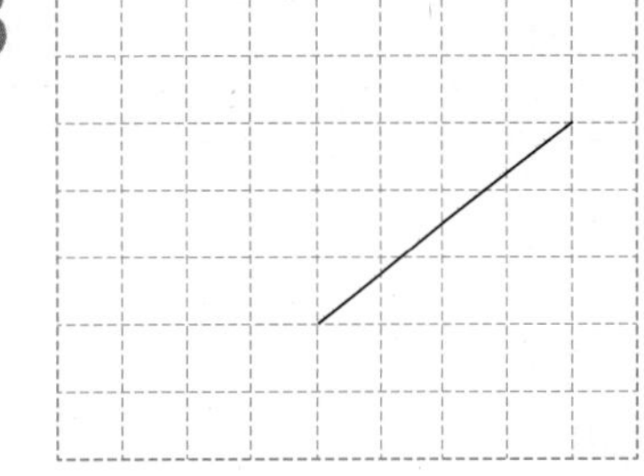

13 평행사변형의 성질 알아보기(1)

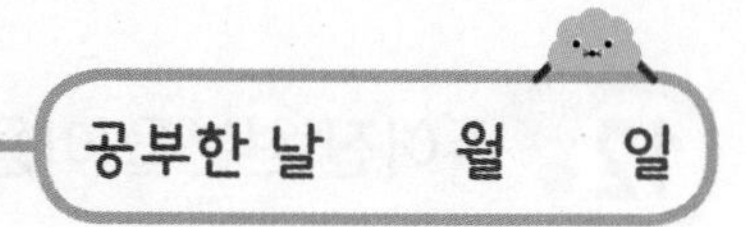

✹ 평행사변형입니다. □ 안에 알맞은 수를 써넣으시오.

1

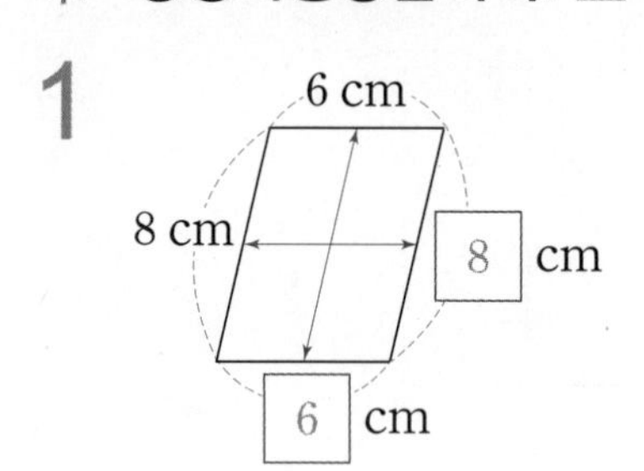

6

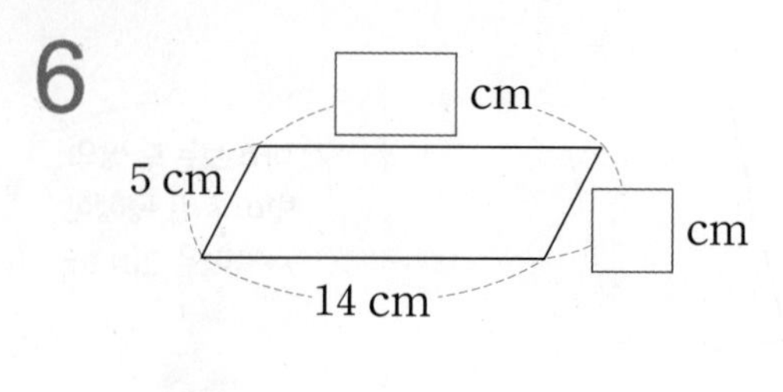

2

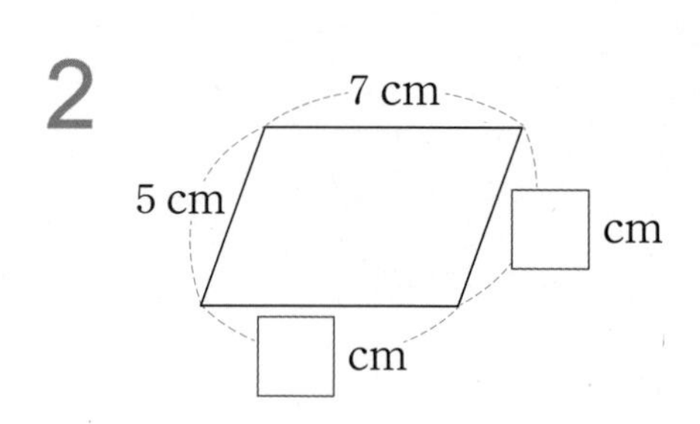

7

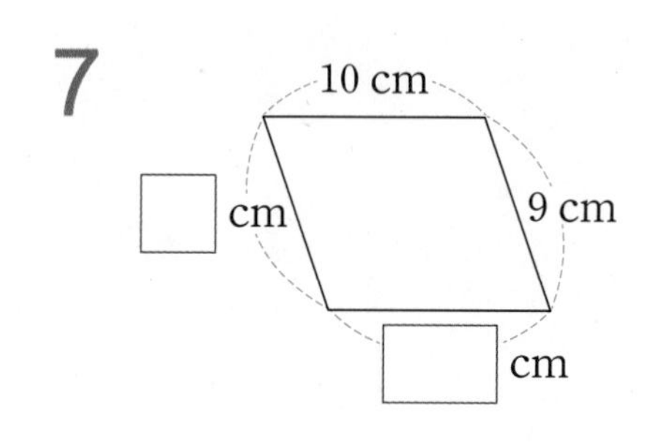

3

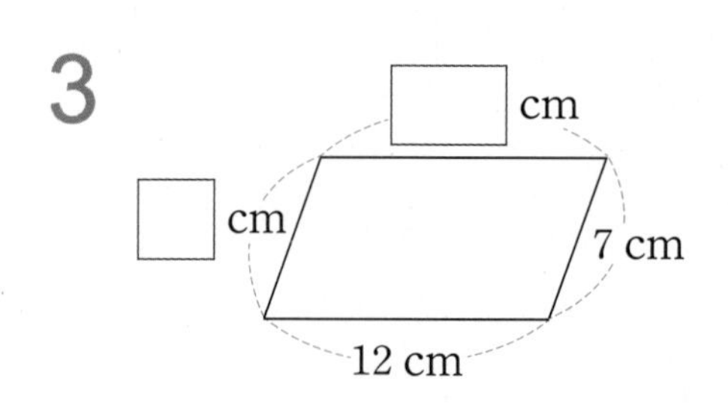

8

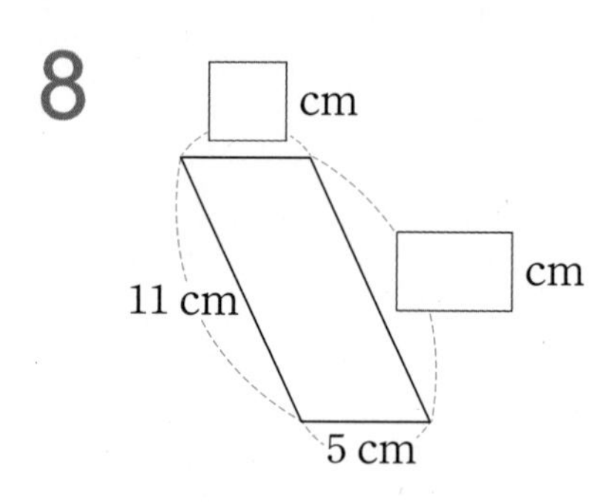

4

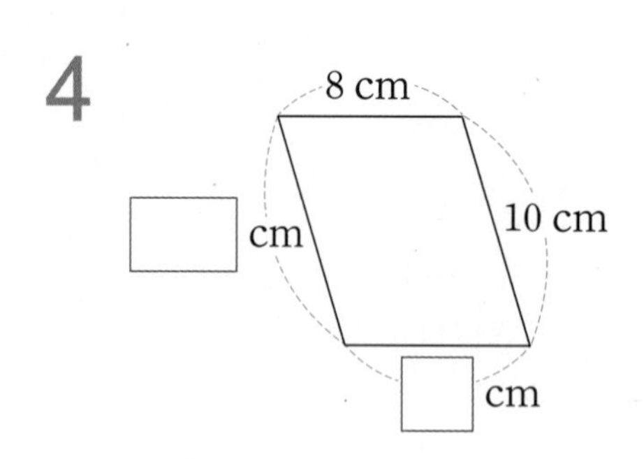

9

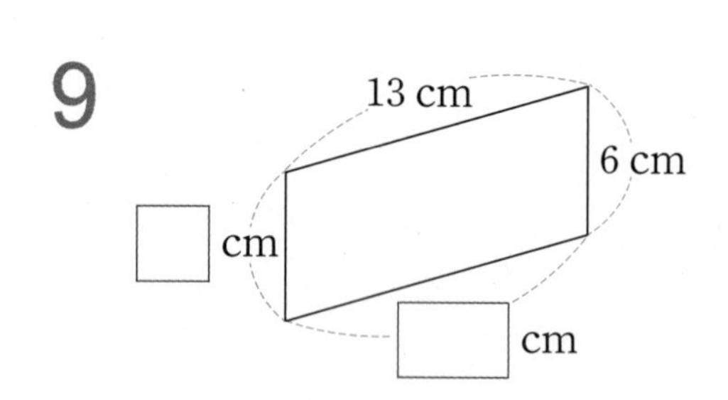

5

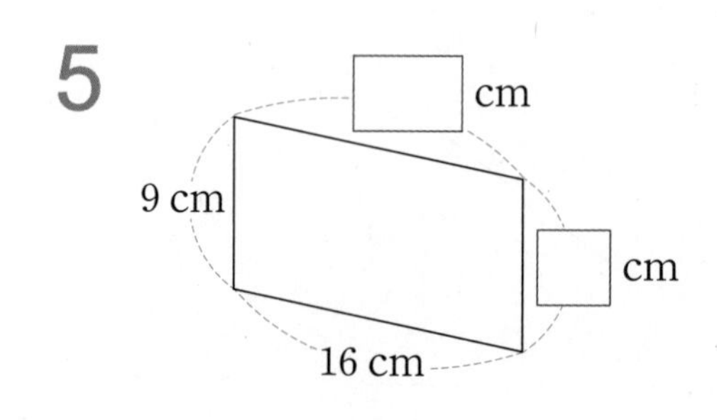

10

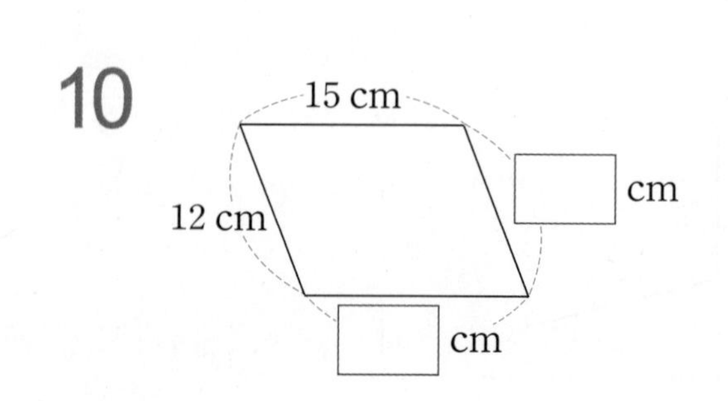

평행사변형의 성질 알아보기(2)

공부한 날 월 일

평행사변형입니다. □ 안에 알맞은 수를 써넣으시오.

1

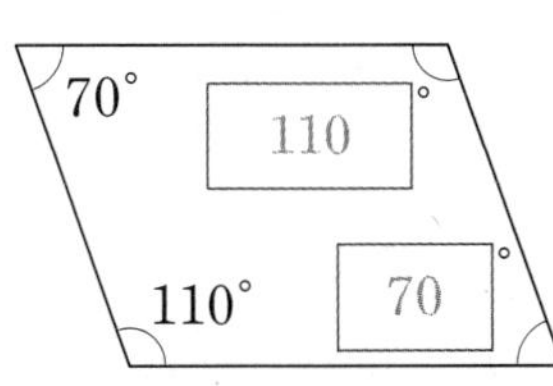

2

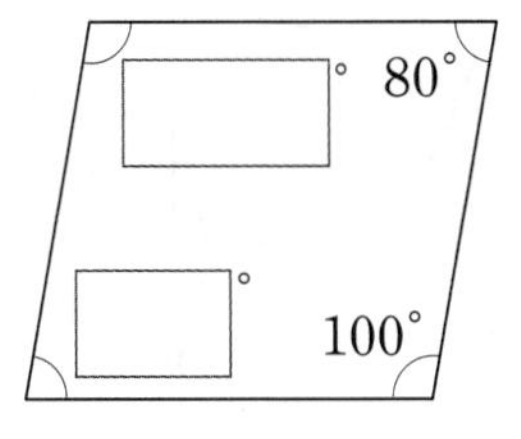

3

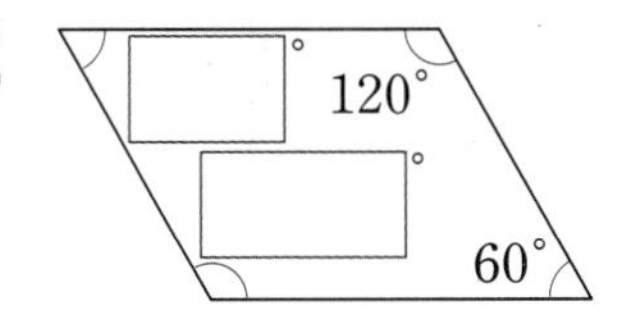

4

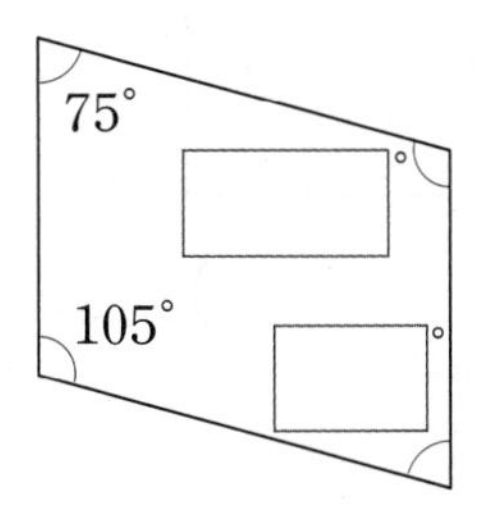

5

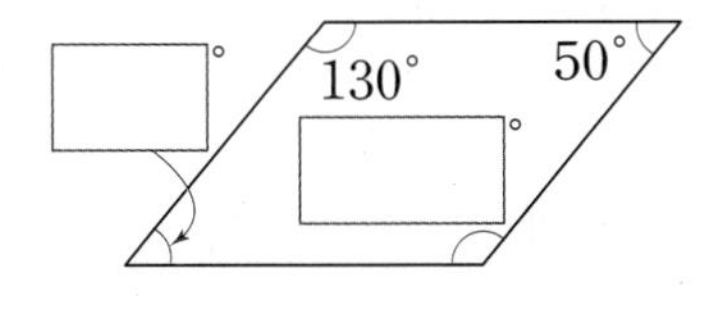

6

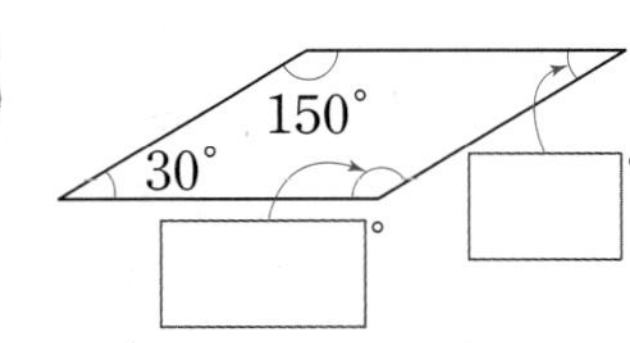

7

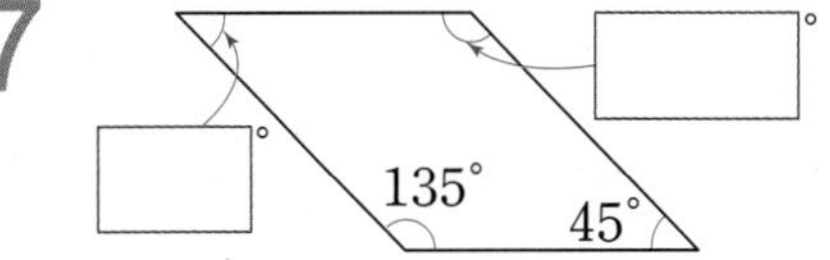

8

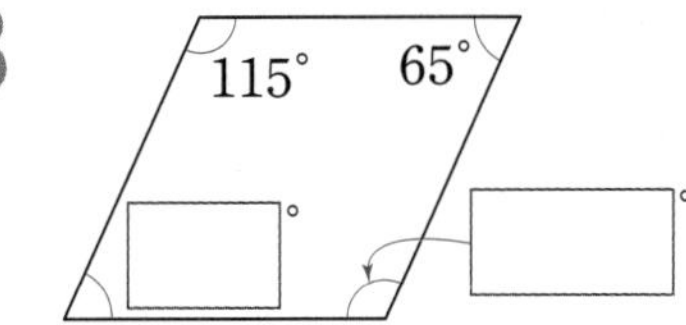

9

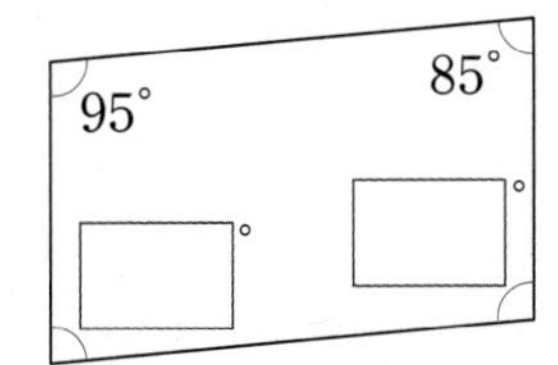

10

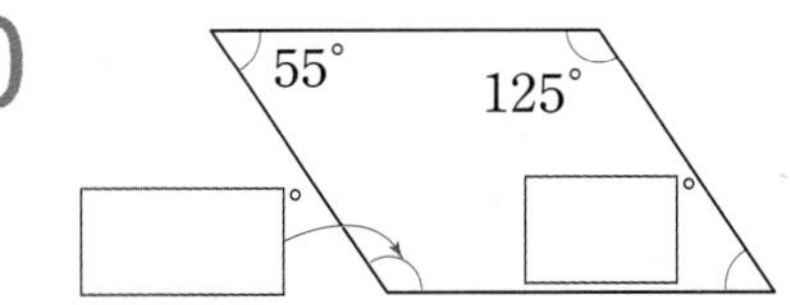

15 마름모 알아보기

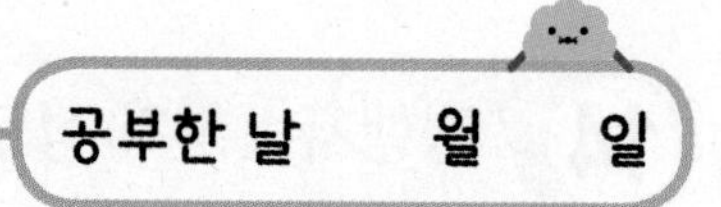

✹ 마름모이면 ○표, 아니면 ×표 하시오.

1
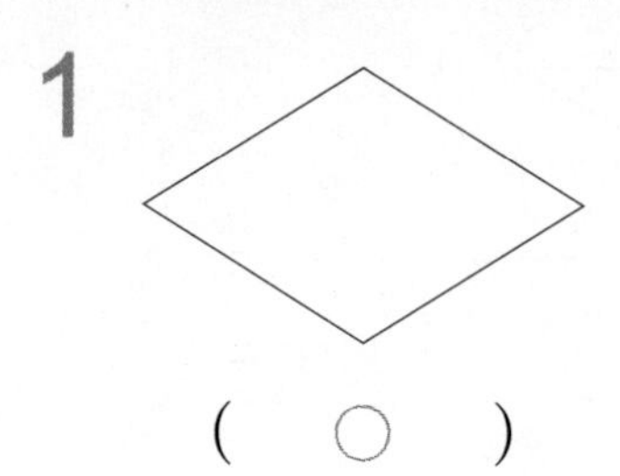
(○)

2
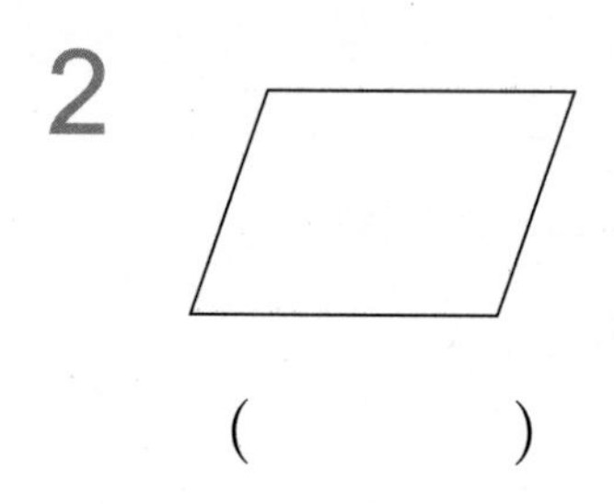
(　　　)

3
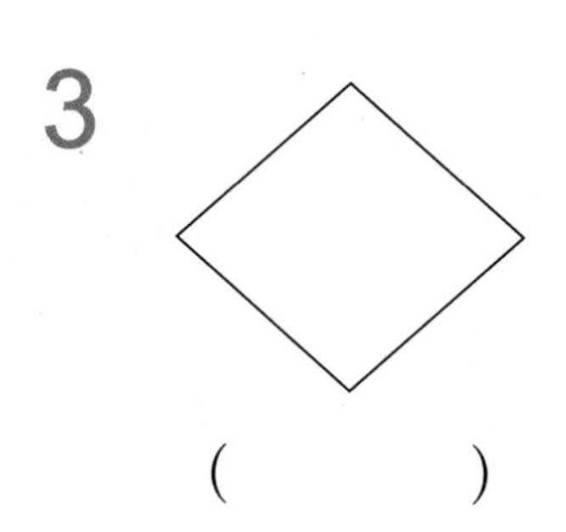
(　　　)

4
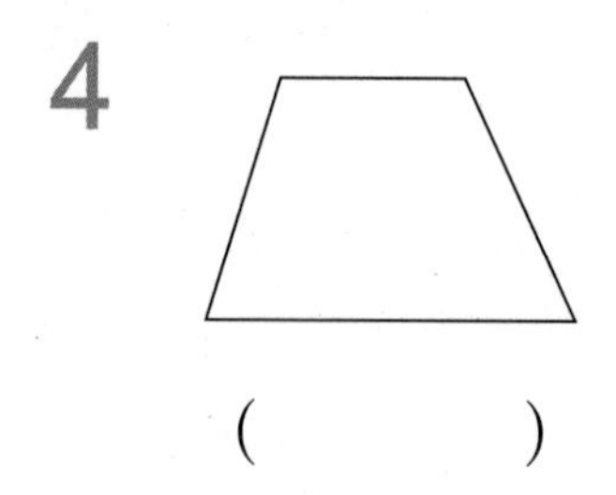
(　　　)

5
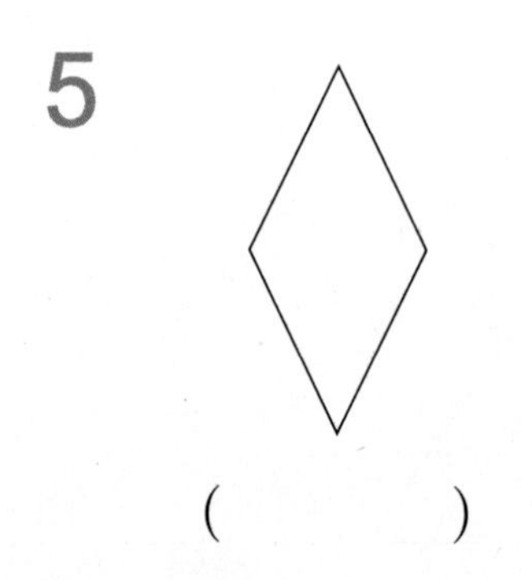
(　　　)

6
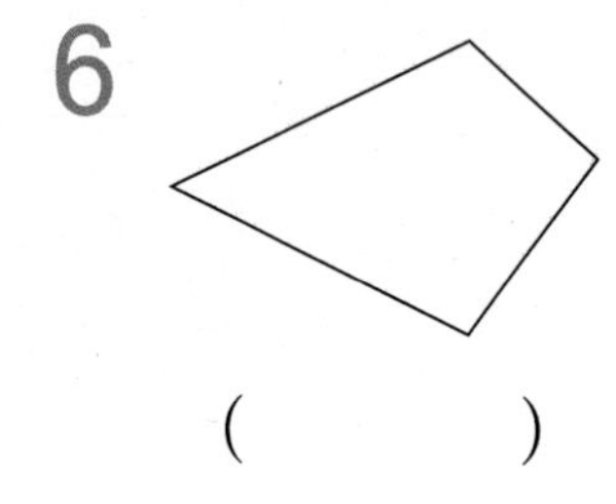
(　　　)

7
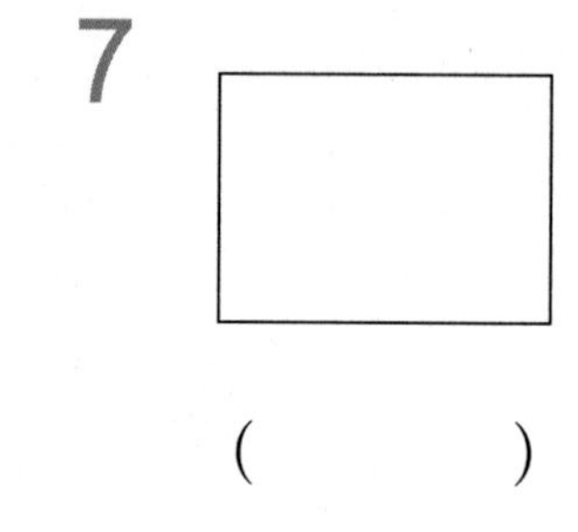
(　　　)

8
(　　　)

9
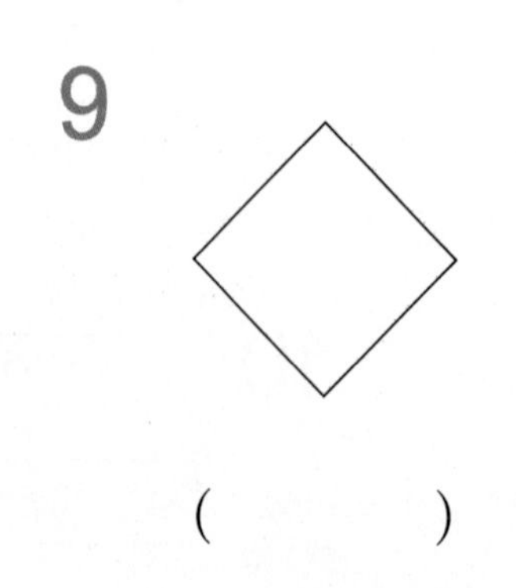
(　　　)

10
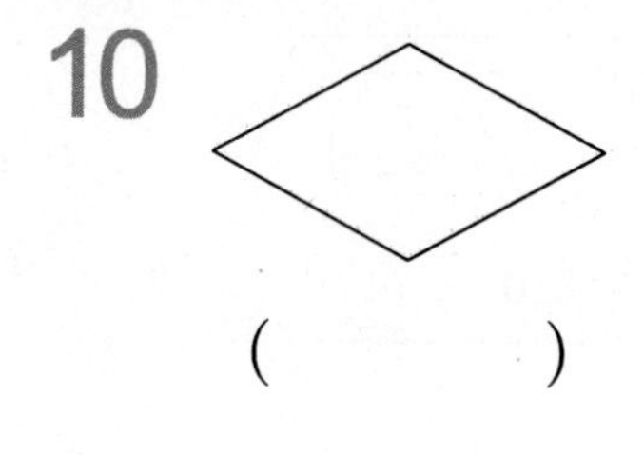
(　　　)

11
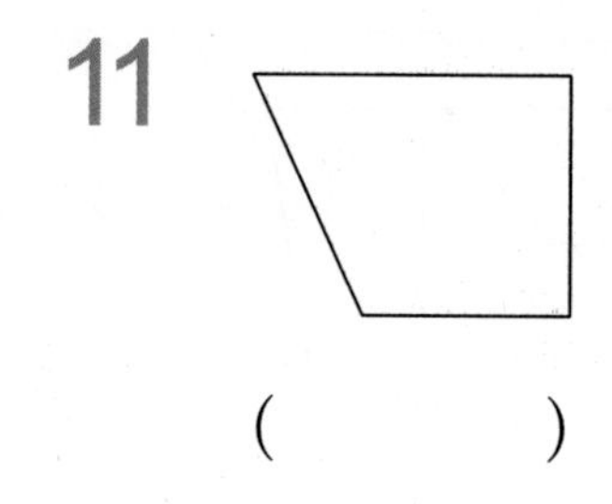
(　　　)

12
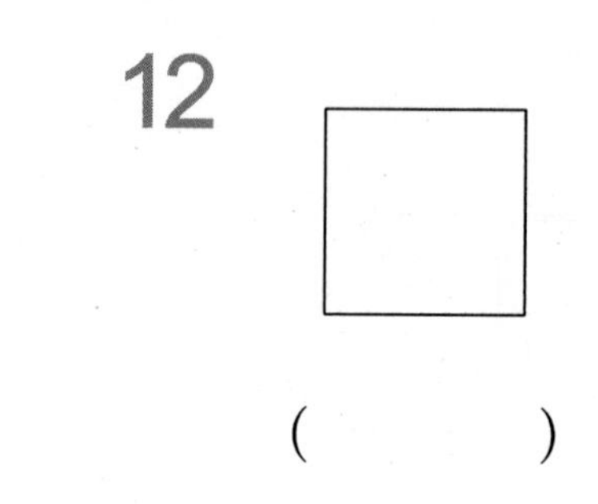
(　　　)

13
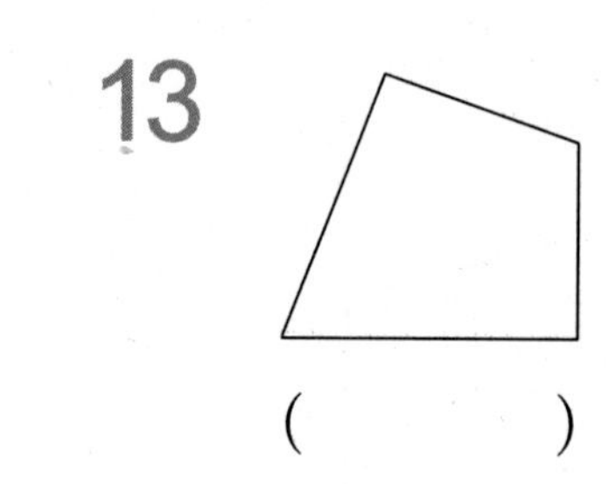
(　　　)

14
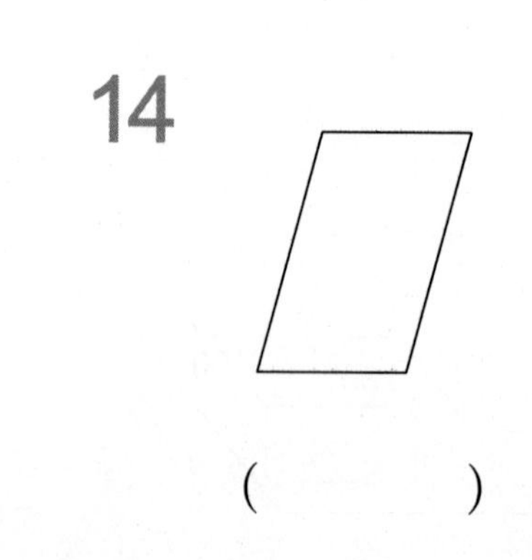
(　　　)

공부한 날 월 일

✱ 마름모를 완성해 보시오.

1

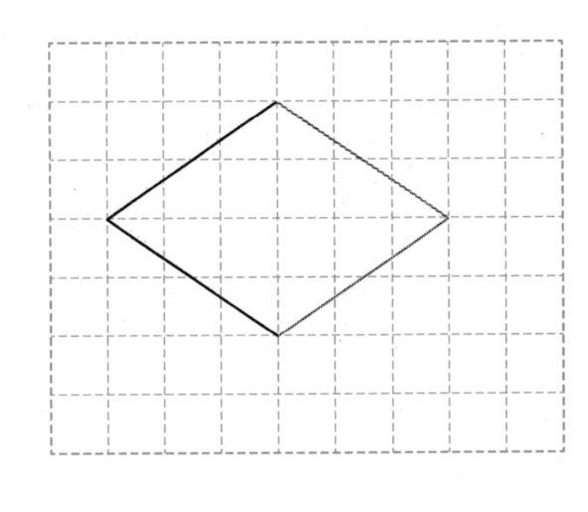

5

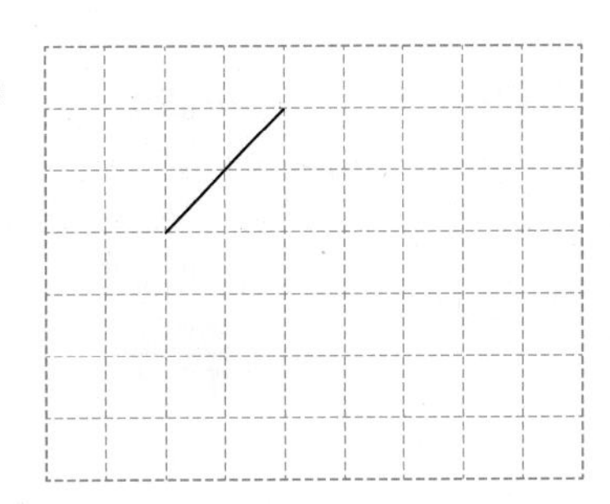

2

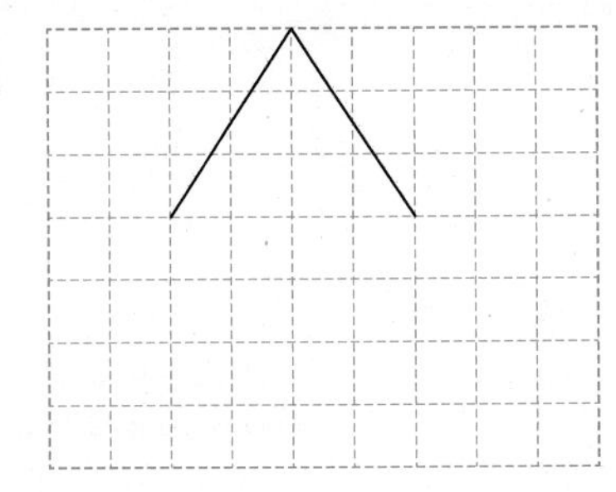

6

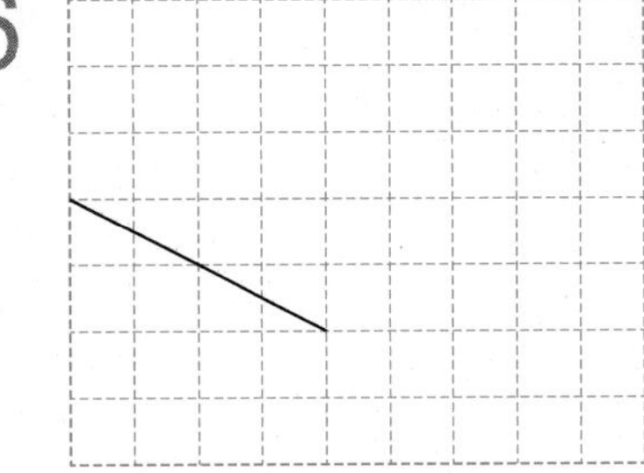

3

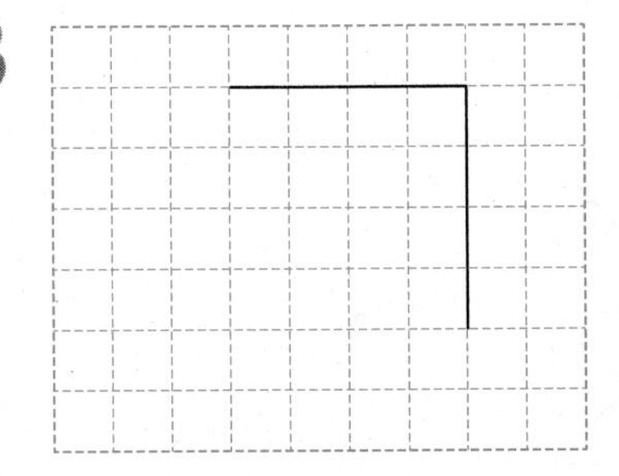

7

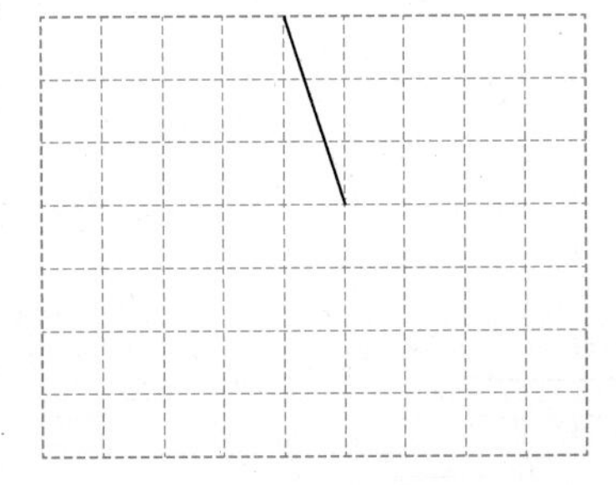

4

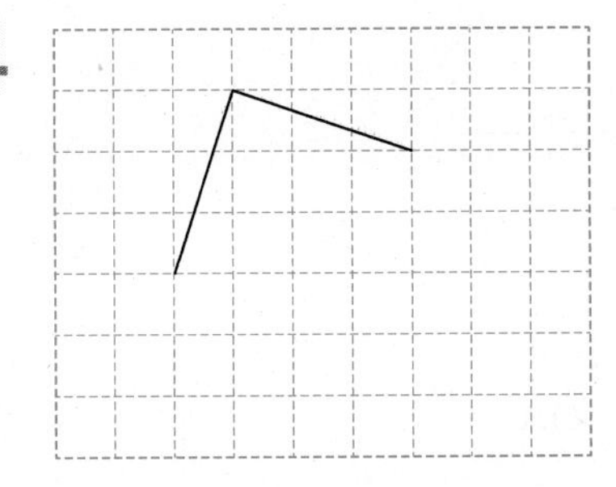

8

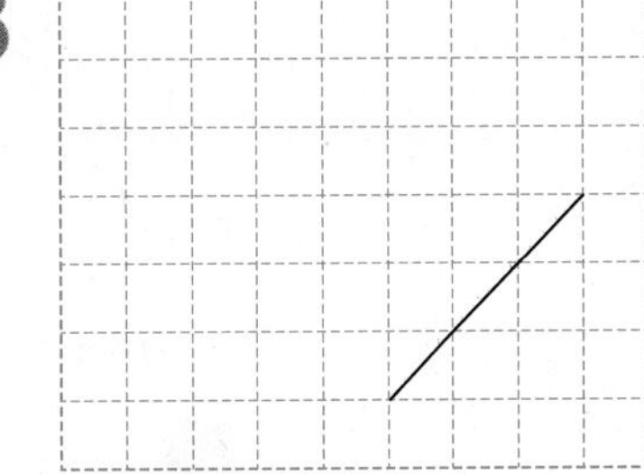

17 마름모의 성질 알아보기

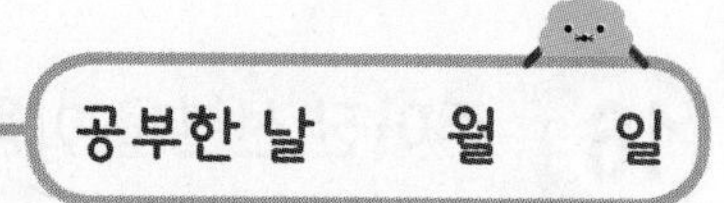

✹ 마름모입니다. □ 안에 알맞은 수를 써넣으시오.

1

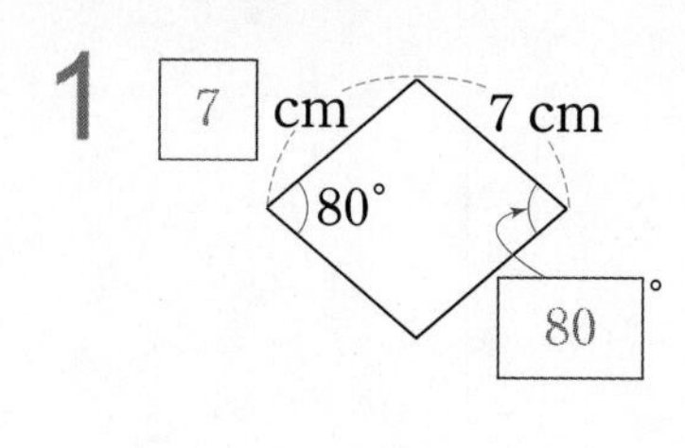

2

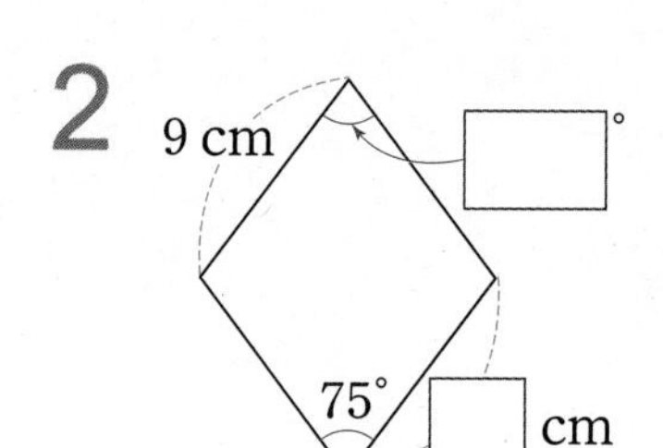

3

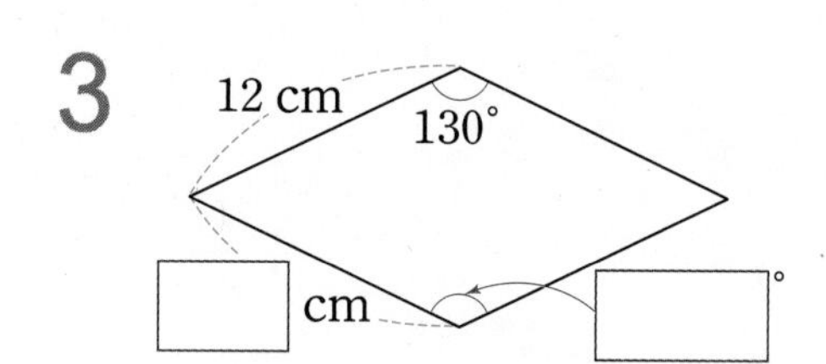

4

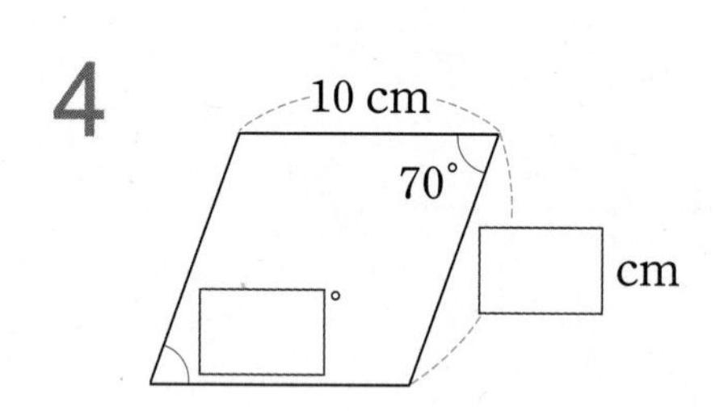

5

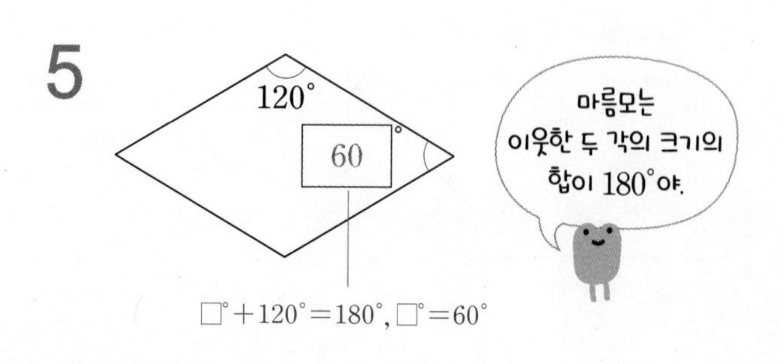

6

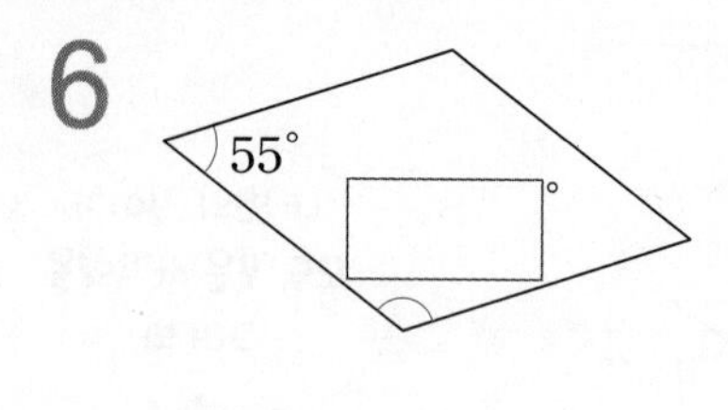

7

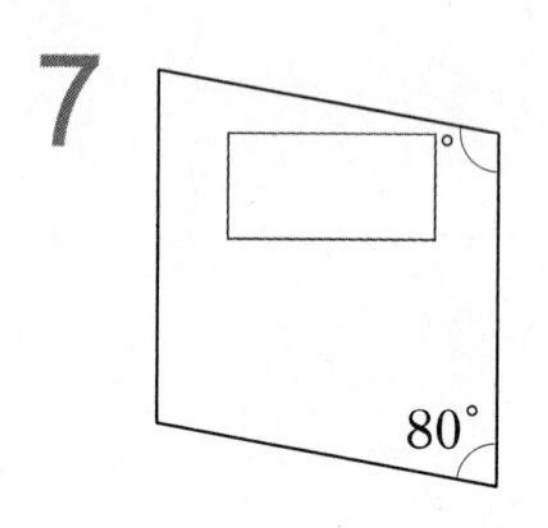

8

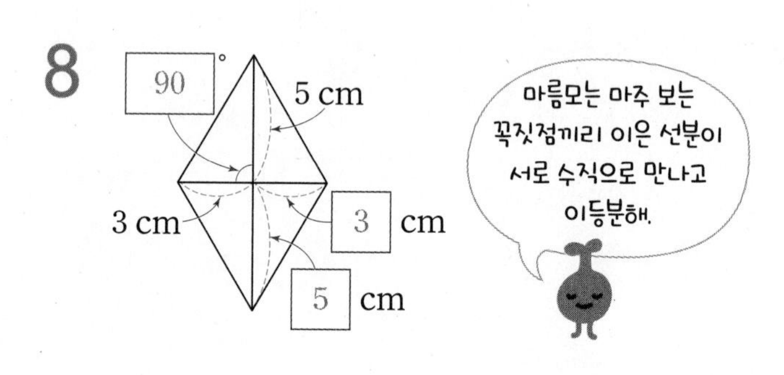

9

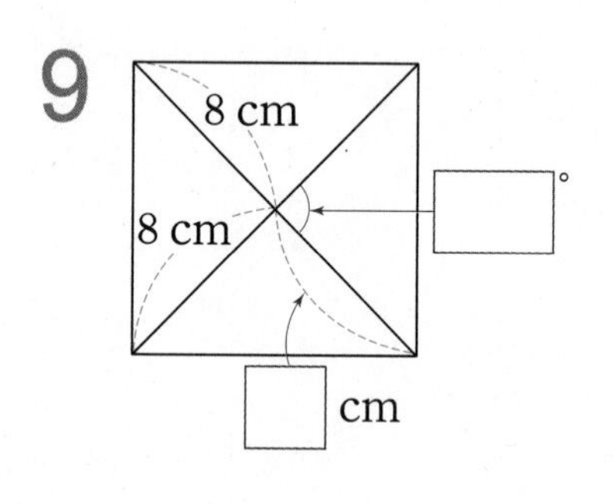

10

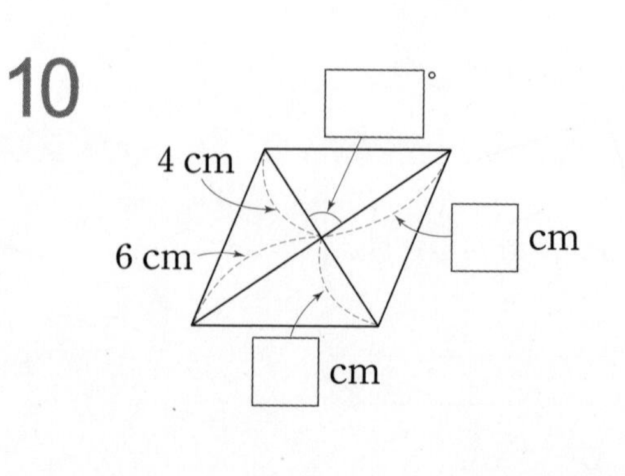

사각형을 보고 물음에 답하시오.

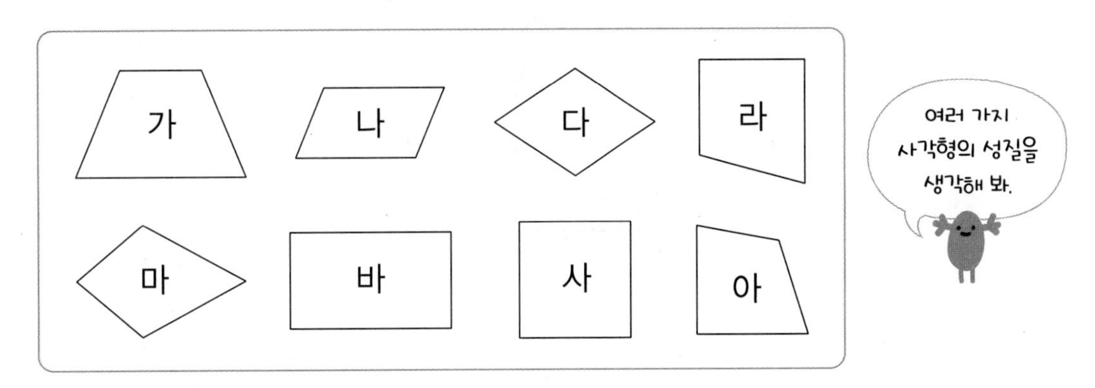

1 사다리꼴을 모두 찾아 기호를 쓰시오.
└ 평행한 변이 한 쌍이라도 있는 사각형

(가, 나, 다, 라, 바, 사)

2 평행사변형을 모두 찾아 기호를 쓰시오.

( )

3 마름모를 모두 찾아 기호를 쓰시오.

( )

4 직사각형을 모두 찾아 기호를 쓰시오.

( )

5 정사각형을 찾아 기호를 쓰시오.

( )

1 직선 가와 수직인 직선을 모두 찾아 쓰시오.

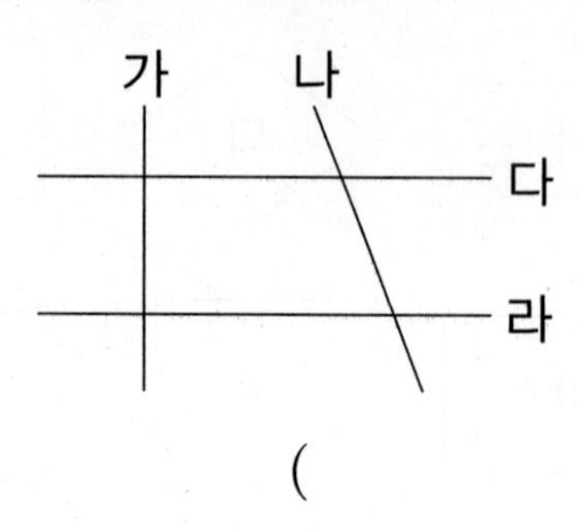

(   )

• 두 직선이 만나서 이루는 각이 직각일 때, 두 직선은 서로 수직이라고 합니다.

2 직사각형에서 서로 평행한 변을 모두 찾아보시오.

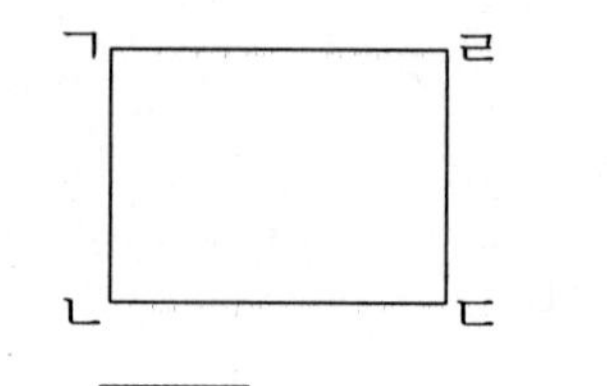

변 ㄱㄹ과 변 ☐, 변 ㄱㄴ과 변 ☐

• 서로 만나지 않는 두 직선을 평행하다고 합니다.

3 평행선 사이의 거리를 재어 보시오.

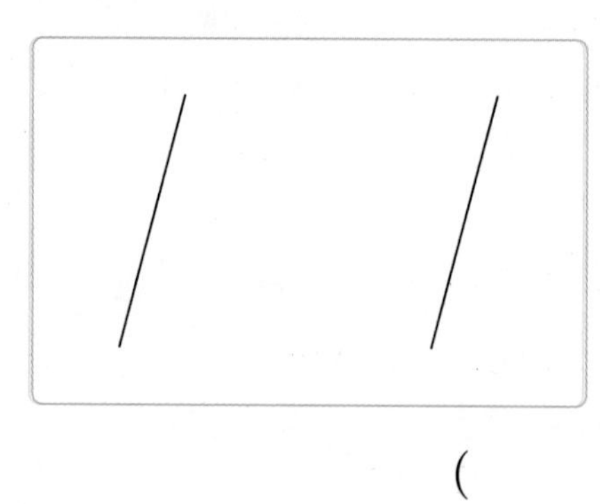

(   )

• 평행선의 한 직선에서 다른 직선에 수선을 긋고 그 길이를 재어 봅니다.

4 평행사변형입니다. ☐ 안에 알맞은 수를 써넣으시오.

(1)

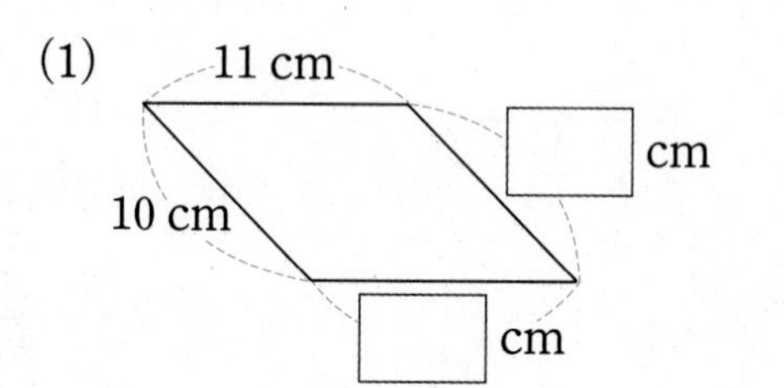

(2)

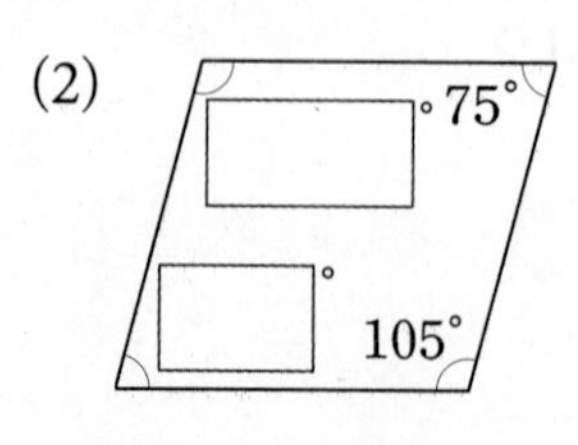

✹ **직사각형 모양 종이띠를 보고 물음에 답하시오. [5~10]**

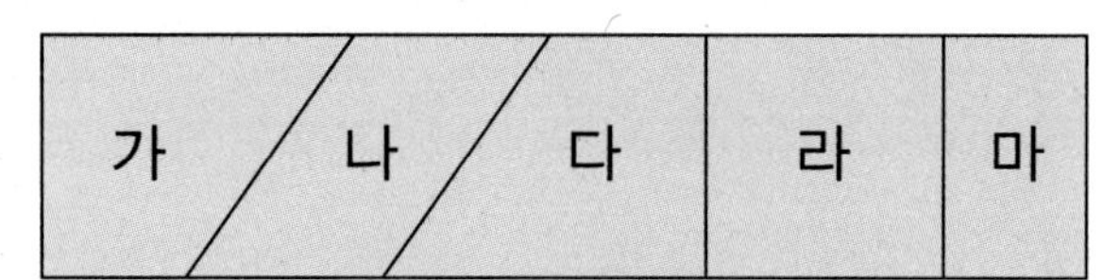

5 사다리꼴을 모두 찾아 기호를 쓰시오.

( )

• 평행한 변이 한 쌍이라도 있는 사각형을 사다리꼴이라고 합니다.

6 평행사변형을 모두 찾아 기호를 쓰시오.

( )

• 마주 보는 두 쌍의 변이 서로 평행한 사각형을 평행사변형이라고 합니다.

7 마름모를 찾아 기호를 쓰시오.

( )

• 마주 보는 네 변의 길이가 모두 같은 사각형을 마름모라고 합니다.

8 직사각형을 모두 찾아 기호를 쓰시오.

( )

• 직사각형은 네 각이 모두 직각입니다.

9 정사각형을 찾아 기호를 쓰시오.

( )

• 정사각형은 네 변의 길이가 모두 같고, 네 각이 모두 직각입니다.

10 도형 마는 마름모입니까? 그렇게 생각한 이유를 써 보시오.

답

이유

QR 코드를 찍어 보세요.
문제 생성기 새로운 문제를 계속 풀 수 있어요.

4 사각형

5 꺾은선그래프

제5화 추위를 타지 않는 우영이의 진실은?

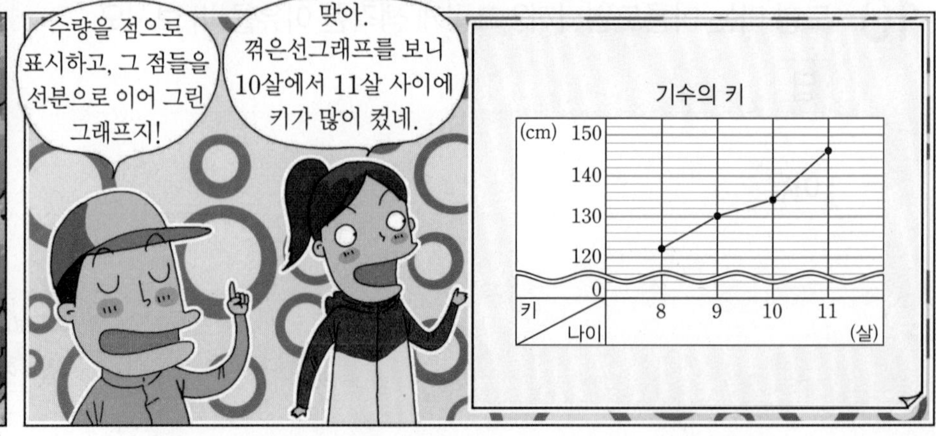

이미 배운 내용	이번에 배울 내용	앞으로 배울 내용
[3-2 자료의 정리] • 그림그래프 알아보기 • 그림그래프 그리기 [4-1 막대그래프] • 막대그래프 알아보기 • 막대그래프 그리기	• 꺾은선그래프 알아보기 • 꺾은선그래프의 내용 알아보기 • 꺾은선그래프 그리기 • 자료를 조사하여 꺾은선그래프를 그리기	[5-2 평균과 가능성] • 자료와 표현 [6-1 여러 가지 그래프] • 비율그래프 알아보기 • 비율그래프 그리기

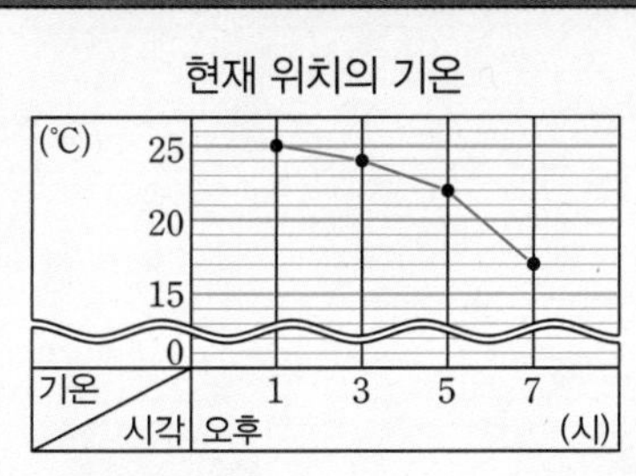

배운 것 확인하기

1 막대그래프 알아보기

✸ 재민이네 마을 4학년 학생들이 가 보고 싶은 산을 조사하여 나타낸 막대그래프입니다. 물음에 답하시오.

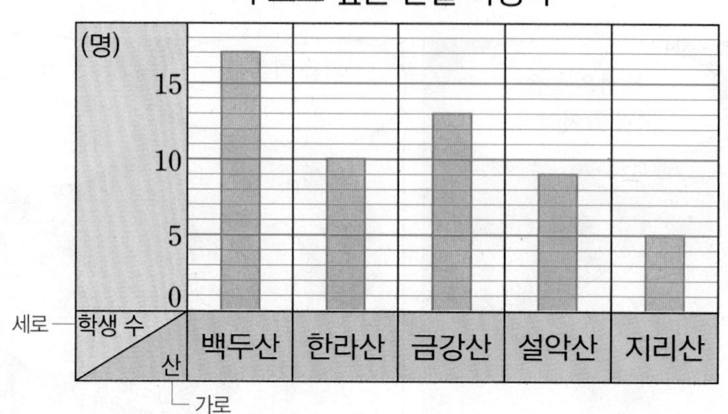

조사한 자료를 막대 모양으로 나타낸 그래프를 막대그래프라고 해.

1 가로와 세로는 각각 무엇을 나타냅니까?

가로 (산), 세로 (학생 수)

2 세로 눈금 한 칸은 몇 명을 나타냅니까?

( )

3 한라산을 가 보고 싶은 학생은 몇 명입니까?

( )

4 가장 많은 학생이 가 보고 싶은 산은 어디입니까?

( )

5 가장 적은 학생이 가 보고 싶은 산은 어디입니까?

( )

2 막대그래프 그리기

1 현수네 반 학생들이 좋아하는 꽃을 조사하여 나타낸 표입니다. 표를 보고 막대그래프로 나타내시오.

좋아하는 꽃별 학생 수

꽃	장미	백합	튤립	국화	해바라기	합계
학생 수(명)	11	8	6	2	5	32

좋아하는 꽃별 학생 수

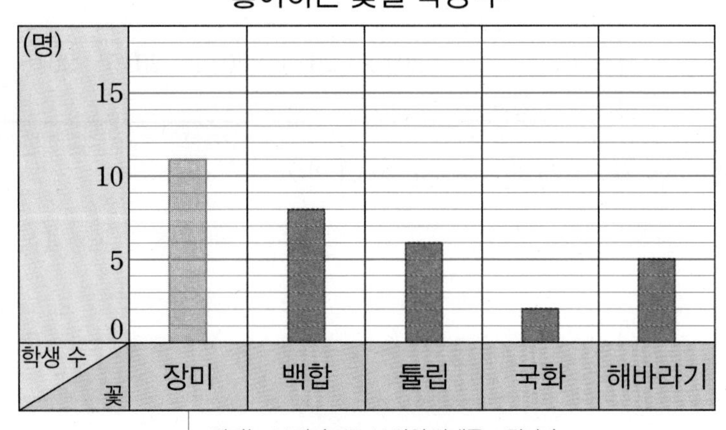

장미는 11명이므로 11칸인 막대를 그립니다.

좋아하는 꽃별 학생 수만큼 막대를 그려 봐.

2 근희네 반 학생들이 기르고 있는 동물을 조사하여 나타낸 표입니다. 표를 보고 막대그래프로 나타내시오.

기르고 있는 동물별 학생 수

동물	강아지	고양이	햄스터	물고기	병아리	합계
학생 수(명)	10	6	5	5	4	30

기르고 있는 동물별 학생 수

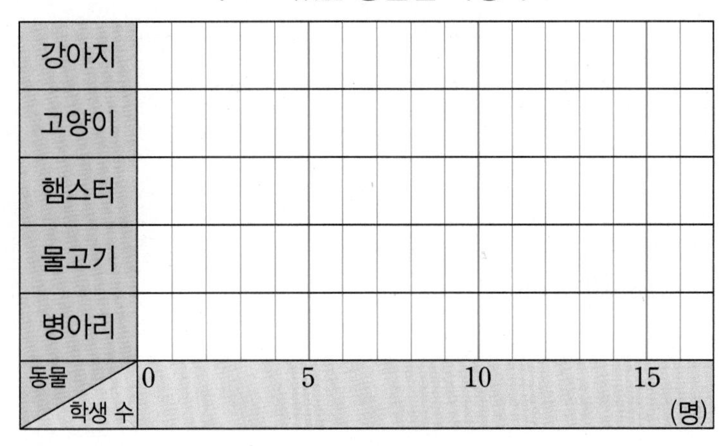

1 꺾은선그래프 알아보기(1)

✹ 어느 지역의 연도별 적설량을 나타낸 그래프입니다. 물음에 답하시오. [1~4]

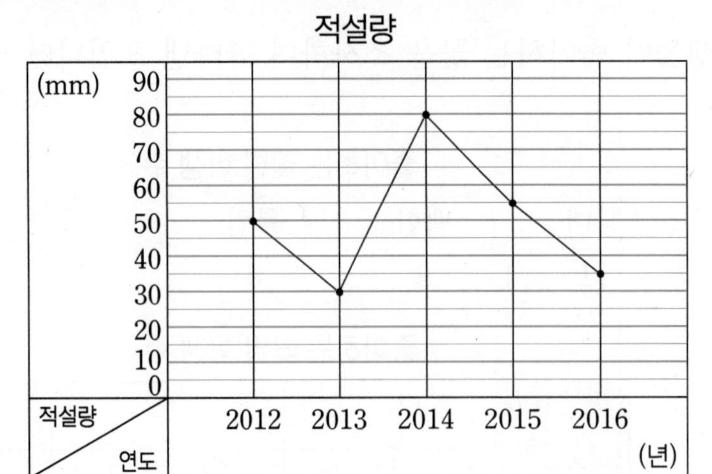

연도별 적설량을
점으로 표시하고,
그 점들을 선분으로 이어
그린 그래프야.

1 위와 같은 그래프를 무슨 그래프라고 합니까?

(꺾은선그래프)

수량을 점으로 표시하고, 그 점들을 선분으로 이어 그린 그래프

2 꺾은선그래프의 가로와 세로는 각각 무엇을 나타냅니까?

가로 ( )

세로 ( )

3 세로 눈금 한 칸은 몇 mm를 나타냅니까?

( )

4 꺾은선은 무엇을 나타냅니까?

( )

✸ 새롬이의 나이별 몸무게를 나타낸 그래프입니다. 물음에 답하시오. [5~8]

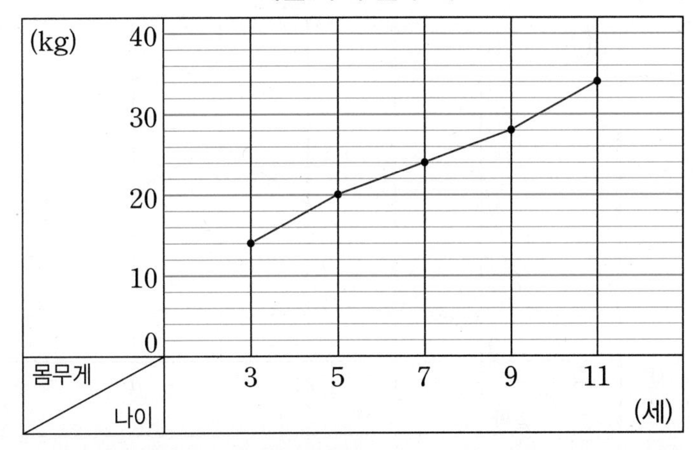

5 위와 같은 그래프를 무슨 그래프라고 합니까?

( )

6 꺾은선그래프의 가로와 세로는 각각 무엇을 나타냅니까?

가로 ( )

세로 ( )

7 세로 눈금 한 칸은 몇 kg을 나타냅니까?

( )

8 꺾은선은 무엇을 나타냅니까?

( )

2 꺾은선그래프 알아보기(2)

✸ **경표의 50 m 달리기 기록을 나타낸 꺾은선그래프입니다. 물음에 답하시오. [1~4]**

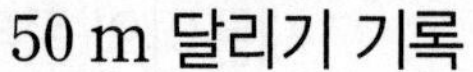

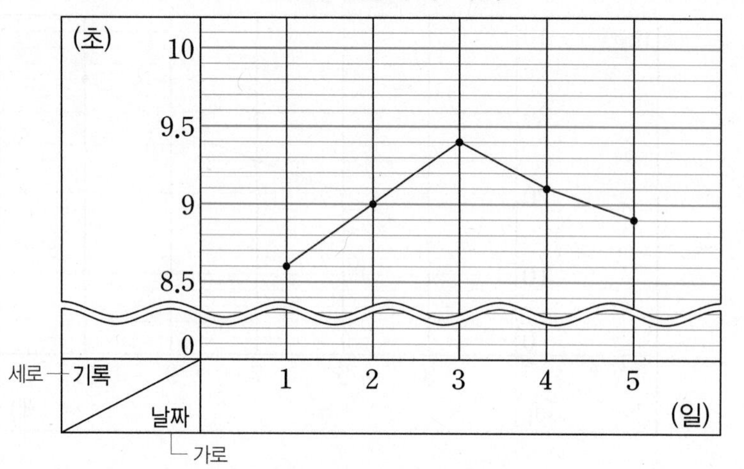

필요 없는 부분을 물결선(≈)으로 줄여서 그린 꺾은선그래프야.

1 꺾은선그래프의 가로와 세로는 각각 무엇을 나타냅니까?

가로 (날짜)
세로 (기록)

2 세로 눈금은 물결선 위로 몇부터 시작합니까?

(8.5 , 9)

3 세로 눈금 한 칸은 몇 초를 나타냅니까?

( )

4 꺾은선은 무엇을 나타냅니까?

( )

✷ 민수의 나이별 키를 나타낸 꺾은선그래프입니다. 물음에 답하시오. [5~8]

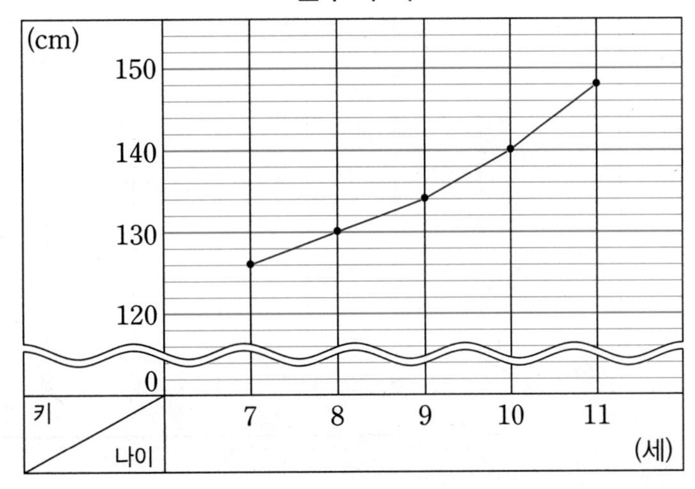

5 꺾은선그래프의 가로와 세로는 각각 무엇을 나타냅니까?

가로 ( )
세로 ( )

6 세로 눈금은 물결선 위로 몇부터 시작합니까?

(120 , 130)

7 세로 눈금 한 칸은 몇 cm를 나타냅니까?

( )

8 꺾은선은 무엇을 나타냅니까?

( )

3 꺾은선그래프의 내용 알기(1)

9월 어느 날 하루 기온을 나타낸 꺾은선그래프입니다. 물음에 답하시오. [1~5]

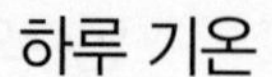

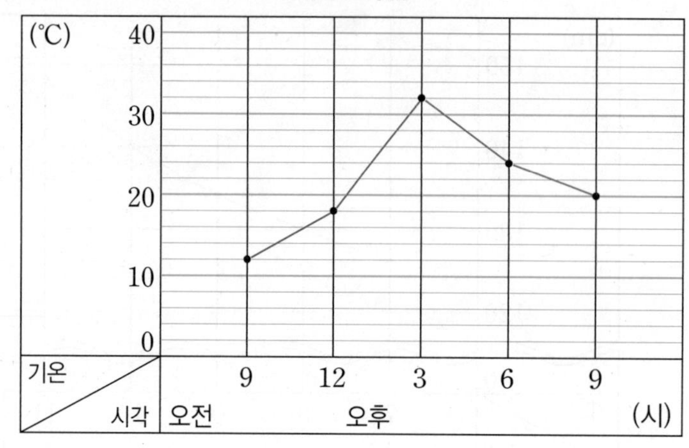

1 기온이 가장 높은 때는 몇 시입니까?

└ 점이 가장 높게 찍힌 때

(오후 3시)

2 기온이 가장 낮은 때는 몇 시입니까?

( )

3 낮 12시의 기온은 몇 ℃입니까?

( )

4 기온의 변화가 가장 많은 때는 몇 시와 몇 시 사이입니까?

( )

5 기온의 변화가 가장 적은 때는 몇 시와 몇 시 사이입니까?

( )

✹ 어느 피자 가게의 요일별 피자 판매량을 나타낸 꺾은선그래프입니다. 물음에 답하시오. [6~10]

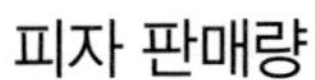

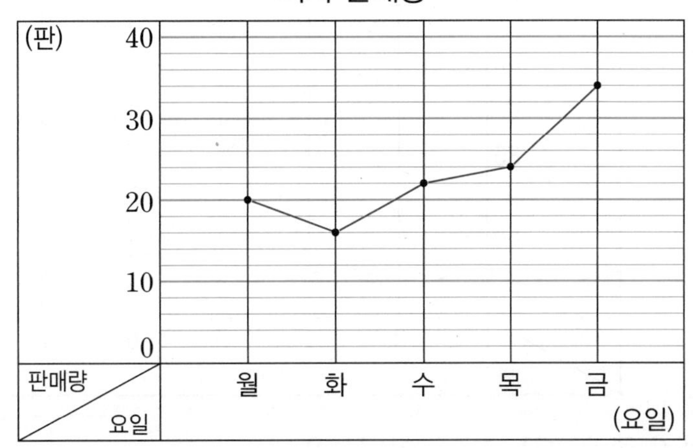

6 피자 판매량이 가장 많은 때는 무슨 요일입니까?

( )

7 피자 판매량이 가장 적은 때는 무슨 요일입니까?

( )

8 수요일의 피자 판매량은 몇 판입니까?

( )

9 피자 판매량의 변화가 가장 많은 때는 무슨 요일과 무슨 요일 사이입니까?

( )

10 피자 판매량의 변화가 가장 적은 때는 무슨 요일과 무슨 요일 사이입니까?

( )

4 꺾은선그래프 내용 알기(2)

✸ 혜미의 월별 줄넘기 최고 기록을 나타낸 꺾은선그래프입니다. 물음에 답하시오. [1~5]

줄넘기 최고 기록

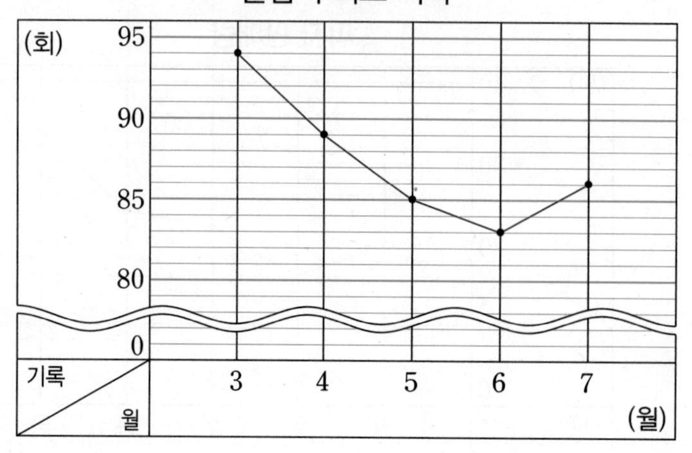

80보다 작은 값이 없기 때문에 세로 눈금이 물결선 위로 80부터 시작하도록 물결선을 사용하여 꺾은선그래프를 그렸어.

1 줄넘기 기록이 가장 좋은 때는 몇 월입니까?

└ 점이 가장 높게 찍힌 때

(3월)

2 줄넘기 기록이 가장 좋지 않은 때는 몇 월입니까?

( )

3 전달에 비해 줄넘기 기록이 좋아진 때는 몇 월입니까?

( )

4 줄넘기 기록의 변화가 가장 많은 때는 몇 월과 몇 월 사이입니까?

( )

5 줄넘기 기록의 변화가 가장 적은 때는 몇 월과 몇 월 사이입니까?

( )

✸ 소진이가 감기에 걸린 동안 매일 잰 체온을 나타낸 꺾은선그래프입니다. 물음에 답하시오. [6~10]

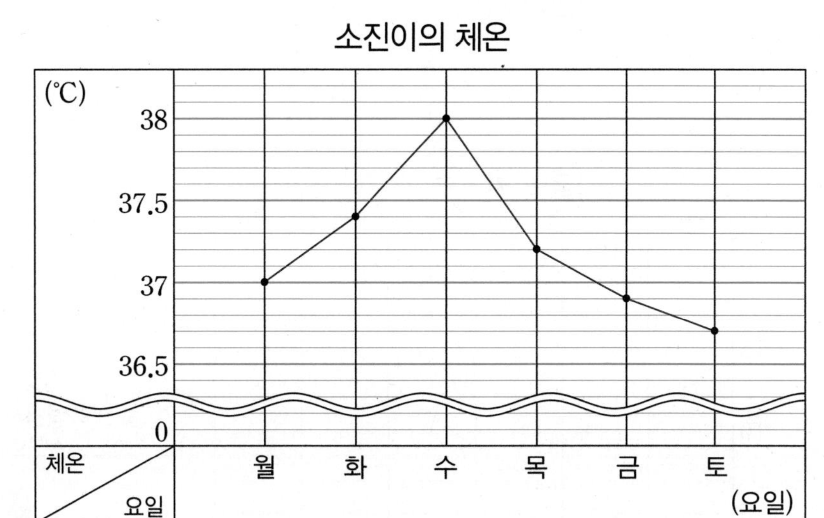

6 체온이 가장 높은 때는 무슨 요일입니까?

( )

7 체온이 가장 낮은 때는 무슨 요일입니까?

( )

8 체온의 변화가 가장 많은 때는 무슨 요일과 무슨 요일 사이입니까?

( )

9 체온의 변화가 가장 적은 때는 무슨 요일과 무슨 요일 사이입니까?

( )

10 목요일은 수요일보다 체온이 얼마나 떨어졌습니까?

( )

5 꺾은선그래프 그리기(1)

✸ 표를 보고 꺾은선그래프를 그려 보시오.

1

식물의 키

월	3	4	5	6	7
키(cm)	4	6	9	13	18

식물의 키

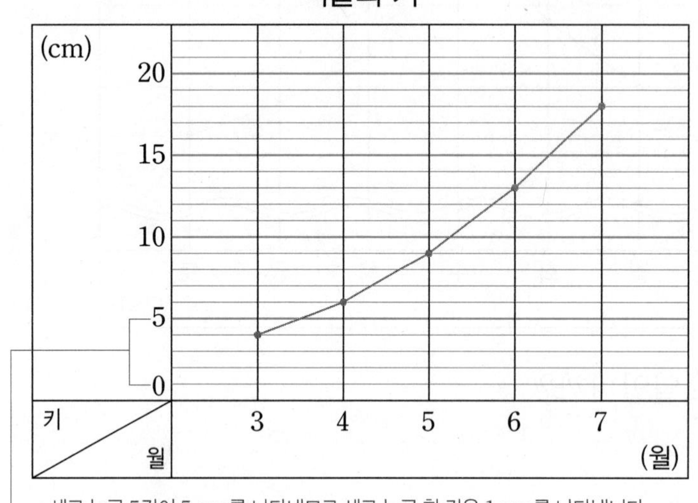

월별 식물의 키를 점으로 표시하고, 그 점들을 선분으로 이어 봐.

2

턱걸이 기록

날짜(일)	1	2	3	4	5
기록(회)	18	22	26	36	24

턱걸이 기록

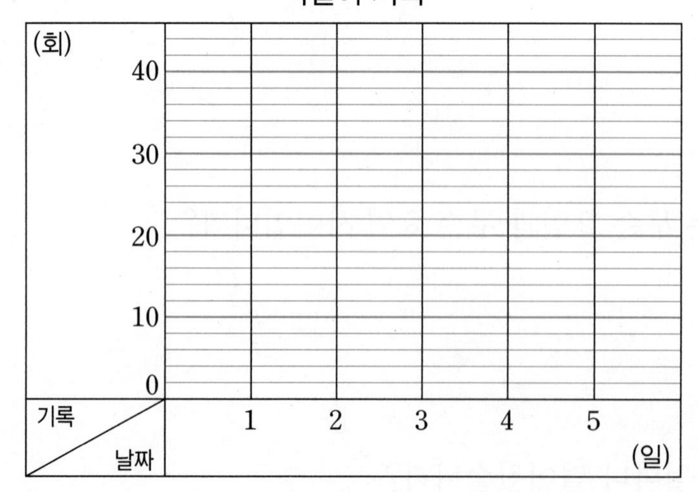

3

하루 중 최저 기온

날짜(일)	10	11	12	13	14
최저 기온(℃)	0.8	0.7	1.6	1.1	0.9

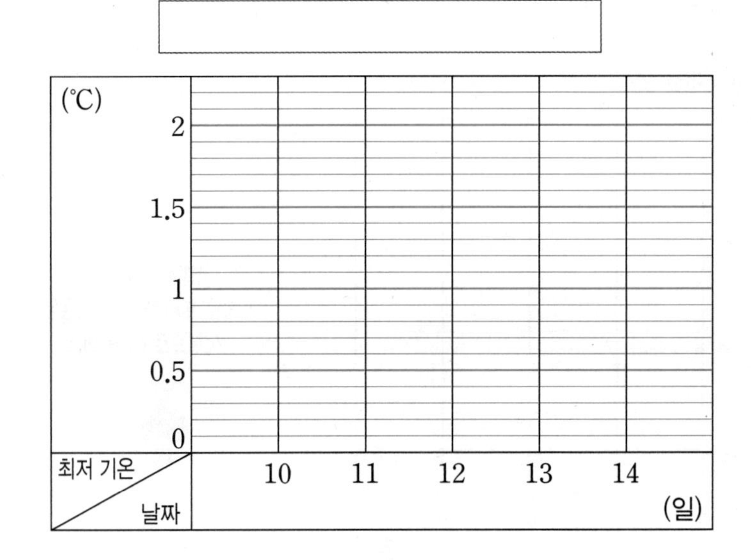

4

졸업생 수

연도(년)	2013	2014	2015	2016	2017
졸업생 수(명)	320	280	260	200	140

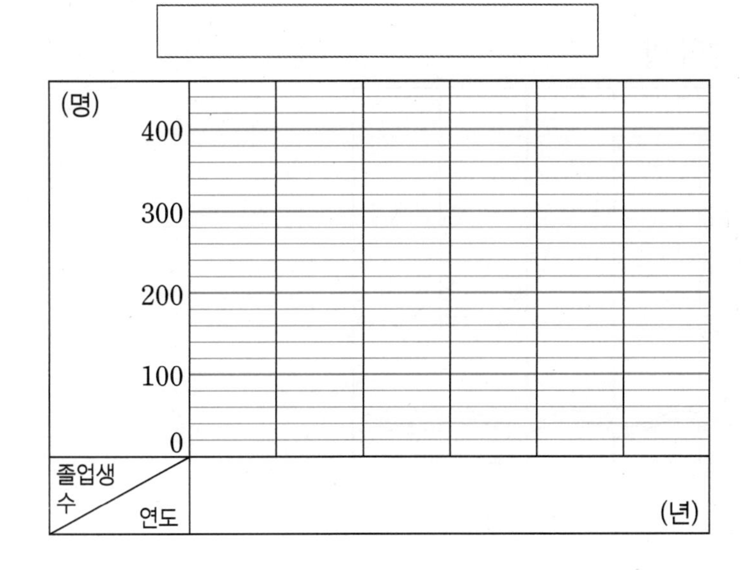

6 꺾은선그래프 그리기(2)

표를 보고 꺾은선그래프를 그려 보시오.

1

신생아 수

월	2	3	4	5	6
신생아 수(명)	52	60	56	78	54

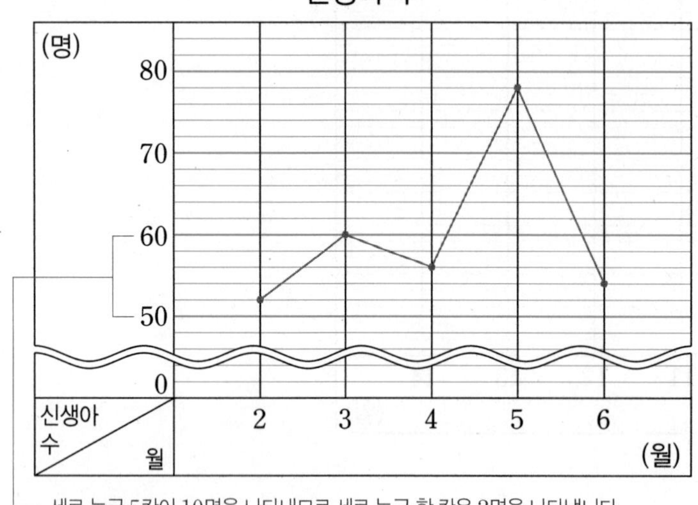

월별 신생아 수를 점으로 표시하고, 그 점들을 선분으로 이어 봐.

2

강수량

연도(년)	2013	2014	2015	2016	2017
강수량(mm)	980	1020	1100	1060	940

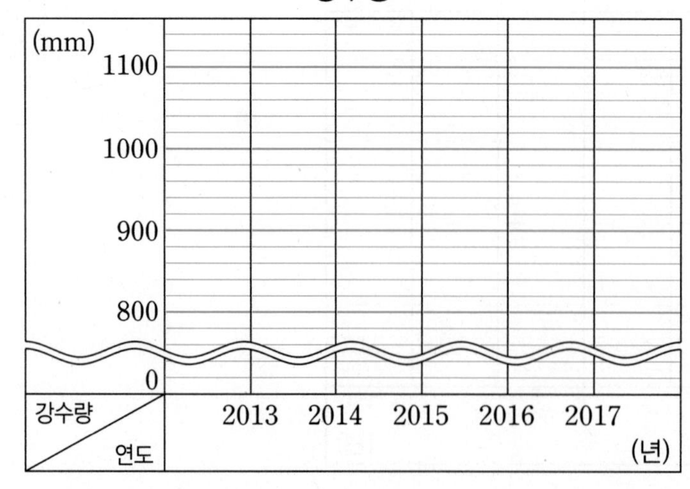

3

불량품 수

월	1	2	3	4	5
불량품 수(개)	440	380	350	330	320

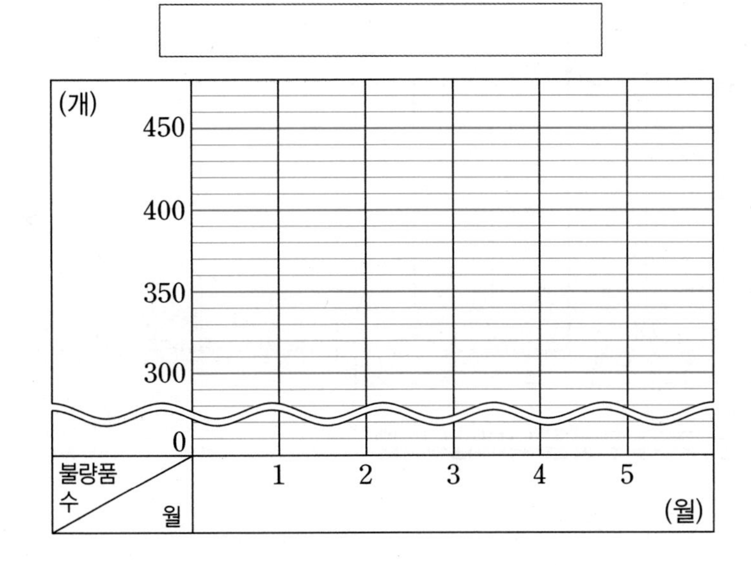

4

대회별 최고 기록

대회	1차	2차	3차	4차	5차
기록(초)	37.2	38.6	38.4	37.8	36.8

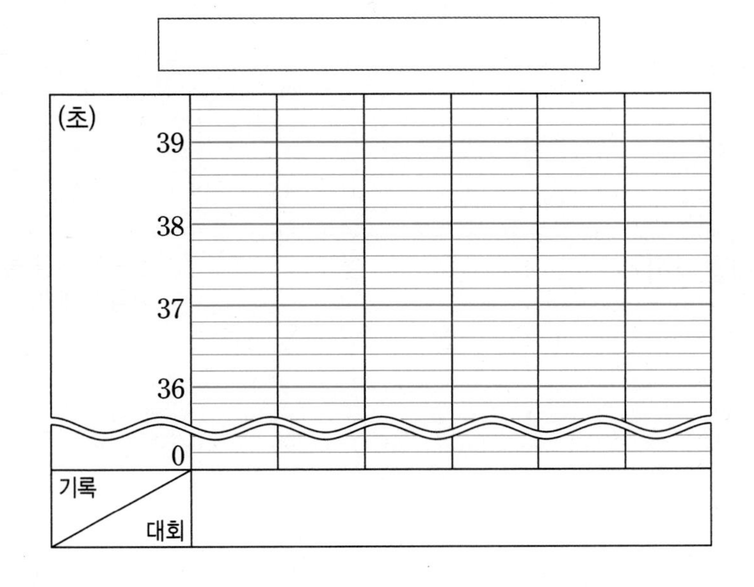

어느 날 학교 운동장의 온도를 재어 나타낸 꺾은선그래프입니다. 물음에 답하시오. [1~4]

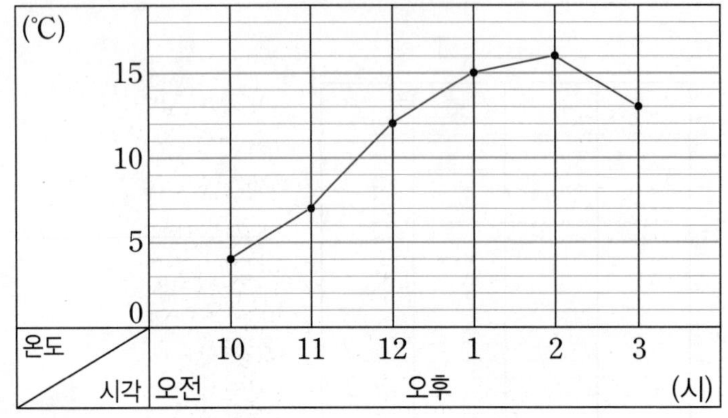

1 꺾은선그래프의 가로와 세로는 각각 무엇을 나타냅니까?

가로 (　　　　　　　　)

세로 (　　　　　　　　)

2 세로 눈금 한 칸은 몇 ℃를 나타냅니까?

(　　　　　　　　)

- 세로 눈금 5칸이 몇 ℃를 나타내는지 알아봅니다.

3 온도가 가장 높은 때는 몇 시입니까?

(　　　　　　　　)

- 온도가 가장 높은 때는 점이 가장 높게 찍힌 때입니다.

4 온도가 가장 낮은 때는 몇 시입니까?

(　　　　　　　　)

- 온도가 가장 낮은 때는 점이 가장 낮게 찍힌 때입니다.

✸ 우리나라는 저출산으로 인해 매년 초등학생 수가 줄어들고 있습니다. 다음은 어느 지역의 연도별 초등학생 수를 나타낸 표입니다. 물음에 답하시오. [5~7]

초등학생 수

연도(년)	2013	2014	2015	2016	2017
초등학생 수(명)	700	680	660	580	520

5 표를 보고 꺾은선그래프로 나타내시오.

초등학생 수

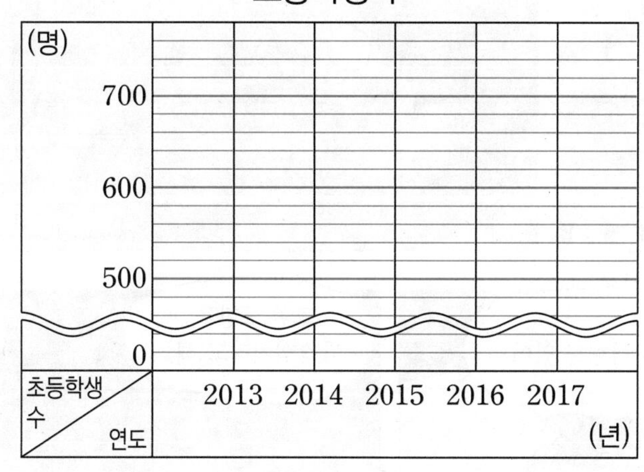

6 초등학생 수의 변화가 가장 많은 때는 몇 년과 몇 년 사이입니까?

( )

• 선이 많이 기울어질수록 초등학생 수의 변화가 많습니다.

7 2018년에는 초등학생 수가 어떻게 될지 예상하고, 그렇게 예상한 이유를 써 보시오.

예상 ....

이유 ....

• 꺾은선의 변화를 보고 2018년의 초등학생 수를 예상해 봅니다.

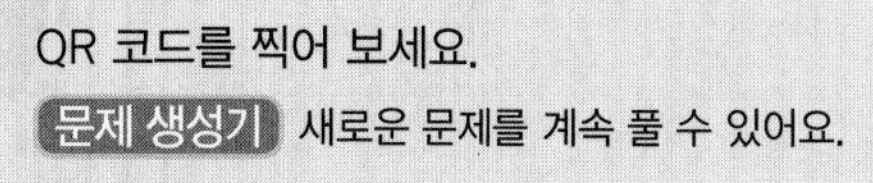

5 꺾은선그래프

6 다각형

제6화 우영이의 욕심은 대체 어디까지?

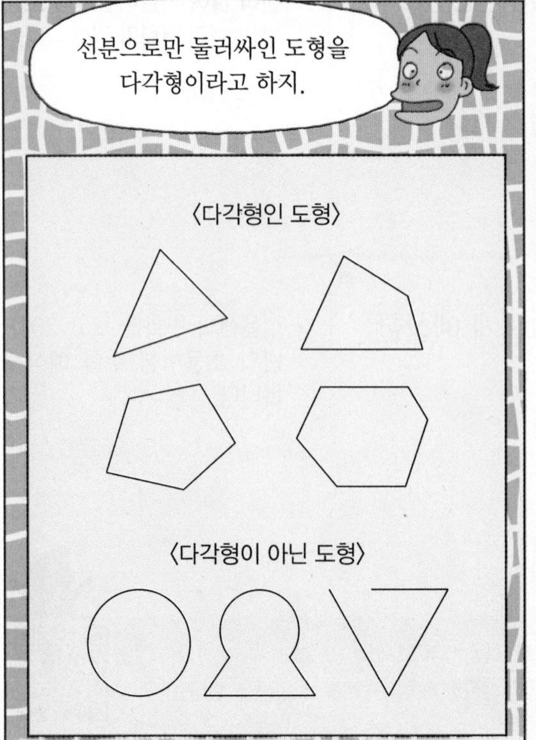

이미 배운 내용	이번에 배울 내용	앞으로 배울 내용
[4-2 삼각형] • 이등변삼각형, 정삼각형, 예각삼각형, 둔각삼각형 알아보기 [4-2 사각형] • 여러 가지 사각형 알아보기	• 다각형 알아보기 • 정다각형 알아보기 • 대각선 알아보기 • 모양 만들기, 모양 채우기	[5-2 직육면체] • 직육면체와 정육면체 알아보기 [6-1 각기둥과 각뿔] • 각기둥과 각뿔 알아보기

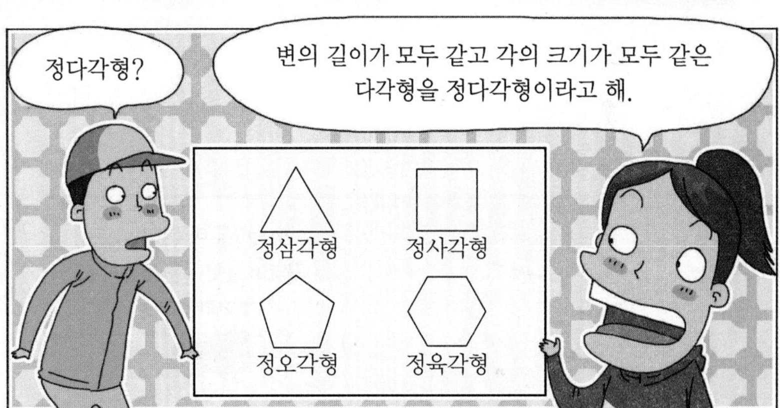

배운 것 확인하기

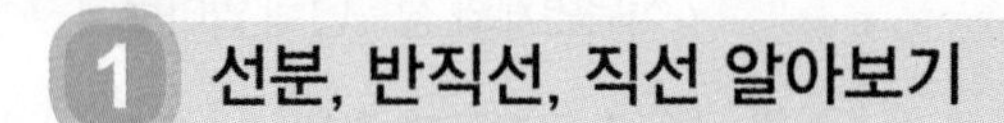

1 선분, 반직선, 직선 알아보기

✸ 선분, 반직선, 직선 중 어느 것인지 쓰시오.

두 점을 곧게 이은 선을 선분, 한 점에서 시작하여 한쪽으로 끝없이 늘인 곧은 선을 반직선이라고 해.

1
(선분)

2
( )

3
( )

또 선분을 양쪽으로 끝없이 늘인 곧은 선을 직선이라고 해.

4
( )

5
( )

2 삼각형과 사각형 알아보기

✸ 삼각형이면 '삼', 사각형이면 '사'라고 쓰시오.

변이 3개인 도형을 삼각형, 변이 4개인 도형을 사각형이라고 해.

1
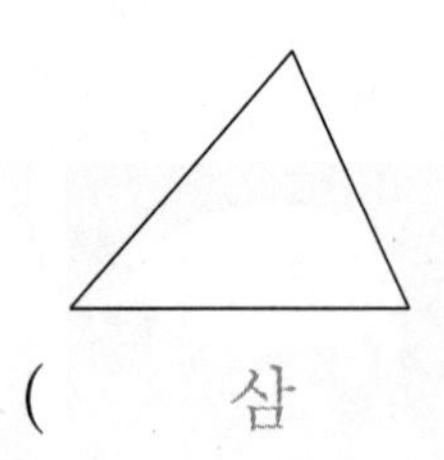
(삼)

2
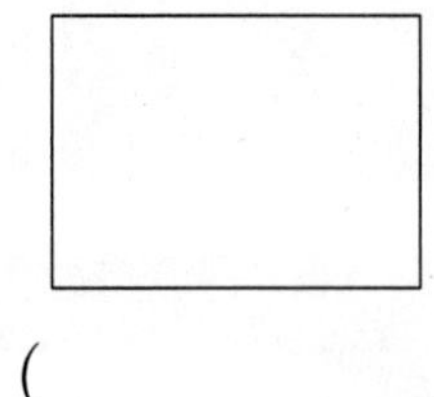
( )

3
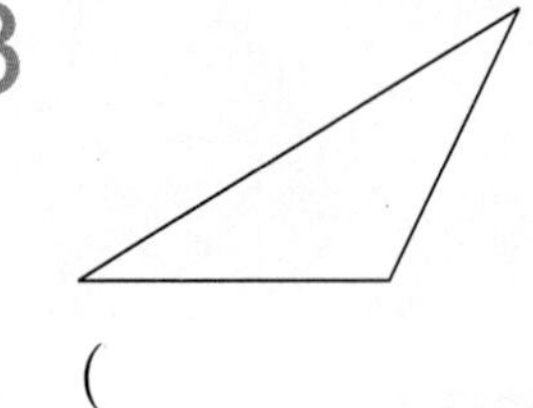
( )

4
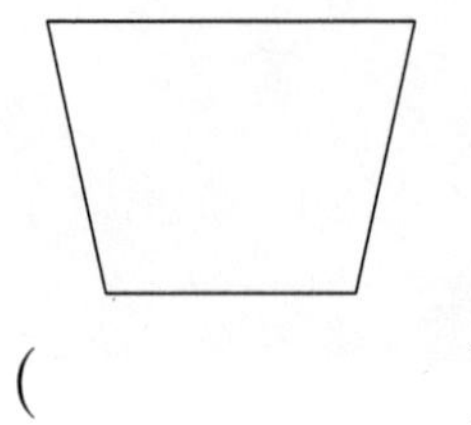
( )

5
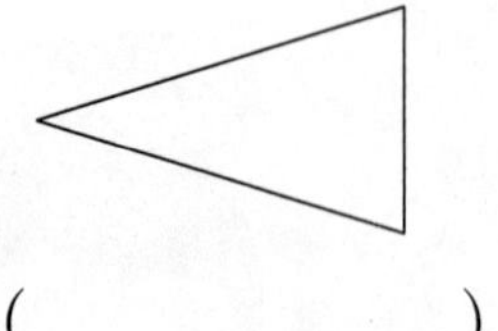
( )

3 오각형과 육각형 알아보기

✸ **오각형이면 '오', 육각형이면 '육'이라고 쓰시오.**

변이 5개인 도형을 오각형, 변이 6개인 도형을 육각형이라고 해.

1 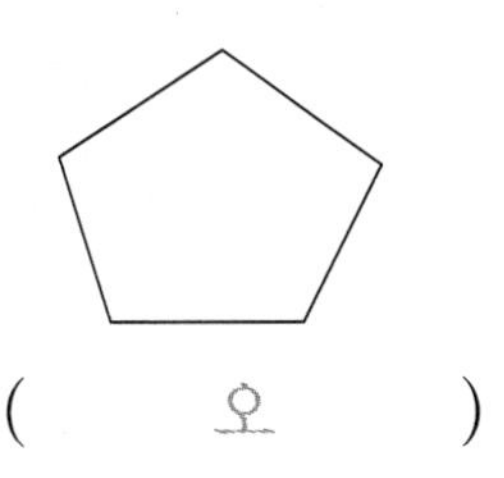

(오)

2 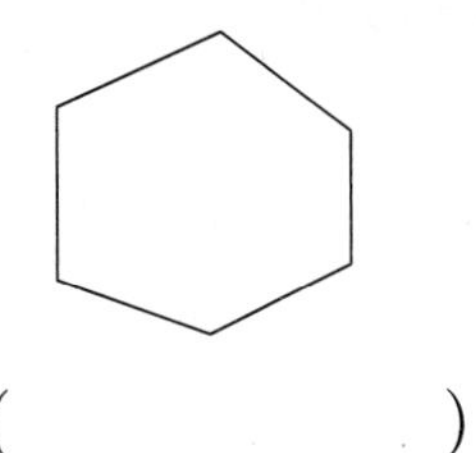

(   )

3 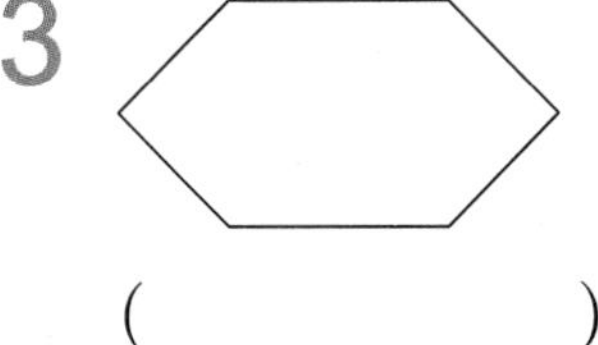

(   )

4 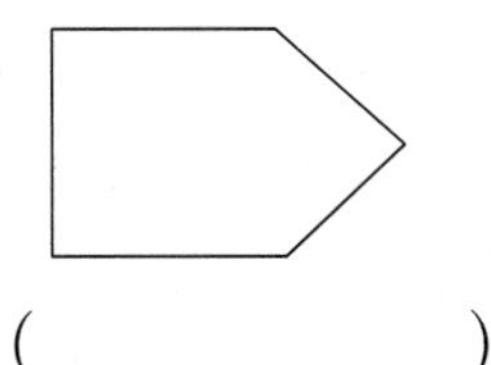

(   )

5 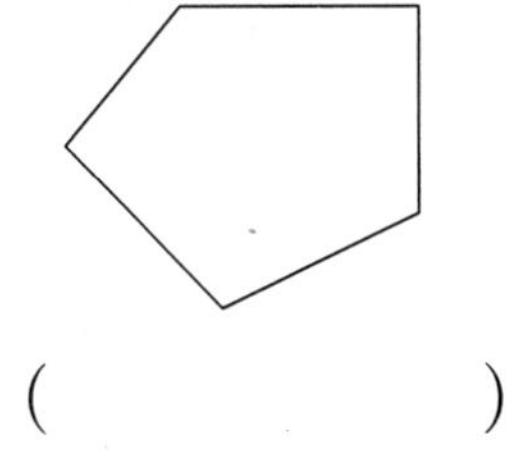

(   )

4 변과 꼭짓점의 수 구하기

✸ **도형을 보고 □ 안에 알맞은 수를 써넣으시오.**

1 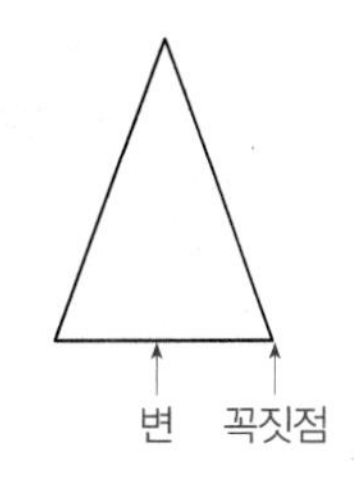

변의 수: [3]개

꼭짓점의 수: [3]개

도형에서 곧은 선이 변, 두 변이 만나는 점이 꼭짓점이야.

2 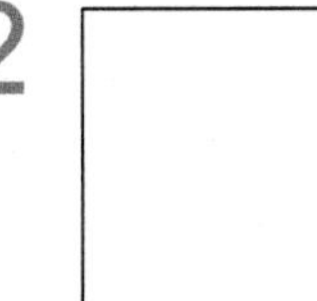

변의 수: □개

꼭짓점의 수: □개

3 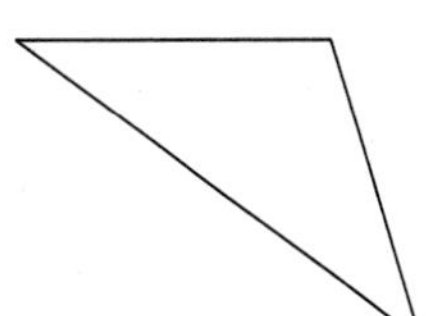

변의 수: □개

꼭짓점의 수: □개

4 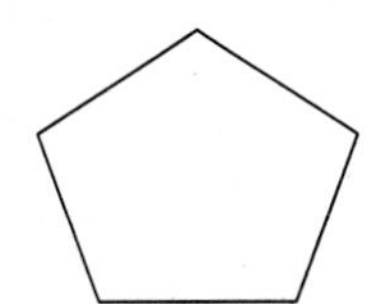

변의 수: □개

꼭짓점의 수: □개

5 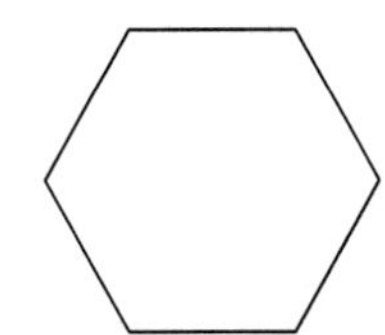

변의 수: □개

꼭짓점의 수: □개

1 다각형 알아보기

다각형이면 ○표, 아니면 ×표 하시오.

1
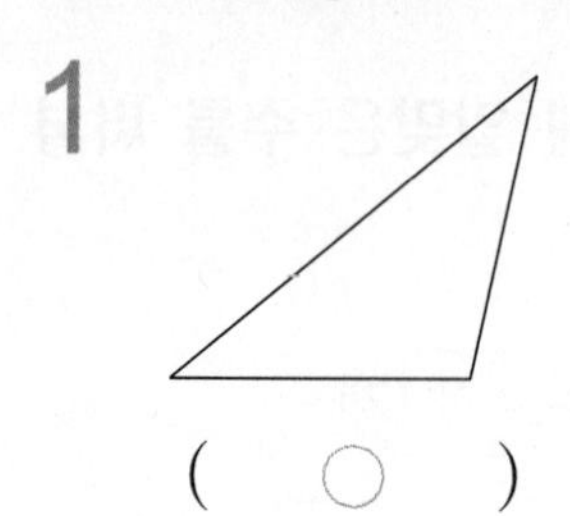
(○)

2
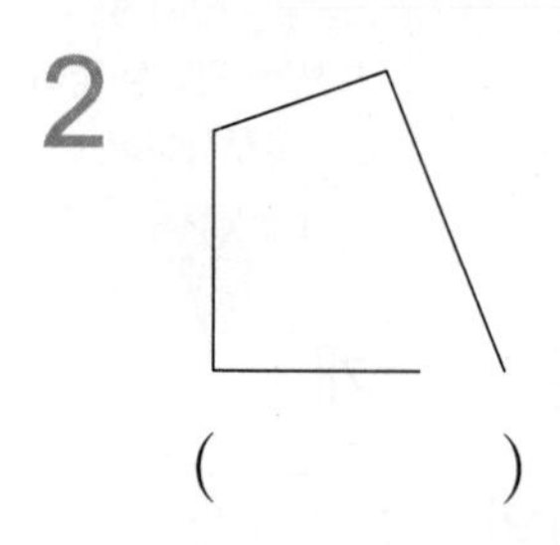
( )

3
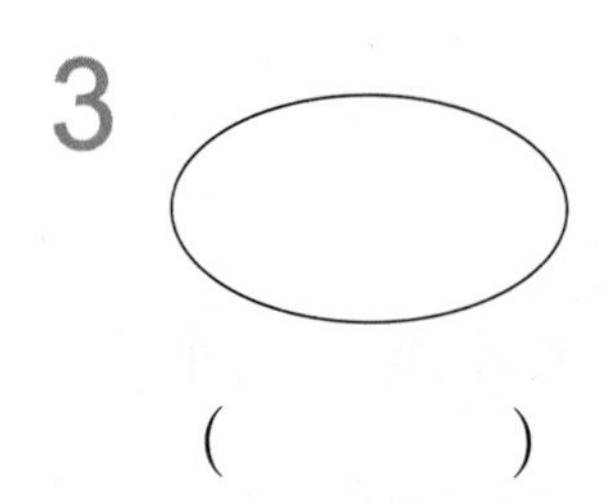
( )

4
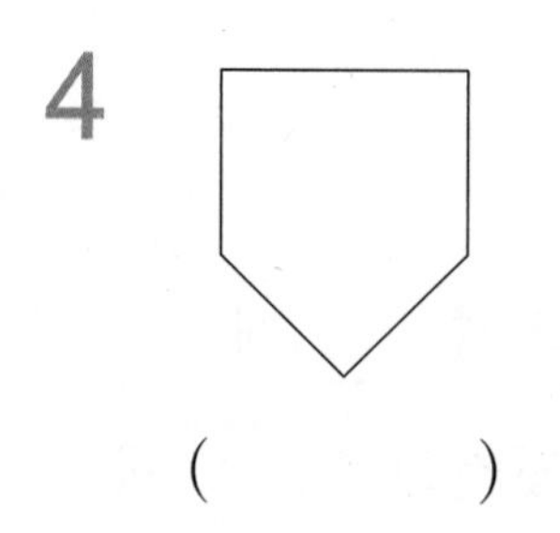
( )

5
( )

6
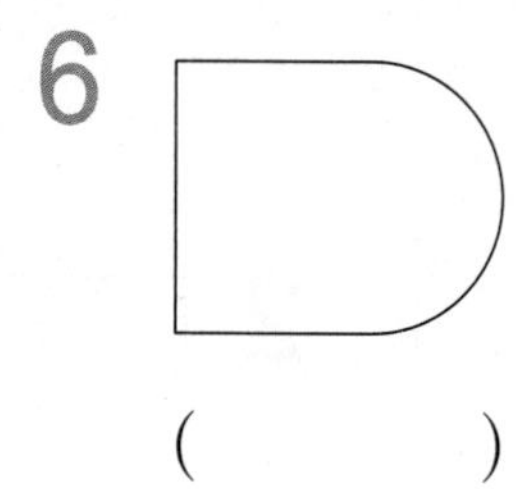
( )

7
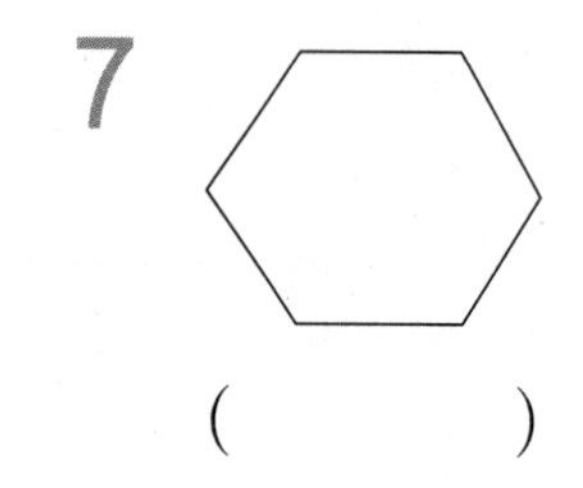
( )

8

( )

9
( )

10
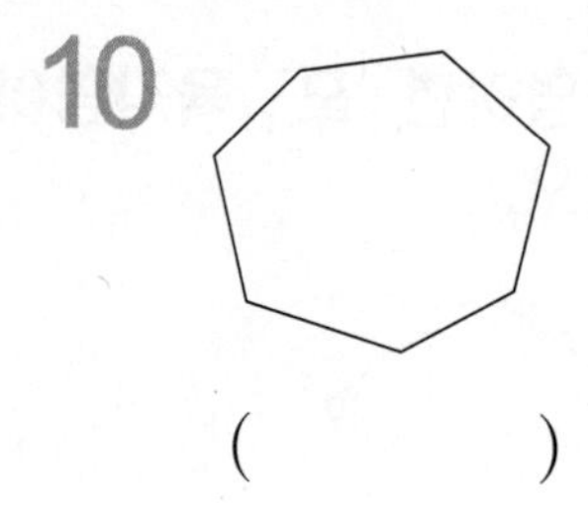
( )

11
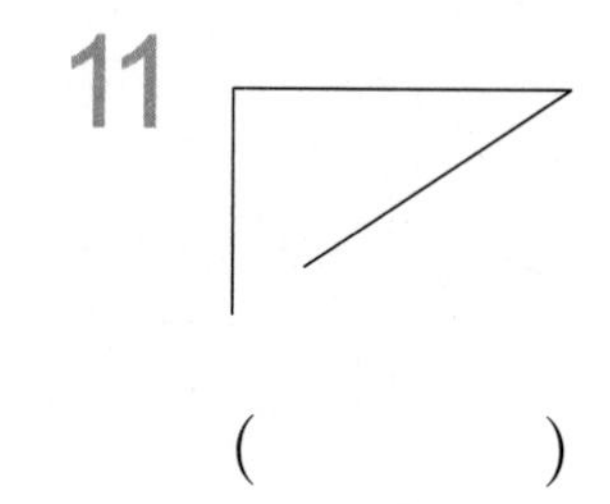
( )

12
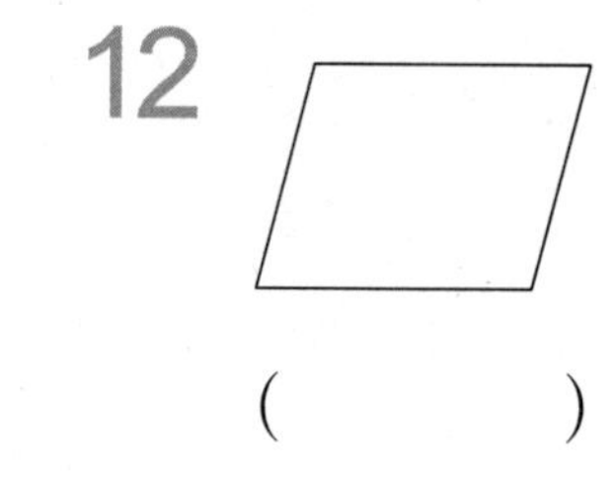
( )

13
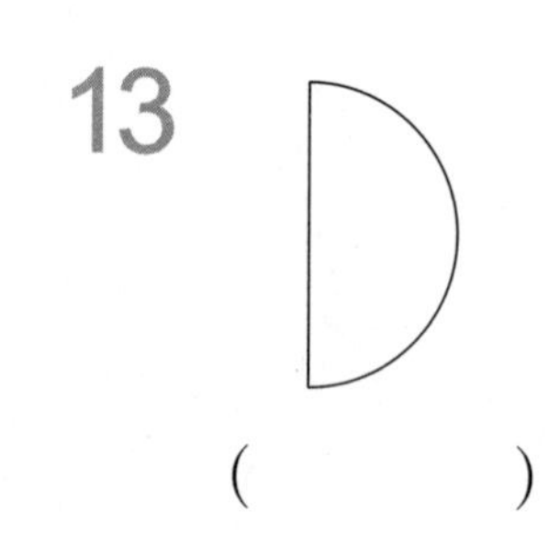
( )

14
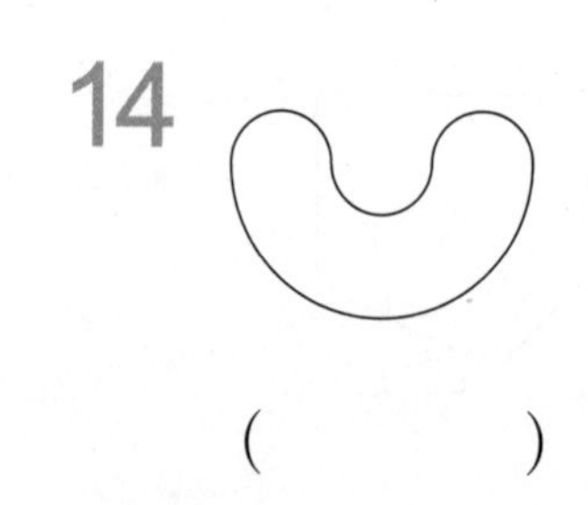
( )

2 다각형의 이름 알아보기

공부한 날 월 일

✹ 다각형의 이름을 쓰시오.

1

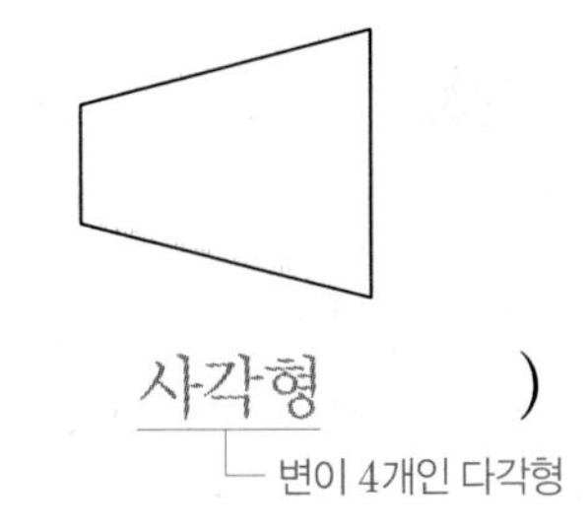

(사각형)

└ 변이 4개인 다각형

다각형의 이름은 변의 수에 따라 정해져.

2

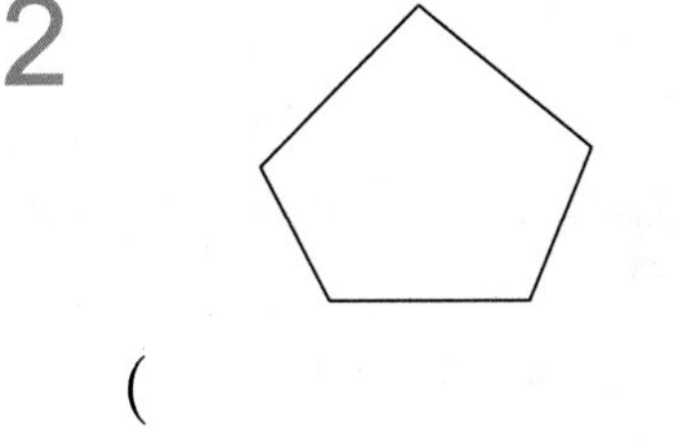

( )

3

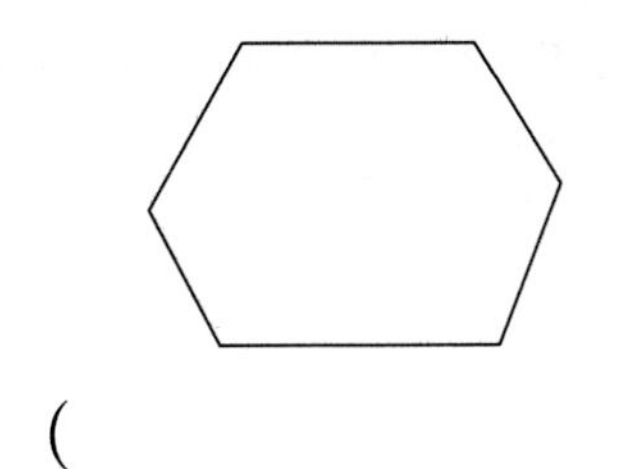

( )

4

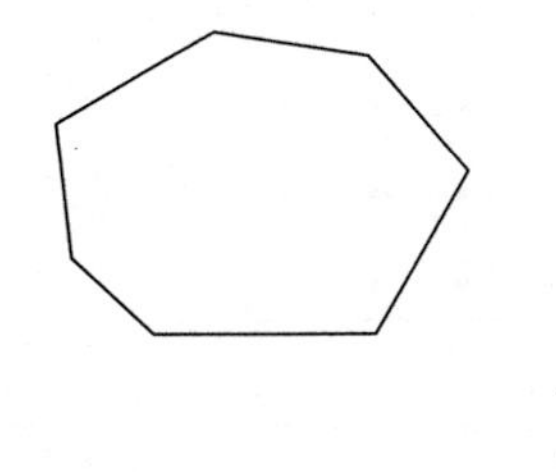

( )

5

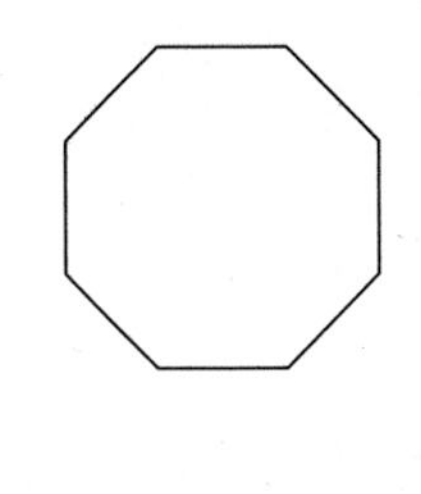

( )

6

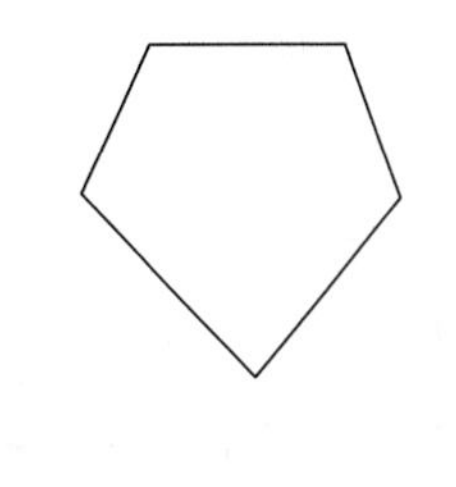

( )

7

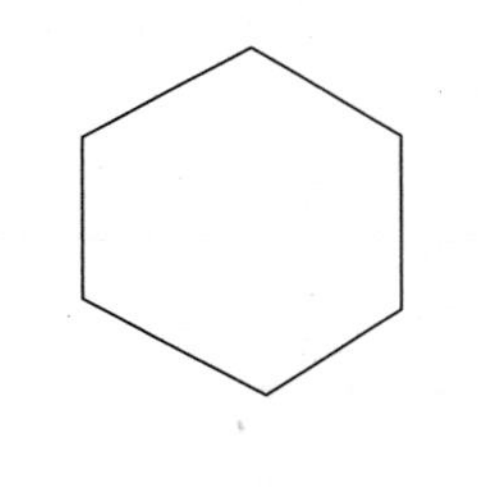

( )

8

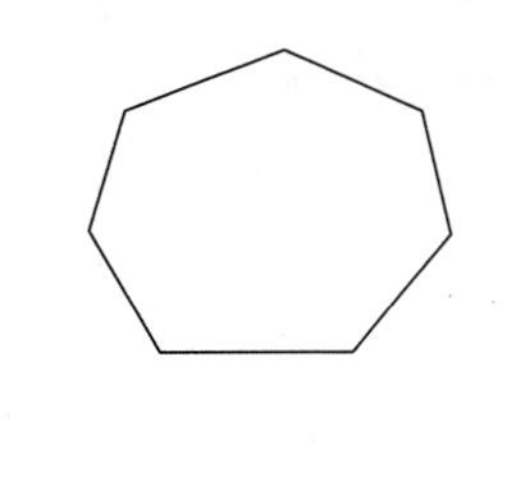

( )

9

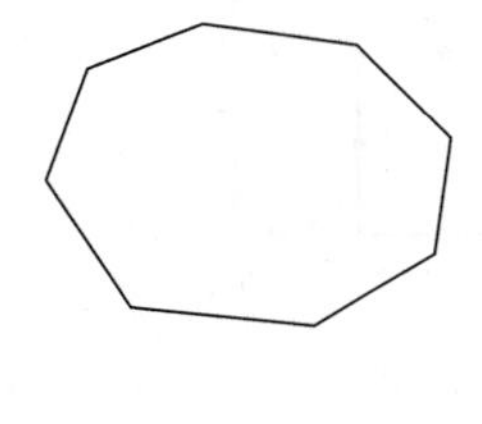

( )

10

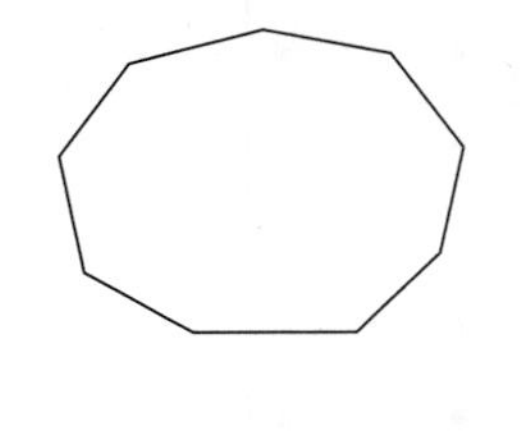

( )

6 다각형

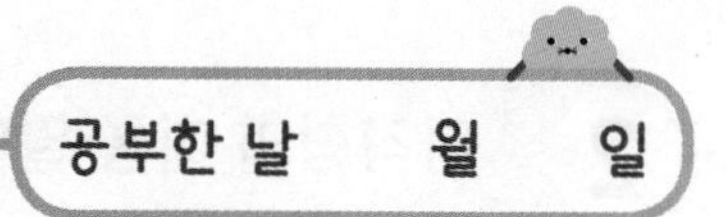

3 다각형 그리기

✸ 점 종이에 그려진 선분을 이용하여 다각형을 완성해 보시오.

1 삼각형

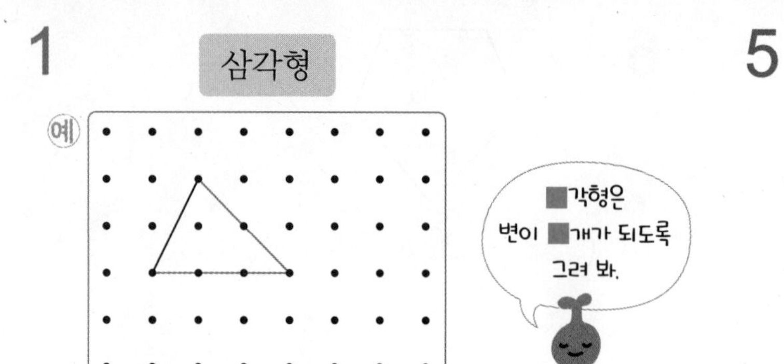

2 육각형

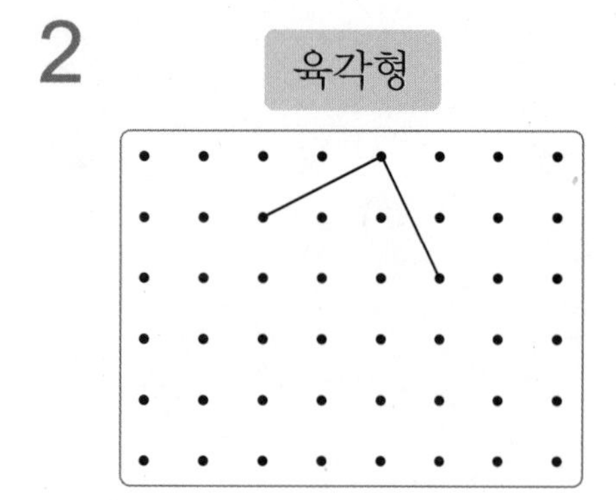

3 칠각형

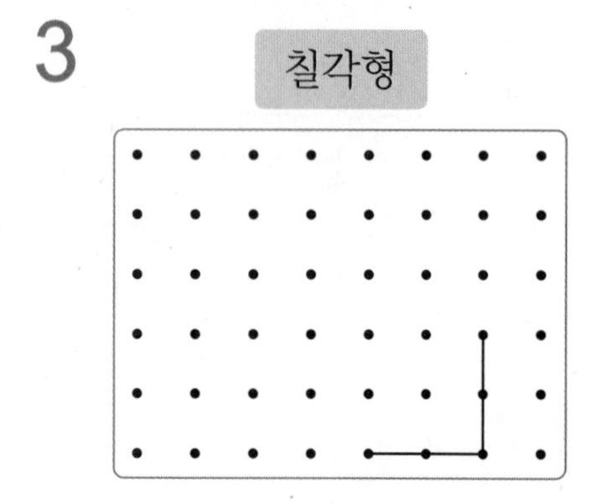

4 팔각형

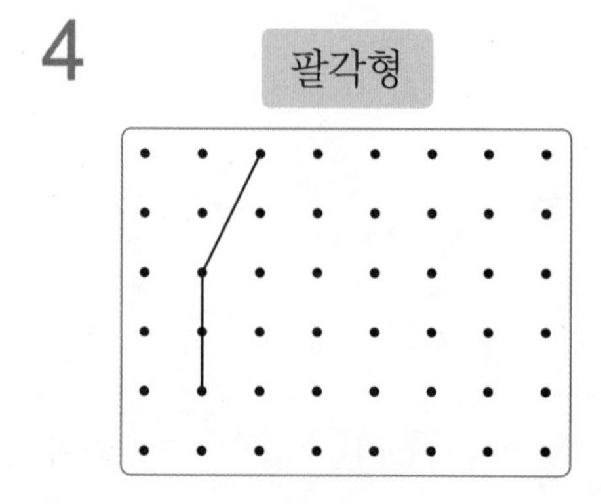

5 육각형

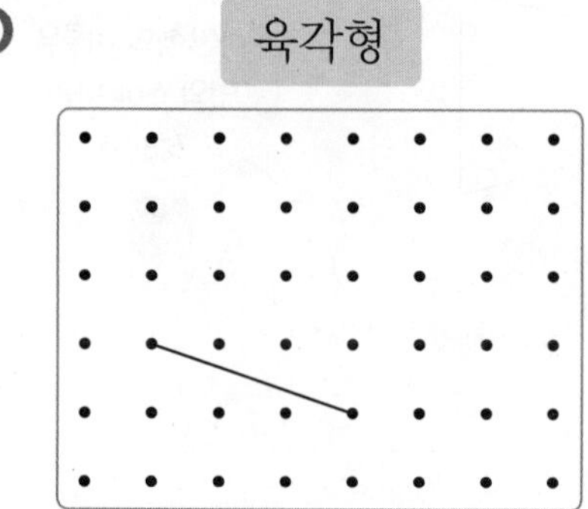

6 오각형

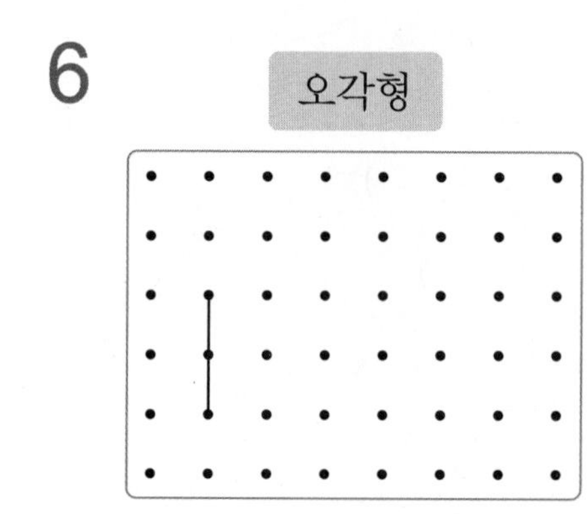

7 팔각형

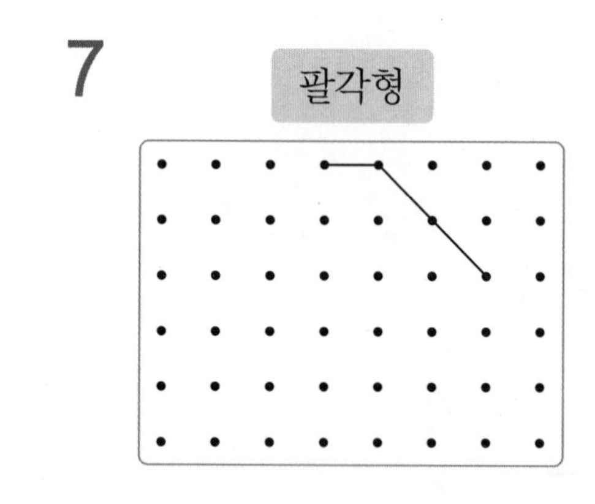

8 구각형

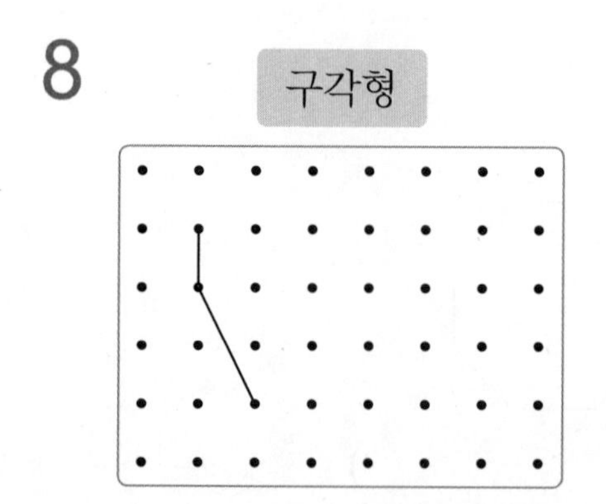

4 정다각형 알아보기

공부한 날 월 일

✹ 정다각형이면 ○표, 아니면 ×표 하시오.

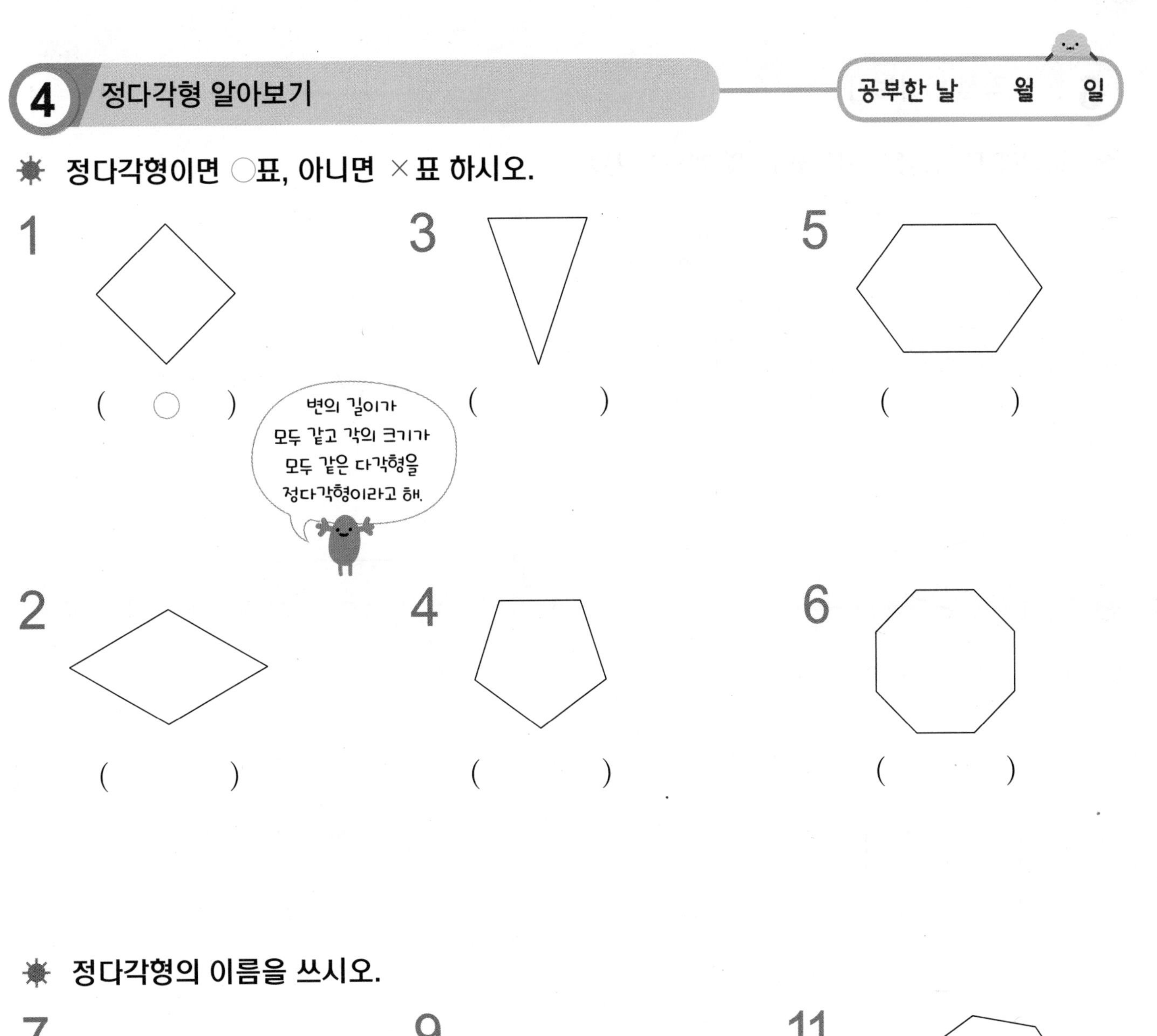

✹ 정다각형의 이름을 쓰시오.

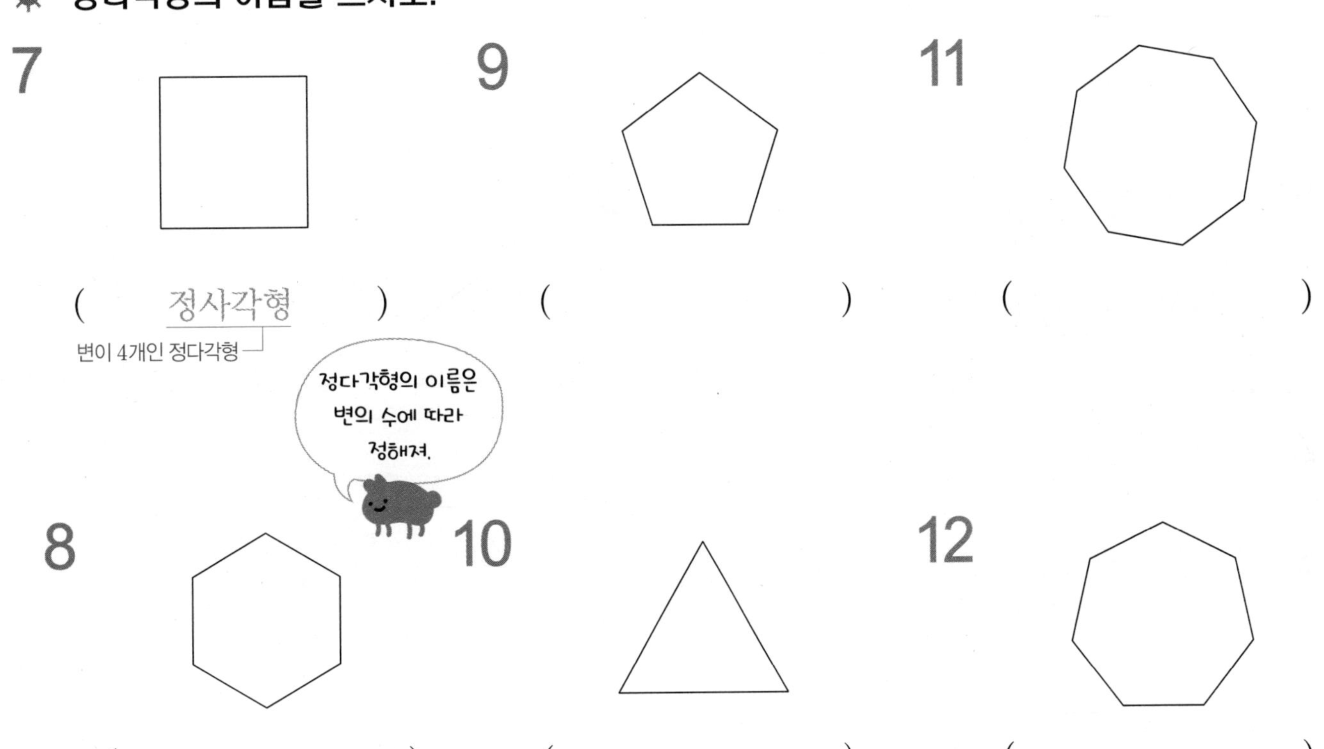

5 대각선 알아보기

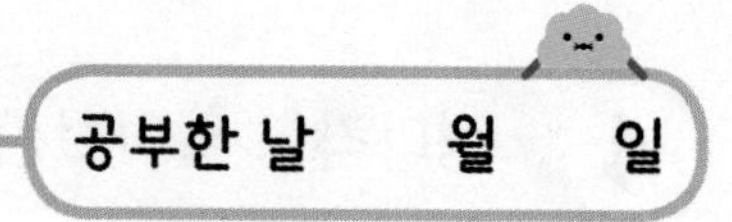

✹ **도형에 대각선을 모두 긋고, 몇 개인지 쓰시오.**

1

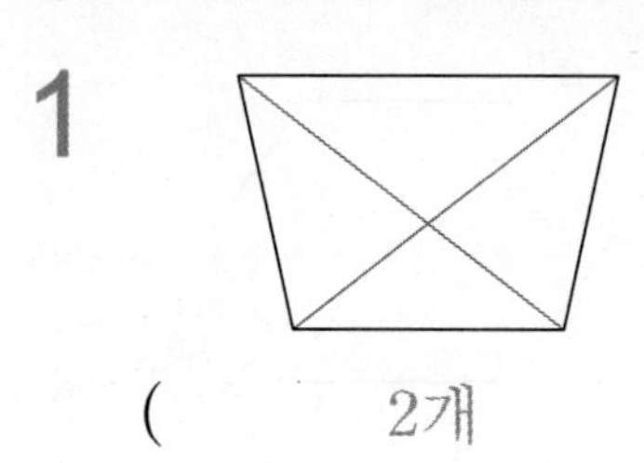

(2개)

2

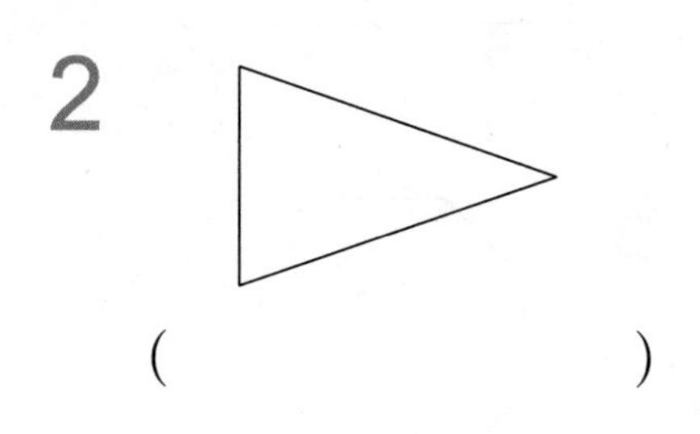

( )

3

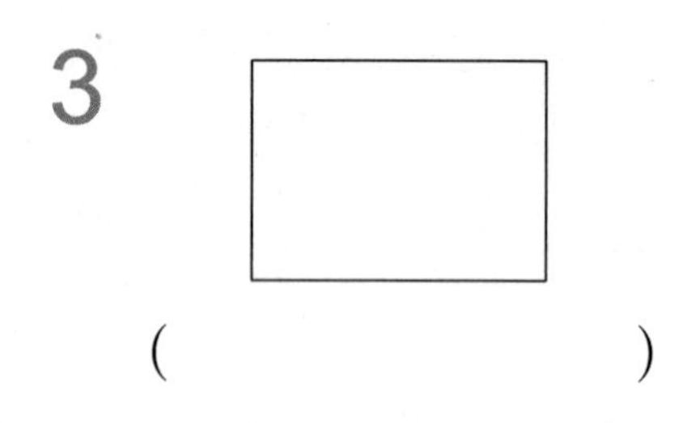

( )

4

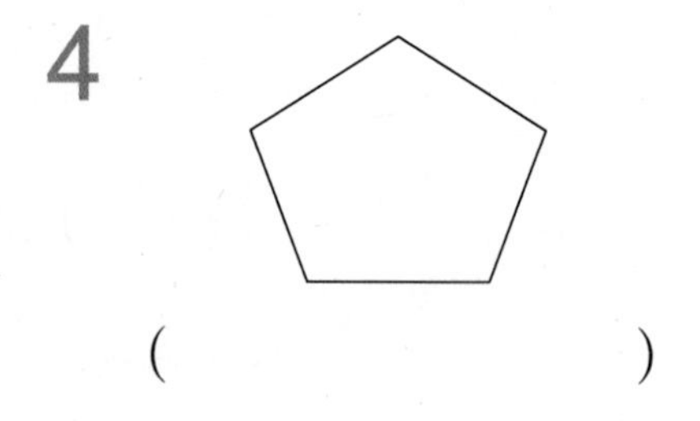

( )

5

( )

6

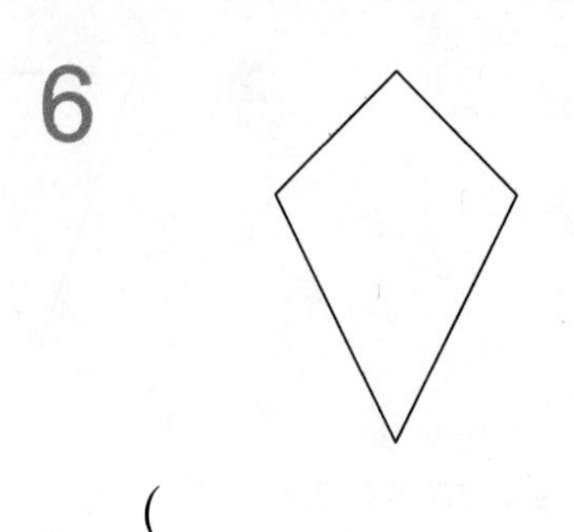

( )

7

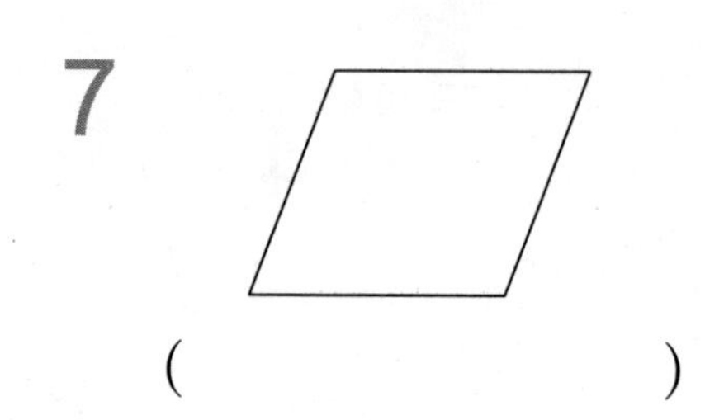

( )

8

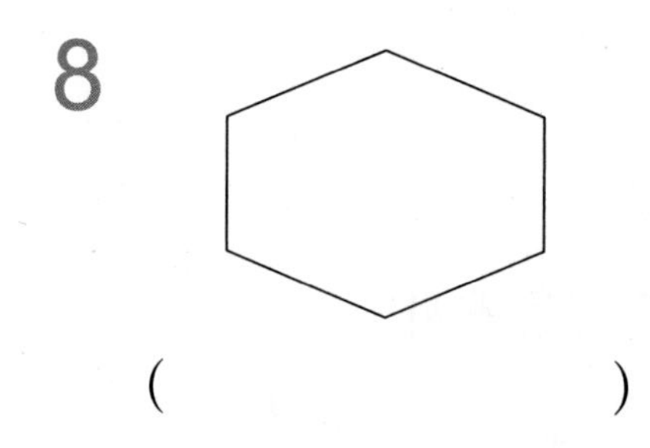

( )

9

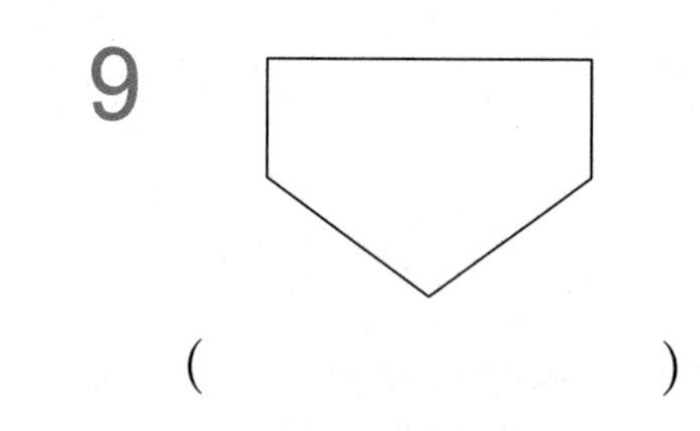

( )

10

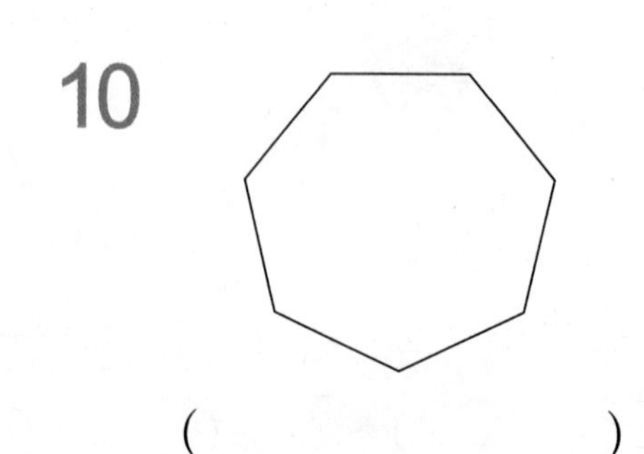

( )

다각형을 보고 물음에 답하시오.

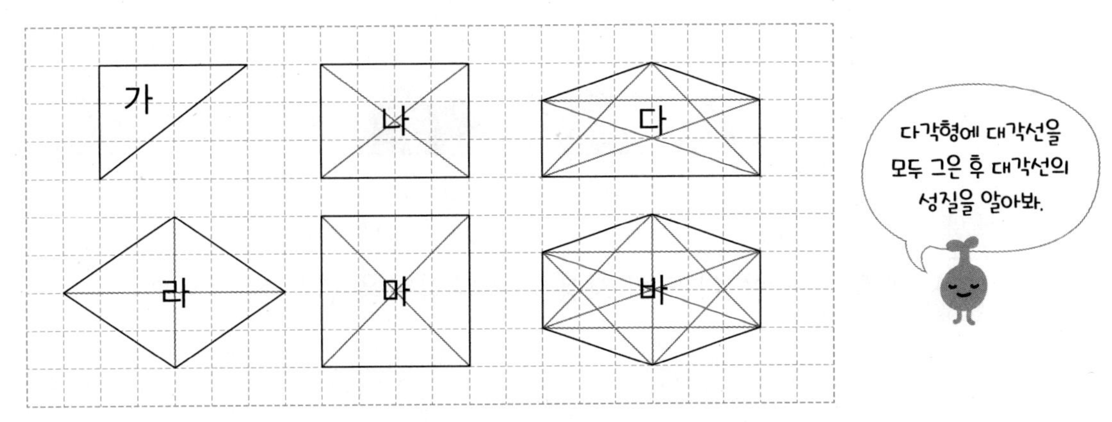

1 다각형에 대각선을 모두 그어 보시오.

2 대각선을 그을 수 없는 다각형을 찾아 기호를 쓰시오.

( )

3 하나의 꼭짓점에서 그을 수 있는 대각선은 각각 몇 개인지 쓰시오.

사각형 ( )

오각형 ( )

육각형 ( )

4 알맞은 말에 ○표 하시오.

꼭짓점의 수가 (많은 , 적은) 다각형일수록 더 많은 대각선을 그을 수 있습니다.

5 대각선의 수가 가장 많은 다각형의 기호를 쓰시오.

( )

7 여러 가지 모양 조각으로 다각형 만들기

공부한 날 월 일

✸ 모양 조각을 보고 물음에 답하시오.

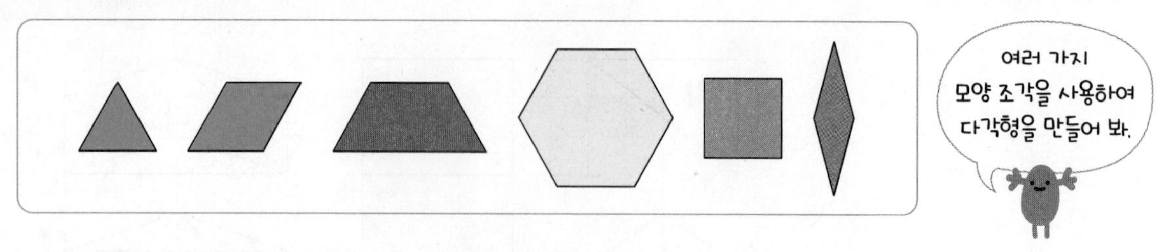

1 ▲ 모양 조각을 여러 번 사용하여 다각형을 만들어 보시오.

예

삼각형	사각형	육각형

2 2가지 모양 조각을 사용하여 다각형을 만들어 보시오.

사각형	오각형	육각형

3 3가지 모양 조각을 사용하여 다각형을 만들어 보시오.

사각형	오각형	육각형

8 여러 가지 모양 조각을 사용하여 모양 채우기

공부한 날 월 일

✹ **모양 조각을 보고 물음에 답하시오.**

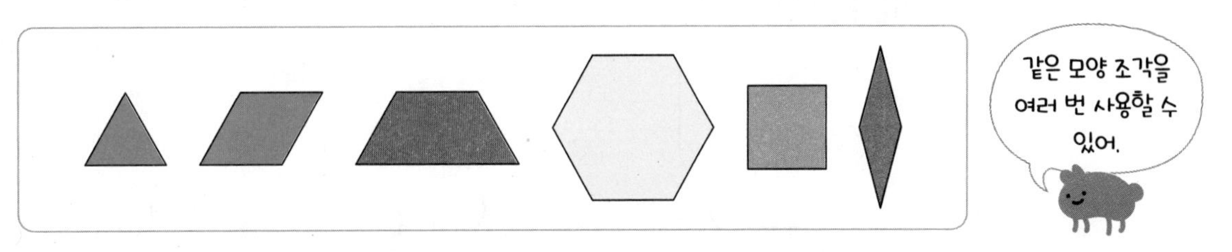

1 모양 조각을 사용하여 서로 다른 방법으로 사다리꼴을 채워 보시오.

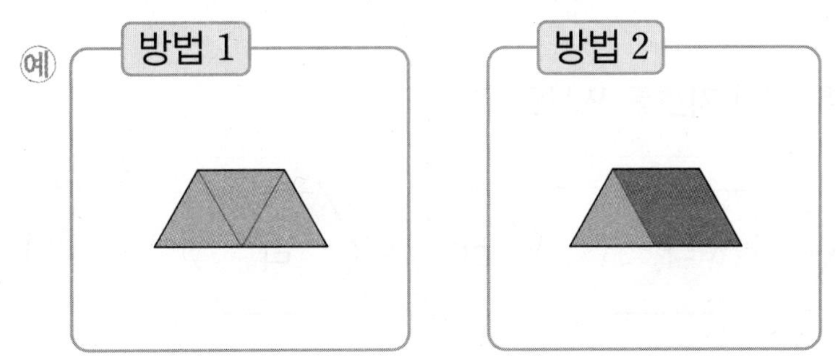

2 모양 조각을 사용하여 서로 다른 방법으로 마름모를 채워 보시오.

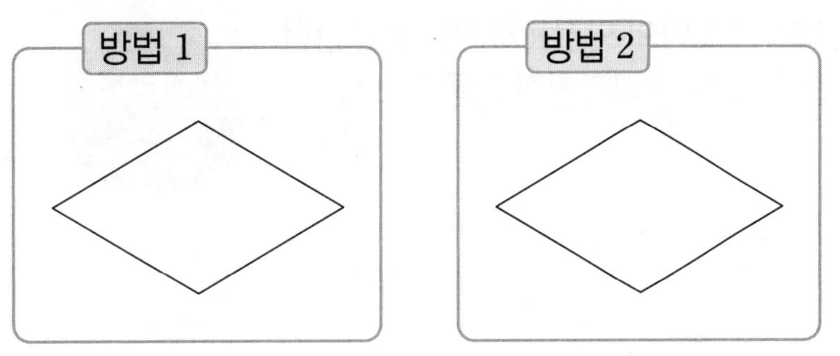

3 모양 조각을 사용하여 주어진 모양을 채워 보시오.

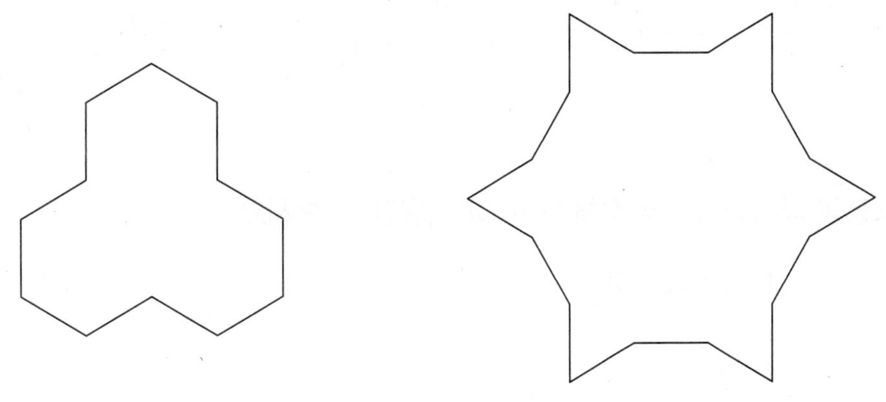

6 다각형

1 다각형의 이름을 쓰시오.

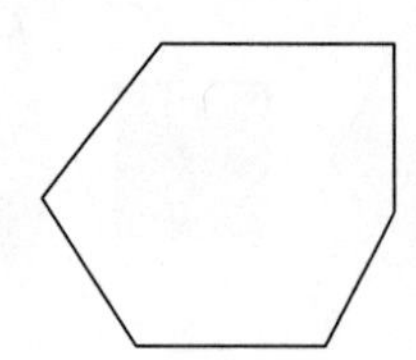

(　　　　　　　　)

2 정다각형을 모두 찾아 기호를 쓰시오.

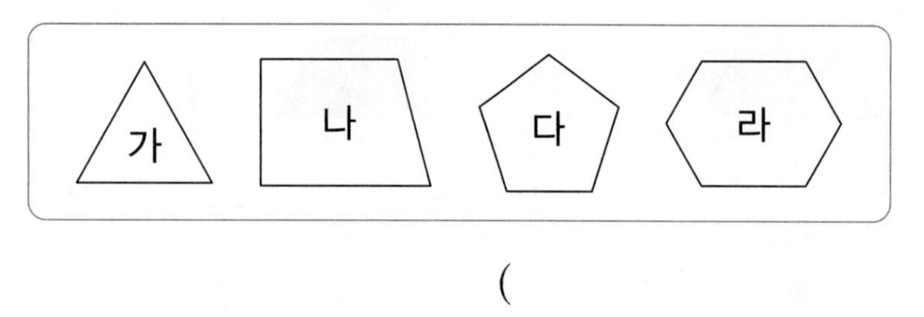

(　　　　　　　　)

• 변의 길이가 모두 같고 각의 크기가 모두 같은 다각형을 정다각형이라고 합니다.

3 오른쪽은 정다각형 모양의 안전표지판입니다. 안전 표지판에서 볼 수 있는 정다각형의 이름을 쓰시오.

(　　　　　　　　)

• 정다각형의 이름은 변의 수에 따라 정해집니다.

4 도형에 대각선을 모두 긋고, 몇 개인지 쓰시오.

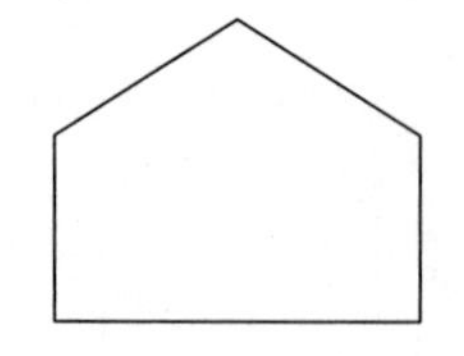

(　　　　　　　　)

• 서로 이웃하지 않는 두 꼭짓점을 곧은 선으로 이어 봅니다.

5 다음 도형이 다각형인지 생각해 보고, 그 이유를 써 보시오.

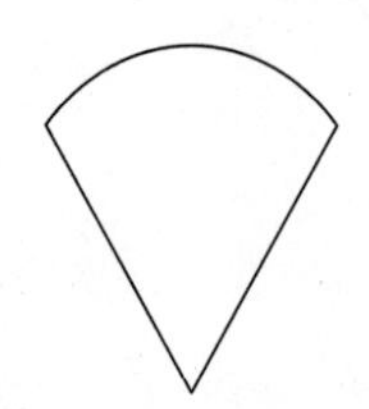

다각형입니까? ....

이유 ....

....

6 주어진 종이에 크기가 다른 정육각형을 2개 그려 보시오.

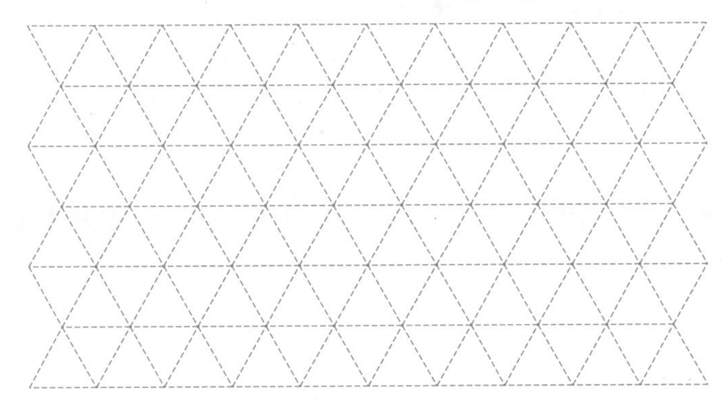

• 정육각형은 6개의 변의 길이와 6개의 각의 크기가 모두 같습니다.

7 두 대각선이 서로 수직으로 만나는 사각형을 모두 찾아 기호를 쓰시오.

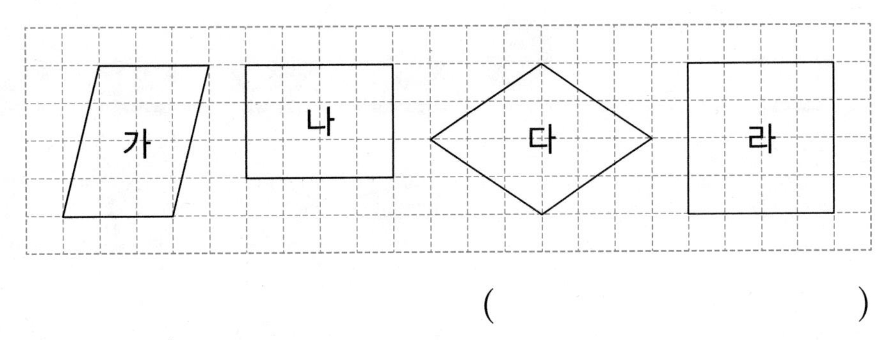

( )

• 사각형에 대각선을 각각 그은 후 살펴봅니다.

8 모양 조각을 사용하여 채우기를 해 보시오.

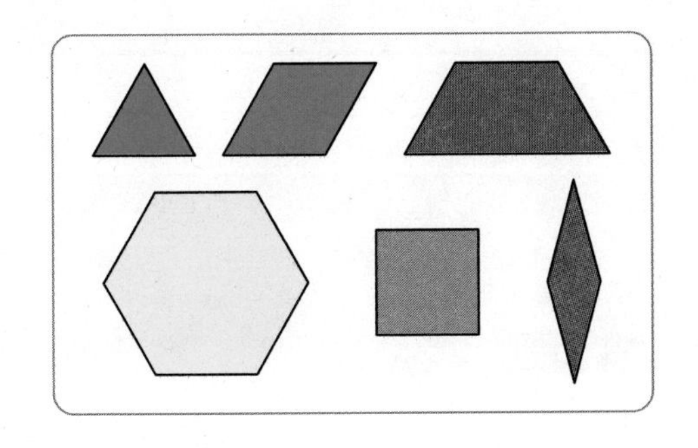

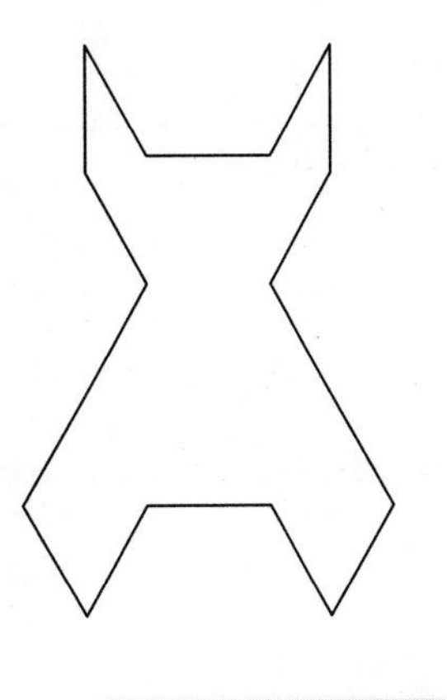

QR 코드를 찍어 보세요.
문제 생성기 새로운 문제를 계속 풀 수 있어요.

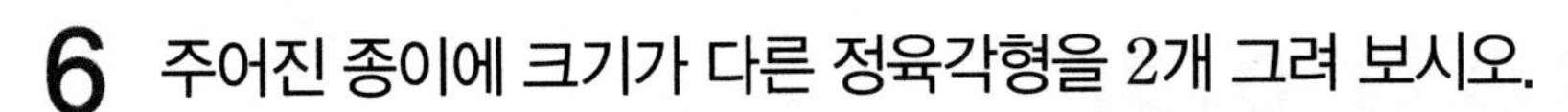

6 다각형

모양을 선으로 잇기

그림에서 별에 적힌 숫자는 다른 별과 연결된 선의 수입니다. 주어진 숫자에 맞게 별을 선으로 이어 보세요. [1 ~ 2]

보기

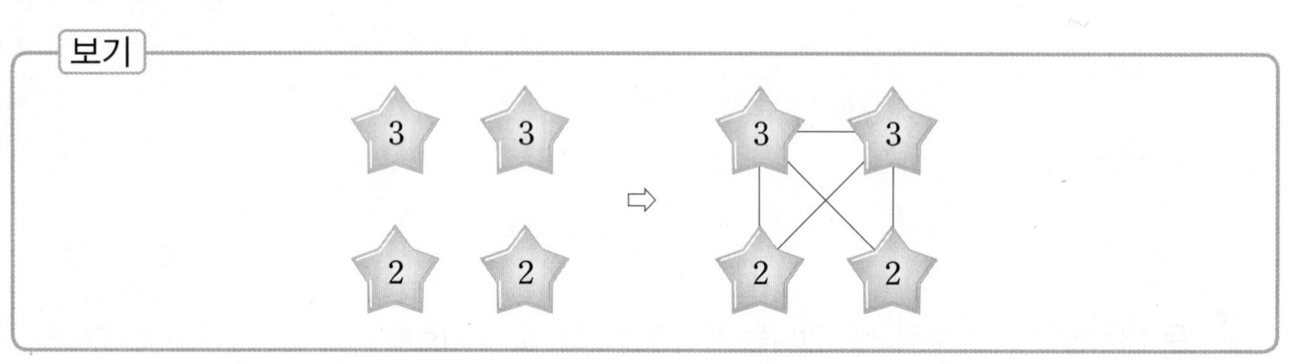

1

2

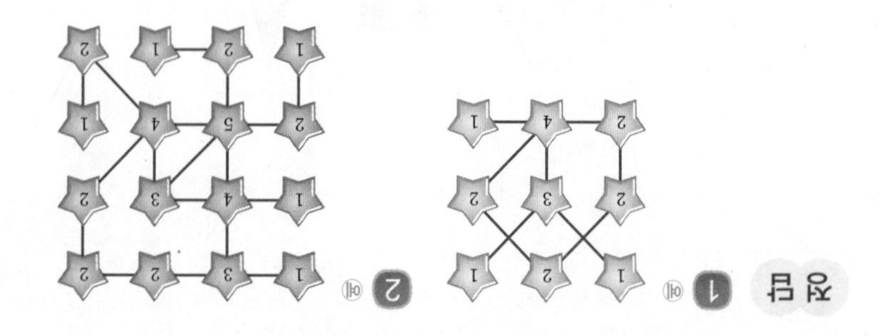